Francisco Matte Bon

Gramática Comunicativa del español

DE LA IDEA A LA LENGUA

TOMO II

Nueva edición revisada

edelsa
GRUPO DIDASCALIA, S.A.
Plaza Ciudad de Salta, 3 - 28043 MADRID - (ESPAÑA)
TEL.: (34) 914.165.511 - FAX: (34) 914.165.411

Dedico esta obra a todos los que directa o indirectamente la han hecho posible: a mis padres, por el estímulo y el apoyo constantes; a Henri Adamczewski y Jean Claude Chevalier quienes me proporcionaron los instrumentos de análisis utilizados aquí y me enseñaron a pensar y concebir la gramática de una manera original y no como algo recibido que sólo se repite y venera como indiscutible; a mis estudiantes, por todo lo que me han ido enseñando con sus preguntas, sus dudas y sus errores; a Lourdes Díaz y María José Hernández, con quienes he discutido largamente ciertos puntos y con quienes colaboro desde hace años ya, junto con Lourdes Miquel y Neus Sans, en la formación de profesores; a todos los demás colegas y amigos con los que he discutido a lo largo de los años distintos aspectos relacionados con esta gramática: Peter, Graciela, Paco, Sonsoles, Rosa, Amparo, Wolfgang, Susana, Diana, Agustín, Manuel, Jenaro, Domingo, y un largo etcétera; a todos los profesores que con sus preguntas y dudas en talleres y seminarios me han estimulado para seguir pensando, y a los que en su trabajo sientan la inquietud de llegar a análisis gramaticales un poco más satisfactorios; a todos los parientes, colegas y amigos que he ido importunando a través de los años con mis preguntas, comentarios y análisis, a veces interrumpiendo conversaciones que nada tenían que ver con la gramática; a Nicoletta y Nicolás, por el tiempo que esta gramática les ha quitado.

Agradezco a Lourdes Miquel y Neus Sans por el arduo trabajo de relectura de esta obra y por los numerosos comentarios y sugerencias que han aportado; a Iñigo Sánchez Paños, quien revisó todo el manuscrito, a Detlev Wagner, por su lucha para hacer posible la publicación.

AUTOR
Francisco Matte Bon

REDACCIÓN
Íñigo Sánchez Paños

ASESORÍA
Lourdes Miquel y Neus Sans

Primera edición: 1992
Nueva edición revisada: 1995
Primera reimpresión: 1998
Segunda reimpresión: 1999

I.S.B.N.: 84-7711-105-7
Depósito legal: M-1066-1999

FOTOCOMPOSICIÓN
Ahumesa COMPITEX, S.A.

Impreso en España
PIMAKIUS
Encuadernación
PERELLÓN

INTRODUCCIÓN

PRESENTACIÓN GENERAL

Esta gramática es el resultado de doce años de investigaciones y análisis del funcionamiento del español como sistema de comunicación en el marco de la enseñanza a extranjeros. Se dirige tanto a aquéllos que deseen reflexionar sobre el sistema para entender sus mecanismos de funcionamiento (hablantes de español como lengua materna o extranjeros), como a los que necesiten profundizar y mejorar su propia competencia comunicativa en español.

UNA OBRA DE REFERENCIA Y DE ESTUDIO

Se trata de una obra de referencia, porque está concebida para poder ser consultada sobre cualquier aspecto en particular, con la redundancia necesaria para que el lector que acuda a ella en busca de información sobre un determinado problema no tenga que leérsela entera para encontrar la información que precisa[1]. Los dos índices detallados que lleva al final de cada uno de los dos tomos (el índice general y el índice alfabético) ayudan a encontrar con facilidad las distintas referencias.

También es una obra de estudio, porque los capítulos están concebidos de forma autónoma para que el lector interesado pueda ir profundizando distintos aspectos, pero sin perder de vista el análisis de la lengua como sistema de conjunto. No sólo se describe el funcionamiento de los distintos microsistemas en sus aspectos más superficiales, sino que además se intenta explicar los diferentes fenómenos, tratando siempre de poner en evidencia la coherencia profunda de la lengua y la especificidad de cada uno de los elementos de los que se compone. Se invita además al lector a profundizar en muchos aspectos, especialmente en los apartados titulados CON MÁS DETALLE.

1 Naturalmente, al irse familiarizando con ella, el lector irá reconociendo en cada apartado una misma filosofía de la lengua, un mismo tipo de lenguaje, y captará mejor muchos matices: como cualquier otra experiencia humana, el conocimiento de un libro (gramática, diccionario, novela, poesía, etc.) ayuda a tener una idea del conjunto, y a entender mejor el uso y el sentido que se atribuye a cada palabra.

Aun sin pretender ser exhaustivos[2], hemos hecho lo posible por afrontar todos los problemas que preocupan tradicionalmente a los profesores y estudiantes de español como lengua extranjera. Además, se proponen soluciones para muchos de aquellos problemas que surgen en las clases, y para los que todos en algún momento hemos acudido a distintas gramáticas de referencia sin encontrar tan siquiera una simple mención.

FILOSOFÍA Y CONCEPCIÓN

Por su concepción y su filosofía, esta gramática se inscribe en las tendencias más recientes del análisis gramatical en la enseñanza de idiomas modernos. Nace en el aula y para el aula. **En el aula** surgió de la ansiedad y frustración que produce el no tener respuestas para muchos de los problemas planteados por los estudiantes, y la inquietud de tener que contestar, poco convencidos, con esos "suena mal" o "así está mal expresado" o "eso no se dice" a los que todos acudimos tan frecuentemente como profesores, y con los que nos sentimos tan insatisfechos como estudiantes.

Para el aula para ayudar al profesor y al estudiante a encontrar presentaciones que permitan entender los mecanismos de la lengua, buscando la esencia de cada elemento, aunque poniendo también de manifiesto las regularidades del sistema, aun en sus irregularidades: así, por ejemplo, hemos buscado presentaciones originales y sistemáticas incluso en áreas que aparentemente estaban perfectamente resueltas, como las reglas de acentuación o la morfología verbal. No hemos querido escribir una gramática de las excepciones, en la que a cada regla siguieran listas de casos en los que la regla presentada no funciona: lo que llamamos por costumbre "irregularidades" demuestra nuestra impotencia ante ciertos fenómenos que no logramos entender.

Es frecuente en gramática que se establezcan jerarquías entre las formas presentadas, y que se consideren algunas mejores o más correctas que otras. Generalmente, la formas consideradas mejores son las más formales o las más literarias. Esto contradice el funcionamiento real de los idiomas, ya que no se tiene en cuenta el hecho de que no se habla de la misma manera en todas las situaciones: existen distintos registros. Un buen dominio de un idioma consiste, entre otras cosas, en una buena capacidad de adaptarse al registro más apropiado para cada situación. El uso de un registro demasiado culto o demasiado formal en situaciones informales puede crear equívocos y falsas pistas de interpretación de comportamientos y actitudes. En esta gramática hemos querido, pues, replantear una serie de aspectos de la gramática del español en una concepción "comunicativa" de la lengua que tuviera en cuenta estas consideraciones: describir y explicar las distintas posibilidades sin olvidar nunca dar la imprescindible información sobre registros de uso de cada operador y de cada estructura.

Pero, **¿qué es una gramática comunicativa?** En primer lugar, una gramática que se plantea el análisis del funcionamiento de los idiomas desde una perspectiva que tiene en cuenta la comunicación, en la que se analizan todos los matices y nada se da por descontado; y en la que se reconoce un nuevo papel central a las interpretaciones que se dan de los enunciados

2 Cosa por otra parte muy difícil, si no imposible: son infinitos los mecanismos y los fenómenos que se pueden analizar, y aun los más estudiados siempre se pueden seguir enfocando desde nuevas perspectivas, con resultados nuevos y nuevas luces para la comprensión global de su funcionamiento, así como del de todo el complejo macrosistema de microsistemas que es la lengua.

analizados, como base para la comprensión del funcionamiento del sistema. Y también **una gramática que sitúa a los interlocutores y la interacción que existe entre ellos en el centro del análisis**. Cobra, pues, una importancia fundamental el modo que tienen los hablantes de decir las cosas en cada situación, según sus intenciones comunicativas.[3]

UNA CONCEPCIÓN DISTINTA DEL LENGUAJE

Una gramática comunicativa implica sobre todo una concepción distinta de lo que es un idioma y el análisis gramatical.

La lengua y la comunicación lingüística funcionan como un sistema de contextualización en el que todo lo que ha aparecido anteriormente constituye una clave de interpretación y una base para todo acto de enunciación subsiguiente. Así, pues, no se repiten cosas que ya se han dicho o que se presuponen cultural o socialmente y, cuando se repiten, se trata de elecciones y decisiones estratégicas por parte del hablante, siempre significativas. Por otra parte, todo lo que ha aparecido en el mundo de la comunicación entre dos interlocutores ayuda a entender las intenciones comunicativas de lo que se van diciendo. La gramática no puede limitarse a estudiar los operadores que funcionan como mecanismos de contextualización como si vivieran en contextos únicos, aislados de todo lo demás y sin tener en cuenta todo lo que ya ha aparecido en el pequeño universo comunicativo en el que se inserta cada uno de sus usos. Por eso, **en esta gramática se estudia la lengua desde una perspectiva dinámica**: son frecuentes, pues, las referencias al contexto anterior.

La mayoría de los manuales de gramática suelen considerar la lengua como un sistema de reglas de combinación de palabras en frases. Así, pues, estudian las palabras clasificándolas en grandes familias con características y comportamientos análogos dentro de la frase: artículos, demostrativos, sustantivos, adjetivos, indefinidos, adverbios, verbos, conjunciones, preposiciones, etc. Se preocupan por las reglas de combinación de las palabras en oraciones, por las de combinación de las oraciones en frases y, sólo en casos excepcionales, por las de combinación de las distintas frases en unidades más amplias. Sin embargo, con este tipo de planteamiento, en el que la frase sigue siendo la unidad central en torno a la que se organiza todo el estudio, surgen numerosos problemas.

En primer lugar, muchas de las frases que se presentan como posibles resultan ser frases construidas artificialmente aplicando reglas morfosintácticas incompletas (debido con frecuencia a que la unidad de análisis sea la frase), y tienen muy pocas posibilidades de utilización en contextos reales en los que se considere todo lo que ya se ha dicho.

Otro gran problema que se plantea con los análisis y las presentaciones que se limitan a estudiar la lengua por grandes familias de palabras que tienen un funcionamiento análogo reside en la frecuente falta de consideración por los matices que caben entre los distintos operadores estudiados: una gramática comunicativa no puede limitarse a dar unas cuantas informaciones generales sobre el comportamiento de los adverbios y a clasificarlos en grandes familias (adverbios de tiempo, de modo, de lugar, de cantidad, etc.) sin estudiar la especificidad de

3 Muchos critican superficialmente la expresión "gramática comunicativa" con el argumento de que toda gramática es necesariamente comunicativa. Sin embargo, esto no responde en absoluto a la realidad. Un rápido vistazo a la mayoría de los manuales de gramática lo demuestra claramente.

cada uno de ellos. En esta gramática, nos hemos preocupado poco por la clasificación de las palabras —y mucho por intentar dar cuenta de la especificidad de cada operador gramatical: ¿Qué diferencias hay entre *como, si, en caso de que, con tal de que*, etc. en la expresión de la condición? ¿Qué matices distintos aporta cada uno de estos operadores? ¿En qué contextos se formulan las condiciones con *con tal de que*? ¿En qué contextos con *como*? ¿Qué diferencias hay entre *siquiera* y *al menos*? ¿Y entre *poco* y *un poco*? ¿Cuándo, al hablar del futuro, se usa el presente y cuándo el futuro? ¿Por qué, en algunos casos, no se puede usar el futuro al hablar del futuro? ¿Qué diferencia hay entre *ya que* y *como* en la expresión de la causa? He aquí algunos ejemplos de preguntas que nos hemos ido planteando en la elaboración de esta obra. No hubiera tenido sentido, a nuestro entender, escribir una nueva gramática de "cajones de sastre" en los que se pierden muchas diferencias de significado. Decir que "al hablar del futuro se usa tanto el futuro como el presente", hubiera servido muy poco para entender el funcionamiento real del español como sistema de comunicación. Nuestra intención y nuestro intento es explicar por qué, respetando las reglas de funcionamiento del sistema, el enunciador escoge una posibilidad entre las que tiene a su disposición y descarta las demás, y los demás hablantes del idioma entienden y perciben los distintos matices.

Además, en la mayoría de las presentaciones más habituales del funcionamiento del español, no siempre queda claramente definido el papel y la actitud del enunciador. A menudo se pretende dar cuenta de ciertos mecanismos como si todo en la lengua fuera objetivo, y no se analiza la función central del hablante. En realidad, el enunciador controla y filtra todo lo que dice. Todos los elementos y sucesos extralingüísticos a los que se refiere no son sino una base para la construcción de su discurso. Constantemente, además, el hablante va expresando su participación y dejando clara su posición y su actitud con respecto a lo que dice. Muchos fenómenos en una lengua no se pueden entender claramente si se olvida esta premisa fundamental. Así, por ejemplo, no tiene sentido seguir hablando de deber moral y deber material para dar cuenta de la oposición entre *deber* y *tener que*. Ni se pueden seguir ocultando fenómenos profunda y radicalmente distintos entre sí bajo etiquetas nebulosas como "enfático", tan usadas para despachar con una frase fenómenos tan complejos como la oposición *tampoco/ni siquiera*, o la presencia o ausencia del pronombre sujeto, como tampoco se puede seguir diciendo ingenuamente que "en español el orden de las palabras es libre" y sentirse tranquilos sin preguntarse por las diferencias de significado que existen entre las distintas posibilidades. Para no caer en este tipo de errores, es fundamental preguntarse siempre, entre otras cosas, cuál es el papel y la actitud de la persona que habla en cada momento.

Pero la confusión en muchos análisis a los que estamos acostumbrados no concierne sólo y únicamente al papel del enunciador: con demasiada frecuencia se sigue confundiendo además lo que es la lengua y lo que es el mundo extralingüístico. Así, por ejemplo, al analizar fenómenos exclusivamente lingüísticos que nada tienen que ver con el mundo concreto extralingüístico, como los distintos tiempos verbales y los distintos modos, los manuales se refieren con frecuencia a las características de las acciones, y nos dicen, por ejemplo, que "el subjuntivo expresa acciones irreales" o que "el imperfecto expresa acciones que duran, que se repiten o puntuales". Los tiempos verbales hablan del estatuto que quiere atribuir el enunciador a lo que va diciendo y tienen muy poco que ver con las características de las acciones. La prueba más evidente reside en el mero hecho de que una misma acción se pueda expresar lingüísticamente con distintos tiempos verbales según el contexto y las intenciones del hablante. Una parte importante de los mecanismos y de los operadores analizados por la gramática de una lengua no remite directamente al mundo extralingüístico (y no funciona por lo tanto en la dimensión referencial del lenguaje), sino a la lengua misma, y a las etapas y los procesos de enunciación, es decir a ese control que va manteniendo el hablante en cada momento sobre lo que ya se ha dicho y lo que se presupone, sobre las intenciones comunicativas que va expresando y sobre las operaciones complejas que va efectuando al formular sus enunciados. En esta gramática hemos intentado devolver a la dimensión metalingüística del lenguaje (es decir al nivel en el que la lengua habla de sí misma y no de otra cosa) su justa importancia: no hubiera sido posible no hacerlo, en una gramática que aspira a dar cuenta de los matices y los distintos niveles del funcionamiento de una lengua, para constituirse como instrumento para la comprensión global de los usos del lenguaje en tanto que sistema de comunicación. ¿Cómo entender la diferencia que hay entre **Ahora se ducha** y **Ahora se está duchando** sin distinguir claramente lo exquisitamente lingüístico de lo extralingüístico, y sin analizar las actitudes del hablante con respecto a lo que dice? ¿Y la función de **también**, o la diferencia entre **también, hasta** y **además**? Tales confusiones seculares han sido las que desde tiempo inmemorial han condenado las gramáticas a no lograr dar cuenta de oposiciones como éstas, y a despacharlas con las etiquetas nebulosas a las que aludíamos anteriormente.

Por último, una confusión muy frecuente en los análisis gramaticales que se encuentran en los libros de gramática y, en particular, en los de gramática para extranjeros, es la confusión entre el elemento analizado y sus contextos de uso, consecuencia del espejismo de las palabras que anteceden o que siguen. Así, por ejemplo, se dice con frecuencia que "el subjuntivo expresa la voluntad" porque se usa el subjuntivo después de verbos como **querer**, o que **por** expresa el precio porque se usa **por** en contextos en los que se expresa el precio: las preposiciones por sí mismas no expresan sino relaciones entre elementos y son tan abstractas que pueden funcionar en múltiples contextos, con efectos expresivos cada vez diferentes. El significado que atribuimos a sus distintos usos depende, claro, de la preposición usada, pero también, y en gran medida, del semantismo de los elementos con los que usamos la preposición, de nuestra experiencia del mundo, etc. En esta gramática hemos velado siempre por evitar estas confusiones.

INTENCIONES COMUNICATIVAS

Pero esta gramática es comunicativa sobre todo por **la organización de sus contenidos**.

Hablar un idioma es transportar y negociar significados a partir de frases. Es importante, pues, aprender a formar frases. Pero no a repetir frases, sino a crearlas. Sin embargo, no es esto lo único importante: hablar un idioma es mucho más. Un idioma es un sistema de actuación social: hablar un idioma es, pues, actuar con él. Así, por ejemplo, no basta con saber formar preguntas y contestar a las preguntas de manera vaga. Considérense los siguientes intercambios:

● **¿Puedo pasar?**
○ **Sí, puedes.**

● **¿Puedo pasar?**
○ **Sí, sí, pasa, pasa.**

En una concepción de la lengua como conjunto de frases y de reglas de combinación de las palabras en frases, el primero de estos dos intercambios puede parecer perfectamente normal. Sin embargo, nuestra experiencia de hablantes del español nos dice que el intercambio normal es el segundo, y que en el primero se dice, en realidad, mucho más de lo que parece. La persona que oye **Sí, puedes** como respuesta a **¿Puedo pasar?** se siente incómoda, no entiende si le han concedido el permiso o no, y llega a pensar que su interlocutor *no quiere que pase*. Por otra parte, ante la respuesta **Sí, sí, pasa, pasa,** ningún hablante del español tiene dudas: todos la interpretan como una concesión plena de permiso. El primero de estos dos intercambios es perfectamente posible. Sin embargo, el hablante que profiere una respuesta como **Sí, puedes** tiene que ser consciente de que es muy probable que su interlocutor se pregunte si realmente le está concediendo permiso, y que intente encontrar una explicación a esta respuesta anómala.

Para dar cuenta de estos fenómenos, no basta con analizar las reglas de composición de las frases. Es importante, además, aprender a *hacer cosas* en un idioma. Los hablantes de un idioma tienen plena conciencia de lo que se suele decir para efectuar los distintos actos lingüísticos en cada situación, de cómo se hacen y expresan normalmente las cosas en su idioma. **Todas las proferencias se interpretan con respecto a estas expectativas**. Cada vez que una persona habla, su interlocutor presupone que quiera colaborar con él para hacer progresar la comunicación, diciendo cosas pertinentes, expresando lo que piensa realmente, y usando el código que es la lengua de manera adecuada: se presupone, pues, que los demás sigan las reglas del juego. Si alguien dice algo inesperado, la reacción inmediata normal del destinatario / oyente será preguntarse qué es lo que está intentando expresar, y buscar una explicación o una interpretación para lo dicho, partiendo de la presuposición de que se están respetando las reglas del juego[4]. La conciencia que tienen los hablantes de lo que se suele decir para expresar cada idea y de los contextos en los que se usa cada operador gramatical adquiere, pues, una importancia fundamental, al constituir la base de interpretación de lo dicho por los demás.

Es éste uno de los motivos por los que, en esta obra, hemos organizado el segundo tomo con criterios nociofuncionales: se trata de ir viendo cómo se habla de las distintas áreas, cómo se expresan las distintas ideas (nociones y funciones). Con esto no queremos ni pretendemos encauzar o limitar de ninguna manera las posibilidades expresivas de los hablantes del español, sino todo lo contrario: nuestro objetivo es permitir una toma de conciencia del funcionamiento del sistema, para que el hablante nativo que lo desee se dé cuenta de lo que hace espontáneamente y sin reflexionar, o para que el extranjero pueda hacer con el español lo que quiera, pero conscientemente y a sabiendas, exactamente como los hablantes nativos, que saben siempre qué matices expresan al decir las cosas de una determinada manera más que de otra.

Los que ante estos argumentos alegan que se trata de fenómenos estilísticos que nada tienen que ver con la gramática no se dan cuenta de que **los efectos estilísticos se basan, precisamente, en el funcionamiento comunicativo de la lengua**, y que los hablantes del español no hablan el español que describen la mayoría de los manuales de gramática. La estilística no puede seguir

4 Este mecanismo de interpretación de todo lo dicho se llama *implicatura conversacional* (Grice). Se basa en el principio de que los interlocutores colaboren sinceramente, diciendo cosas pertinentes, en cantidad y en calidad: el principio de cooperación, ampliamente analizado por Grice. (Véase S. Levinson, *Pragmatics*)

siendo la ciencia de lo vago e incierto en la que se esconde todo lo que no logramos definir o explicar. No basta, pues, con saber que no siempre se expresa explícitamente el pronombre sujeto en español. Es fundamental entender en qué contextos se expresa y para qué sirve. Sólo así podremos valorar e interpretar los usos individuales en cada contexto. Ni tampoco podemos seguir diciendo que *con tal de que* es una conjunción condicional, sin preguntarnos cuándo y por qué se usa. Una gramática de la comunicación tiene que ser **una gramática que dé cuenta de los efectos expresivos**: es lo que hemos intentado hacer a lo largo de los dos tomos de esta obra.

Así pues, una gramática comunicativa tiene la doble función de analizar la esencia de cada operador y de estudiar los distintos efectos expresivos con los que puede utilizarse, intentando entender los mecanismos que nos llevan a las distintas interpretaciones. Para ello, una gramática parte de hechos concretos, abstrae y vuelve a los hechos concretos. Tiene, pues, necesariamente, un fuerte componente abstracto, sin el cual no se pueden entender muchos mecanismos lingüísticos. Si la gramática de un idioma no estuviera compuesta por operadores y microsistemas abstractos, éstos tendrían contextos limitados de utilización: aprender un idioma sería pues una labor dificilísima, y la creatividad lingüística casi no existiría. El papel del gramático es intentar entender cómo de los operadores abstractos se llega a los usos concretos y a los distintos efectos expresivos.

ORGANIZACIÓN DE LOS CONTENIDOS

La primera parte de esta obra (TOMO I: DE LA LENGUA A LA IDEA) contiene un capítulo sobre cada uno de los microsistemas complejos, que plantean problemas de distinta índole (morfología, problemas sintácticos, etc.) que parece conveniente agrupar para dar una visión de conjunto del microsistema en cuestión: sistema verbal, sistema nominal, determinantes del sustantivo, preposiciones, perífrasis verbales, etc. En todos los casos, se trata de operadores o microsistemas abstractos que intervienen en distintas áreas nocionales y funcionales. Se han evitado los "cajones de sastre" tradicionales en los que que se agrupaban operadores con una función comunicativa claramente definida, con contextos de uso más limitados. No hay, pues, ningún capítulo sobre las conjunciones y el capítulo sobre los adverbios se limita a presentar algunos problemas generales. Los adverbios y las conjunciones están tratados individualmente en las distintas áreas de la segunda parte de la obra.
En la segunda parte (TOMO II: DE LA IDEA A LA LENGUA), se exploran distintas áreas nociofuncionales y se van presentando los distintos operadores que en ellas intervienen, cada uno individualmente, con numerosos comentarios contrastivos entre los distintos operadores.

Al ser ésta una obra que nace en el ámbito de la enseñanza del español como lengua extranjera, son **numerosos los comentarios contrastivos** con referencias explícitas o implícitas a otros idiomas, especialmente en áreas que constituyen una fuente de errores y dificultades para los estudiantes extranjeros.

Tradicionalmente, las gramáticas dan ejemplos esencialmente de origen literario, con frecuencia arcaicos. En esta obra se ha limitado el número de ejemplos de procedencia literaria porque la literatura es un mundo extremadamente complejo en el que entran muchos factores. La obra literaria constituye un sistema en sí, en el que se pueden modificar ciertos mecanismos y ciertas relaciones: la lengua que en ella aparece se ve, pues, determinada por elementos y criterios cuyo análisis, aun siendo apasionante, hubiera rebasado los límites y los objetivos de esta obra. La literatura se basa en el funcionamiento comunicativo de la lengua: la comprensión del sistema y, por tanto, de la gramática comunicativa del idioma constituye un instrumento y una base fundamental para su interpretación. Sin embargo, por tratarse de usos especiales, marcados, no es conveniente abusar de los textos literarios para analizar el sistema (previo a los textos mismos) en el que se basan.

Esperamos que esta gramática pueda contribuir a facilitar el trabajo de profesores y estudiantes, dándoles nuevas luces sobre el funcionamiento del español.

SÍMBOLOS UTILIZADOS

* (asterisco) Indica agramaticalidad: el enunciado que sigue no obedece a las reglas de funcionamiento del español o, en caso de existir, no es adecuado para el contexto en el que se encuentra. Cuando va entre signos de interrogación indica que hay dudas y que no todos los hablantes coinciden en la valoración de su gramaticalidad.

➲ Envío a otro capítulo u otro apartado.

● Interlocutores en las muestras de lengua oral.
❍
❑

DEFINICIONES

En esta gramática se usan estos términos con el siguiente sentido:

Contexto: Todo lo que hay alrededor de un enunciado, el pequeño mundo de la comunicación en el que se inserta el enunciado. El contexto incluye todo lo que ha aparecido en la comunicación entre los interlocutores implicados en el intercambio, y no sólo desde un punto de vista lingüístico. Incluye, además, una serie de informaciones (con frecuencia presupuestas) sobre el ambiente sociocultural en el que se mueven los interlocutores, así como la conciencia que tiene cada uno de ellos de lo que es el otro, su carácter, sus reacciones conocidas o imaginadas, del mundo en el que viven, etc. Es importante no caer en el error de pensar que el contexto es el contexto más inmediato. Es importante además tomar conciencia de que muchos elementos que forman parte integrante del contexto no se expresan lingüísticamente. Así, por ejemplo, en el discurso entre los interlocutores puede haber alusiones a la ropa que llevan sin que se haya descrito de manera explícita en el contexto justo anterior. Análogamente, no es necesario que los interlocutores digan explícitamente que en su país hay un gobierno, o el nombre del presidente del gobierno, o la estación en la que están o que en verano hace calor. Todas estas informaciones se suelen presuponer, excepto en los casos en los que uno de los interlocutores las pone en discusión o quiere negociar su importancia, su significación, etc.

Contextualizar: Computar/registrar entre los elementos/informaciones asumidas en el contexto, como una pieza más de las que lo componen. Empezar a considerar un elemento como parte del contexto y portarse como si esto estuviera claro para todos.

Temático: Término que usamos al hablar de los elementos de los que ya se ha hablado o de los que se está hablando, que ya han entrado a formar parte del contexto, y a los que los interlocutores se pueden referir sin necesidad de volver a informar al otro sobre su existencia. La lengua dispone de numerosos recursos para señalar que un elemento ya ha aparecido y es temático.

Tematizar: Señalar, mediante una de las formas o de los operadores de los que dispone la lengua para ello, que cierto elemento es temático, y que por lo tanto ha dejado de constituir una información nueva para los interlocutores y ha entrado en esa contabilidad que mantienen de lo que ha ocurrido entre ellos. Contextualizar se refiere esencialmente al hecho de que los interlocutores empiezan a considerar un elemento como algo que ya está en el contexto, mientras que tematizar hace más hincapié en la operación metalingüística que ello comporta. La tematización se señala explícitamente mediante uno de los recursos de los que dispone la lengua.

Remático: Término que usamos al referirnos a informaciones o elementos que no habían sido mencionados todavía y no se presuponen y que, por lo tanto, constituyen informaciones nuevas. Con frecuencia, el enunciador sigue tratando como nuevas informaciones que ya han aparecido explícita o implícitamente en el contexto pero que, por diversas razones, el hablante no quiere o no puede tratar como informaciones superadas y asumidas, que da por descontadas.

Informar: Dar datos nuevos sobre un sujeto o una situación para que el interlocutor adquiera nuevos elementos. Se pueden dar informaciones simples o presentarlas como algo virtual. Después de oír una información, el interlocutor dispone de nuevos conocimientos sobre el sujeto del verbo o la situación de la que se está hablando. A veces, nos referimos a relaciones entre sujetos y predicados sin querer presentarlas como informaciones, para considerarlas, valorarlas, etcétera.

Presuponer: Actuar como si una información o un elemento del contexto estuviera claramente asumido por todas las personas implicadas en el intercambio comunicativo, dando por descontado que el destinatario del mensaje lo conoce, sin presentárselo como nuevo. En muchos casos, se presuponen informaciones que en realidad son nuevas para el interlocutor porque el hablante en este momento está más preocupado por otra cosa. Según el tipo de relación que exista entre los interlocutores, el destinatario del mensaje podrá no decir nada y aceptar la presuposición, descodificándosela para sí mismo con una deducción sobre la información presupuesta ("*Ha dicho mi mujer: significa que está casado*"), o rechazar la presuposición pidiendo aclaraciones explícitamente ("*Ah, o sea que estás casado*"/"*¿Tu mujer?*").
Es importante tomar conciencia del hecho de que presuposición no tiene nada que ver con realidad. Son frecuentes las confusiones entre presuposición y presuposición de la verdad/ realidad de algo. En esta obra, cuando usamos el término presuposición sólo nos estamos refiriendo al hecho de que se trate una información como si los demás ya estuvieran informados. En ningún caso nos referimos con este término a la presuposición de la verdad de algo.

En esta obra, se establece con frecuencia una diferencia entre **extralingüístico**, **lingüístico** y **metalingüístico**:

Usamos **extralingüístico** para referirnos al mundo concreto al que nos referimos con la lengua, a los referentes de la lengua; y **lingüístico** para referirnos a la lengua en oposición con el mundo extralingüístico. Así, por ejemplo, la palabra "silla" es un elemento lingüístico. El objeto del que hablo, al que me refiero en cada caso al decir "silla" pertenece a lo extralingüístico. Las acciones son sucesos extralingüísticos. Los verbos son elementos lingüísticos que sirven, entre otras cosas, para hablar de las acciones.

Usamos **metalingüístico** para referirnos a lo que en lugar de remitir al mundo extralingüístico, remite a la lengua misma, a las etapas y los procesos de enunciación. Los operadores metalingüísticos son operadores gramaticales que sirven para hablar de lo que decimos.

INDIVIDUOS Y CANTIDADES

1. PARA HABLAR DE PERSONAS Y COSAS

Son numerosos los recursos de los que dispone el español para hablar de personas y cosas. En esta obra, nos limitamos a presentar tan sólo aquéllos que pueden plantear algún problema de tipo comunicativo o morfosintáctico, o los que representan alguna característica peculiar del sistema comunicativo del español.

1.1. LOS PRONOMBRES PERSONALES

El primer recurso y, sin lugar a dudas, el más usado en español para hablar de las personas es el sistema de los pronombres personales.

➲ Los pronombres personales

1.2. NOMBRE PROPIO DE PERSONA

Para referirse o dirigirse a personas de identidad bien determinada se usa el nombre propio (o de pila), o el nombre seguido del apellido:

[1] ● **Salvador Allende fue presidente de Chile de 1970 a 1973.**

[2] ● **¿Puedo hablar con Adela? Soy Jorge.**

El uso del nombre de pila solo indica una mayor confianza con la persona a/de la que se está hablando.

En las relaciones más formales, al hablar de una tercera persona se usa el nombre y el apellido, o el apellido solo. En estos casos, el apellido suele ir introducido por **señor/a** o por algún otro título (nobiliario, profesional, etc.). El nombre, por **don/doña**. Cuando se usan el nombre y el apellido juntos y en este orden, pueden emplearse ambos títulos (**señor/a don/doña**) u omitirse el primero. Excepto en el caso de **don/doña**, los títulos van precedidos del artículo cuando se habla de la persona en cuestión como de una tercera persona, o al dirigirse a ella para identificarla. Por el contrario, se omite el artículo al dirigirse uno directamente a la persona en cuestión:

[3] ● **¿Doña Sonsoles Fernández, por favor?**

[4] ● **¿El señor García Cañedo?**
❍ **Soy yo.**

[5] ● **Señor Gámez, lo llaman por teléfono.**

[6] ● **Doctor Ruiz, ¿me permite que me presente? Soy Isabel Montolio.**
❍ **Ah, mucho gusto.**

➲ El artículo

A diferencia de lo que ocurre en otras lenguas, en español se emplea **doctor/a** sólo para referirse / dirigirse a médicos o, en contextos muy formales o protocolarios, a personas que hayan obtenido un doctorado universitario.

Cuando se habla de una persona con la que se tiene una relación de confianza (pero no de parentesco) y a la que se suele llamar por el nombre, con interlocutores con los que se mantiene una relación más formal, o que mantienen una relación más formal con la persona en cuestión, se usa con frecuencia el nombre seguido del apellido.

Los nombres propios pueden desempeñar las mismas funciones sintácticas que cualquier sustantivo.

A diferencia de lo que ocurre en inglés —donde llamar por el nombre o por (el nombre y) el apellido constituye la manera principal de marcar el tipo de relación que se mantiene con una persona—, en español existen muchos otros recursos, siendo el principal la elección entre el uso de **tú** o de **usted**.

➲ Pronombres personales

CON MÁS DETALLE

El uso de un nombre propio de persona se sitúa ya de por sí en el ámbito de la segunda mención, excepto en los casos en que se presenta a una persona o en que se da su nombre por primera vez. No se usa, pues, un nombre propio para hablar de una persona de la que el destinatario del mensaje no tenga niguna noticia, porque el nombre propio presupone el conocimiento de la persona en cuestión y de su existencia.

1.2.1. Los nombres que se emplean para hablar de manera hipotética de personas de identidad indeterminada con respecto a una determinada situación, o cuyo nombre real no interesa especificar, son: **Fulano**, **Mengano** y **Zutano** (el primero es siempre **Fulano**). Si sólo se quiere mencionar a dos personas hipotéticas, se usan los dos primeros de estos nombres. Cuando sólo se quiere mencionar a uno se usa el primero. Si se quiere mencionar a una persona hipotética dando nombre y apellido, se usa **Fulano de Tal**:

[7] ● **Y entonces dijeron por los altavoces: "Se ruega al señor Fulano de Tal que haga el favor de personarse urgentemente en la salida" y salió corriendo un señor bajito.**

En los registros más familiares, estos nombres van con frecuencia en diminutivo: **Fulanito, Menganito**. También se da con cierta frecuencia en estos casos **Beltranito**:

[8] ● **Ya está bien con tus citas con Fulanito y Menganito... ¡Nunca tienes diez minutos para mí!**

1.3. Además, para referirse a personas de identidad bien determinada sin mencionar el nombre, suele hacerse referencia a su relación (de parentesco, profesional, etc.) con alguna de las personas implicadas directamente en el intercambio comunicativo, o con una tercera persona claramente identificable:

[9] ● **¿Quién era?**
❍ **La vecina, que quería que le dejara un poco de azúcar.**

[10] ● **Mira, a las cinco tengo una cita con mi profesor de español. Le tengo que preguntar unas cosas del examen. En cuanto termine con él, te llamo y quedamos, ¿vale?**

[11] ● **Ha llamado tu hermana. Dice que llegan mañana.**

1.4. Al hablar de algo haciendo hincapié en su universalidad, se usa **la gente**, **todo el mundo** o **todos** para referirse a las personas en general:

[12] ● **A todo el mundo le encanta; y a mí, en cambio, sus canciones no me dicen nada.**

[13] ● **Yo no estoy en absoluto de acuerdo con eso que dice la gente de que a los niños pequeños les viene bien llorar.**

[14] ● **Papá, ¿estos jardines de quién son?**
❍ **Son de todos. De la gente que quiera venir a dar un paseo, como nosotros.**

Estas tres expresiones usadas como sujeto de una oración le confieren un sentido muy cercano al de los usos impersonales.

➲ Las oraciones impersonales

Con **todos** y **todo el mundo** se subraya la generalización del fenómeno del que se está hablando entre la totalidad de las personas. **(La) gente** es más vago.

La gente y **todo el mundo** van seguidos de un verbo en tercera persona de singular. **Todos**, de un verbo en tercera persona de plural.

A veces, se usan estas expresiones con un sentido más restrictivo, para referirse a las personas implicadas en una situación concreta. En estos casos también se trata, en el fondo, del mismo fenómeno: presentar la universalidad de un predicado (dentro de una determinada situación):

[15] ● **Nos tenemos que dar prisa, que ya son casi las nueve. De un momento a otro va a empezar a llegar la gente.**

[16] ● **¿Qué te ha parecido? Bien, ¿no?**
❍ **Sí, me parece que ha salido bastante bien. Todo el mundo estaba muy contento.**

A diferencia de lo que ocurre con su equivalente en otros idiomas, **gente** es un sustantivo no contable. Es incompatible, pues, con los números. Para referirse a un número determinado de personas sin generalizar, sino haciendo hincapié en el número se usa el sustantivo **persona**(s).

1.5. Para hablar de un colectivo de personas, se usa en español el sustantivo que se refiere al grupo en su conjunto seguido de un verbo en singular:

[17] ● **La policía ha detenido hoy en Aranjuez al jefe de la banda que atracó una de las sucursales madrileñas del Banco de Bilbao.**

[18] ● **El gobierno está estudiando la posibilidad de modificar la ley de divorcio.**

Si se quiere insistir más en los distintos elementos del colectivo, considerados como grupo y, a la vez, individualmente, no se puede usar el plural —a diferencia de lo que sucede en otras lenguas. En estos casos, en español se emplean expresiones como **los miembros**, **los delegados**, **los ministros**, **los diputados**, **los participantes**, etc., según el colectivo concreto del que se habla:

[19] ● **Dada la urgencia de la situación, todos los ministros presentes esta mañana en el Consejo concuerdan en la necesidad de llegar a una decisión antes del final de esta semana.**

[20] ● **Después de la primera sesión, los participantes de cada grupo se dividieron en subgrupos de tres o cuatro personas para discutir los puntos del orden del día de la reunión de la tarde.**

1.6. Para señalar que un individuo o elemento acaba de mencionarse en el contexto, se usa **dicho/a/os/as**:

[21a] ● **Había un montón de gente. Entre ellos, un actor famoso. A dicho actor lo había conocido yo pocos días antes en casa de unos amigos.**

Otro recurso en estos casos es repetir el sustantivo seguido de una oración de relativo:

[21b] ● **Había un montón de gente. Entre ellos, un actor famoso. Actor al que había conocido yo pocos días antes en casa de unos amigos.**

El uso de **dicho** es frecuente sobre todo en la lengua escrita o muy formal:

[22] **El coche del señor Herrero circulaba a gran velocidad en dirección a Madrid, procedente de Burgos. Al llegar al cruce con la carretera que lleva a Covarrubias, Herrero giró a la izquierda en dirección a dicho pueblo, sin darse cuenta de que otro vehículo...**

1.7. En las cartas y otros documentos formales / burocráticos, quien escribe y/o firma el documento se refiere a sí mismo con **el abajo firmante**:

[23] **El abajo firmante solicita una beca para poder desarrollar...**

Para referirse en documentos legales a terceras personas ya mencionadas se emplea **el/ la susodicho/a** + ***nombre***:

[24] **El susodicho Andrés Martín Gómez declara bajo su propia responsabilidad que...**

1.8. Para referirse a una cosa / concepto / idea / etc. que el hablante no quiere o no puede nombrar, cualquiera que sea el motivo, se usa la forma de neutro del artículo (**lo**) generalmente seguido de una oración de relativo o de un elemento que especifica de qué se trata, introducido por la preposición **de**:

lo de / lo que

En estos casos, se usan también las formas de neutro del demostrativo: **esto / eso / aquello**.

[25] ● **Lo que más me molesta es que tendremos que quedarnos una semana más.**

[26] ● **Perdona pero yo no estoy muy de acuerdo con lo de ir mañana.**

[27] ● **Si ves a Antonia, ¿le puedes dar esto de mi parte, por favor?**

[28] ● **¿Y aquello qué es?**
❍ **¿Qué?**
● **Aquello de la derecha.**

➲ El artículo: **lo** - una forma de artículo neutro
➲ Los demostrativos

El hablante usa estas formas cuando no puede nombrar la cosa de la que está hablando porque no encuentra un sustantivo adecuado —o porque se trata de un concepto, de toda una oración, etc. demasiado difícil de sintetizar con un sustantivo; también las emplea cuando no quiere nombrar la cosa a la que se está refiriendo, porque no le interesa en ese momento, le parece poco económico para su discurso, etc.

➲ El artículo: **lo** - una forma de artículo neutro

1.9. Para hablar de una persona o una cosa / concepto / abstracción / etc. de identidad indefinida, en general, sin estar pensando en ningún grupo específico se usan:

- forma afirmativa:

para las personas	→	**alguien**
para las cosas	→	**algo**

- forma negativa:

para las personas	→	**nadie**
para las cosas	→	**nada**

Con **alguien** y **algo**, el enunciador hace referencia a personas o cosas cuya existencia considera posible. Por el contrario, con **nadie** y **nada**, se refiere a la ausencia o a la no existencia de personas o cosas:

[29] ● **¿Ha llamado alguien?**
❍ **No, nadie.**

[30] ● **A pesar de conocer a tanta gente, no ha encontrado a nadie que quiera trabajar aquí.**

[31] ● **¿Te apetece beber algo?**
❍ **No, nada, gracias... de verdad.**

Alguien y **algo** van siempre en enunciados afirmativos. **Nadie** y **nada**, siempre en enunciados negativos.

Si **nadie** y **nada** se encuentran después del verbo, éste va en la forma negativa (y, por tanto, precedido por **no**) —como en [30]. Si se encuentran antes, el verbo va en la forma afirmativa —como en [32] y [33]:

[32] ● **Estoy desesperado. Nadie me llama, nadie quiere salir conmigo.**

[33] ● **Nada te puedo decir en este momento. Tengo las ideas muy confusas.**

CON MÁS DETALLE

Alguien, **nadie**, **algo** y **nada** se encuentran a menudo tanto antes como después del verbo. Generalmente, cuando van antes son sujeto del verbo; cuando van después, pueden ser tanto sujeto como complemento. Además, en los registros cultos también se encuentran usos en los que van antes del verbo aun siendo complemento: la anteposición les confiere un relieve especial[1].

Los usos de **algo** y **nada** en función de sujeto son ligeramente menos frecuentes que los de **alguien** y **nadie**.

En función de complemento (de cualquier tipo) es mucho más frecuente que **alguien**, **nadie**, **algo** y **nada** se encuentren después del verbo —o que estén solos, en una frase en la que el verbo se ha borrado (tematización) porque ya había aparecido en el contexto anterior.

A diferencia de lo que sucede con **nadie** y **nada**, es muy raro encontrar un uso de **alguien** o **algo** aislado, como única información nueva, en una frase en la que se ha borrado el verbo y buena parte de los demás elementos. **Alguien** y **algo** remiten a un referente de entidad demasiado vaga, indefinido por definición, y difícilmente pueden constituir la única información nueva —a no ser que el enunciador quiera expresar un rechazo a cooperar con su interlocutor o no esté en condiciones de contestarle:

[34] ● **¿Con quién va a salir?**
❍ **Con alguien.**

[35] ● **¿Me das algo de beber?**
❍ **Sí, claro, ¿qué te apetece?**
● **Algo... lo que sea.**

Los efectos expresivos pueden ser múltiples.

Por las mismas razones, **alguien** y **algo** no suelen aparecer en las respuestas a preguntas sobre la identidad. En las respuestas, **nadie** y **nada** pueden estar solos o precedidos por un **no**:

[36a] ● **¿Ha llamado alguien?**
❍ **No, nadie.**

[36b] ● **¿Ha llamado alguien?**
❍ **Nadie.**

Las respuestas con **no** suenan ligeramente más cooperativas con el interlocutor —a diferencia de las otras, que parecen un poco más secas. Los efectos expresivos de la ausencia de **no** en estas respuestas pueden ser múltiples.

---

1. Debido a la ruptura de las expectativas del oyente en lo referente al orden normal del mensaje.

1.9.1. **Alguien / nadie / algo / nada** seguidos de un adjetivo

1.9.1.1. En español, a diferencia de lo que sucede en otras lenguas, cuando **alguien**, **nadie**, **algo** o **nada** van seguidos de un adjetivo que califica la entidad (indefinida) a la que remiten, dicho adjetivo no va introducido por ninguna preposición:

[37] ● **¿Qué te apetece?**
○ **No sé, lo que tengas... Algo salado, si puede ser.**

[38] ● **Si pretendes que una sola persona te haga todo ese trabajo, te vas a tener que buscar a alguien muy listo.**

En estos casos, el adjetivo va en masculino singular.

1.9.1.2. En algunos casos, en la estructura **algo/nada + *adjetivo***, son **algo** y **nada** los que modifican el adjetivo —y no lo contrario:

[39] ● **Es una persona muy seria, aunque algo aburrida.**

En estos casos, el adjetivo concuerda con el sustantivo al que remite.

➲ Las exclamaciones y la intensidad

1.9.1.3. También se encuentran usos de **algo** y **nada** seguidos de la preposición **de** y de un adjetivo. En español, en estos casos, no se trata de un uso del adjetivo para calificar la entidad a la que remiten **algo** y **nada**, sino de referirse con **algo** y **nada** a aspectos, características, rasgos, etc. que remiten al universo conceptual del adjetivo:

[40] ● **Sí, ya lo sé, te agota, pero tienes que reconocer que algo de listo sí que tiene.**

[41] ● **Es una situación muy difícil, pero yo creo que, a pesar de todo, también tiene algo de bueno.**

En [40], **algo de listo** tiene un sentido próximo a *alguna característica / algún rasgo de lo que es* ***ser listo.***

Con frecuencia se dan contextos en los que se pueden emplear tanto **algo/nada + *adjetivo*** como **algo/nada de + *adjetivo***. Lo único que cambia es la perspectiva.

No existen usos de **alguien** y **nadie** seguidos de un adjetivo introducido por la preposición **de**.

1.9.2. Oraciones de relativo

1.9.2.1. En las preguntas por la existencia o la disponibilidad de algo, las oraciones de relativo que tienen como antecedente **alguien**, **nadie**, **algo** y **nada** van en subjuntivo:

[42] ● **¿Hay alguien aquí que sepa hablar inglés?**

[43] ● **¿Conoces a alguien que me pueda ayudar?**

[44] ● **¿De veras no hay nadie que entienda esto?**

En este tipo de pregunta, el uso de **alguien** y de **algo** indica una actitud abierta a cualquier respuesta por parte del hablante, que no espera ni presupone nada. Por el contrario, se usa **nadie** y **nada** cuando el hablante cree o supone que la respuesta va a ser negativa (aunque luego descubra que no es así).

1.9.2.2. También van en subjuntivo las oraciones de relativo que tengan como antecedente **nadie** y **nada** (que se encuentran en oraciones negativas). Generalmente en estos casos se trata de negar la disponibilidad o la existencia:

[45] ● **Perdona, lo siento, pero no conozco a nadie que te pueda ayudar.**

[46] ● **No hay nada que le interese.**

En las oraciones de relativo que tengan como antecedente **algo** y **alguien**, funcionan las reglas habituales de uso de los distintos modos y tiempos.

1.10. Para referirse a uno o varios individuos / elementos de un grupo que ya se ha mencionado explícitamente, al que se ha hecho una referencia implícita o que se menciona inmediatamente después se usa:

- forma afirmativa: **alguno/a/os/as**
- forma negativa: **ninguno/a**

[47a] ● **¿Ha venido algún estudiante?**
❍ **No, ninguno.**

[48] ● **¿Y ya habéis hecho amigos?**
❍ **Algunos. Son gente que vive por aquí cerca.**

1.10.1. **Alguno/a/os/as** puede ir seguido de un sustantivo o, cuando ya se sabe de qué sustantivo se está hablando (es decir cuando ya se ha mencionado explícitamente el grupo o la categoría), puede estar solo. Cuando va seguido de un sustantivo masculino singular **alguno** se apocopa en **algún** (ejemplo [47a]).

Alguno/a/os/as sirve para referirse a uno o a varios individuos de identidad indeterminada entre los de un grupo mencionado previamente, o entre los de la categoría a la que remite el sustantivo con el que va empleado. A diferencia de **alguien** y **algo**, que sirven para referirse a personas o cosas en general, todas las veces que usamos **alguno/a/os/as** sabemos a qué grupo o categoría nos estamos refiriendo.

El plural **algunos/as** sirve, además, para especificar un número indeterminado de pequeña entidad:

[49] ● **Es un tema que me interesa y sobre el que recientemente he leído algunos libros.**

1.10.2. Con **ninguno/a**, igual que con **alguno/a/os/as,** siempre sabemos a qué grupo o categoría específica nos estamos refiriendo. Este operador sirve para presentar la imposibilidad de seleccionar uno o varios elementos de dicho grupo. Así pues, al usar **ninguno** en la respuesta de [47a], el hablante señala que se está refiriendo al grupo mencionado previamente (**estudiantes**) y que, por lo tanto, está contestando estrictamente a la pregunta; en el ejemplo [47b], por el contrario, el hablante decide emplear una afirmación más general, que incluye la respuesta a la pregunta:

[47b] ● **¿Ha venido algún estudiante?**
❍ **No, no ha venido nadie.**

Es interesante notar la necesidad de repetir el verbo en la respuesta de [47b]. Esto se debe a que no se está contestando exclusivamente a la pregunta —y, por lo tanto, no se pueden reutilizar (tematizándolos) los elementos de la pregunta.

Como se trata de una forma para negar la existencia de un elemento de un grupo o categoría, **ninguno/a** no tiene plural: al negar la existencia individual, se niega automáticamente la pluralidad —**ninguno/a** no hace hincapié en el número, a diferencia de **alguno/a/os/as**.

Igual que **alguno/a/os/as**, **ninguno/a** puede ir seguido de un sustantivo o estar solo (cuando ya se sabe de qué sustantivo se está hablando). Cuando va seguido de un sustantivo masculino singular, **ninguno** se apocopa en **ningún**:

[49] ● **¿Me pasas ese libro? El que está ahí encima...**
❍ **Perdona, pero aquí no hay ningún libro.**

Ninguno/a o **ninguno/a** + ***sustantivo*** puede ir antes o depués del verbo. Cuando va después, el verbo está en forma negativa. Cuando va antes, en forma afirmativa:

[50] ● **No tengo ningún amigo inglés.**

[51] ● **Ninguno de los participantes se ha quejado.**

Cuando se menciona el sustantivo, **ninguno/a** va justo antes del sustantivo. También se emplea **alguno/a** (con el mismo sentido y el verbo en forma negativa) inmediatamente después del sustantivo:

[52] ● **No he encontrado escritor alguno que use esa palabra.**

Estos operadores tienen el mismo tipo de comportamiento cuando combinan con otros operadores que por sí mismos implican una idea de ausencia o de negación, —como, por ejemplo, la preposición **sin**.

1.10.3. En las respuestas en las que ya se ha tematizado el sustantivo, **alguno/a/os/as** y **ninguno/a** pueden ir solos o precedidos por **sí** o por **no**:

[47a] ● **¿Ha venido algún estudiante?**
❍ **No, ninguno.**

[47c] ● **¿Ha venido algún estudiante?**
❍ **Ninguno.**

[48a] ● **¿Y ya habéis hecho amigos?**
❍ **Algunos. Son gente que vive por aquí cerca.**

[48b] ● **¿Y ya habéis hecho amigos?**
❍ **Sí, algunos. Son gente que vive por aquí cerca.**

Las respuestas con **sí** y **no** suenan ligeramente más cooperativas con el interlocutor —las otras parecen un poco más secas. Los efectos expresivos debidos a la ausencia de **sí** o de **no** en estas respuestas pueden ser múltiples: el hablante está ocupado o concentrado en otra cosa, quiere mostrarse muy operativo, quiere mostrarse seco, duro, vacilante, etc.

1.10.4. Para referirse a una parte de los elementos de un grupo que ya se ha mencionado o que se presupone, se usa también:

alguno/a/os/as **ninguno/a**	**+ de +** ***grupo***

[53] ● **¿Alguno de vosotros entiende inglés?**

[51] ● **Ninguno de los participantes se ha quejado.**

En estos casos, el elemento lingüístico que se refiere al grupo puede ser tanto un sustantivo como un pronombre. Pero tiene que tratarse siempre de segunda mención.

1.10.5. Oraciones de relativo

1.10.5.1. Igual que en el caso de **alguien**, **nadie**, **algo** y **nada**, en preguntas sobre la existencia o la disponibilidad de algo / alguien, las oraciones de relativo que tengan como antecedente **alguno/a/os/as**, **ninguno/a** —o un sintagma nominal en el que el sustantivo vaya introducido por uno de estos operadores— van en subjuntivo:

[54] ● **¿Tienes alguna mesa donde me pueda sentar a trabajar?**

En estas preguntas, se usa **alguno/a/os/as** cuando no se presupone nada sobre la respuesta: el enunciador está abierto a cualquier respuesta, no se espera nada. Si cree o supone que la respuesta va a ser negativa, usa **ninguno/a**:

[55] ● **¿De verdad no tienes ningún disco?**

1.10.5.2. También van en subjuntivo todas las oraciones de relativo que tienen como antecedente **ninguno/a** (y que, por tanto, se hallan en enunciados negativos).

1.10.5.3. Los usos de los tiempos de subjuntivo con **alguno/a/os/as** obedecen a las reglas habituales de uso del subjuntivo.

➲ El subjuntivo

1.11. Cuando se ha especificado o se presupone el número de elementos, para referirse a todos ellos repitiendo el número de modo que quede claro que no se deja ninguno de los elementos fuera, se usa:

los/las + *número*

[56] ● **Eramos cinco y ninguno de los cinco sabíamos nadar.**

[57] ● **¿Y vosotros que vais a hacer?**
❍ **Vamos a esquiar.**
● **¿Y los niños?**
❍ **También. Vamos los cinco.**

En registros algo más formales y cuando se trata de un grupo de dos elementos, puede usarse **ambos/as** como fórmula alternativa de **los/as dos**:

[58] ● **Ambos artículos son muy interesantes.**

Ambos no va introducido ni seguido por ningún artículo.

Para referirse a dos elementos considerándolos como individuos —y no conjuntamente—, se usa **(el) uno... (el) otro...** Son frecuentes los usos de **(el) uno y (el) otro** para referirse a dos elementos subrayando que están considerándose ambos, sin excluir ninguno de los dos. A veces se usa además **(el) uno con/de/para/etc. /..., (el) otro** para referirse a algo recíproco entre los elementos considerados:

[59] ● **Son muy injustos el uno con el otro.**

Para referirse a todos los elementos cuyo número ya ha sido especificado o se presupone, también se puede usar **todos/as** —pero no **todos los/las + *número***, estructura que no existe en español.

1.12. Cuando, en un registro muy culto / formal, se ha especificado el número de elementos de los que se compone un grupo, para mencionar otros elementos señalando que hay el mismo número y que a cada uno de los del primer grupo corresponde uno de los del segundo grupo se usa el operador **sendos/as**:

[60] ● **La casa tiene cinco habitaciones con sendos cuartos de baño.**

[61] ● **Al ver a tantos pasajeros con sendas maletas, no creía que fueran a caber todos en el autocar.**

1.13. Para referirse a los elementos que componen un grupo considerándolos uno por uno, se usa **cada**:

[62] ● **Es mejor que cada estudiante tenga su propio libro.**

[63] ● **Es un hotel muy cómodo. Fíjate que en cada habitación hay televisión, mini-bar, aire acondicionado...**

Cada va seguido siempre de un sustantivo. Cuando **cada** + ***sustantivo*** es sujeto, el verbo va en tercera persona de singular.

Cuando está claro en el contexto de qué elementos se trata, se usa **cada uno/una**:

[64] ● **Había cinco ensaladas y cada una era totalmente distinta de las demás. Estaban todas buenísimas.**

Cuando **cada** va introducido por la preposición **de**, si está claro en el contexto de qué elementos se trata, se usa a veces **cada** solo:

[65] ● **¿Cuál quieres?**
❍ **Pues... uno de cada, si puede ser.**

En los demás casos, es mucho más difícil el uso de **cada** solo.

CON MÁS DETALLE

1. Si **cada uno/una** es complemento directo y está detrás del verbo, va siempre anunciado por un pronombre átono de complemento directo en plural que concuerda en género con los elementos a los que se refiere **cada**:

[66a] ● **¿Y a ti qué te parecen?**
❍ **Yo los encuentro a cada uno distinto.**

Si **cada uno/una** está antes del verbo, va retomado por un pronombre átono de complemento directo en singular:

[66b] ● **¿Y a ti qué te parecen?**
❍ **Yo a cada uno lo encuentro distinto.**

No ocurre lo mismo cuando el complemento directo del verbo es **cada + *sustantivo***: en este caso, se siguen las reglas habituales de uso de los pronombres complemento.

➲ Los pronombres personales

2. Cuando **cada + *sustantivo*** o **cada uno/una** es complemento indirecto de un verbo, también va anunciado o retomado por un pronombre átono.

Si está antes del verbo, el pronombre átono va en singular:

[67] ● **La atención es estupenda. Al final del viaje, a cada pasajero le ofrecen un bombón y le regalan una flor.**

Si está después del verbo, el pronombre átono puede ir tanto en singular como en plural:

[68] ● **Nos lo hemos pasado estupendamente bien. Ahora que termina el curso le(s) quiero hacer un regalito a cada uno.**

3. **Cada** funciona sólo con sustantivos contables. Para poder emplear **cada** referido a entidades no contables, se hace necesario el uso de algún sustantivo que se refiera a *distintas partes, cantidades, tipos,* etc.:

[69] ● **Es curioso cómo cada tipo de pan tiene un sabor tan distinto.**

[70] ● **¿Has tomado queso?**
❍ **Sí, he probado un poco de cada tipo.**

1.13.1. Para referirse a los elementos de un grupo considerándolos uno por uno, se usa también:

cada uno/una de + *grupo*

[71] ● **Tiene la manía de querer tocar cada uno de los cuadros. Dice que si no, es como si no los mirara...**

1.13.2. A veces, para presentar algo de manera próxima a la forma impersonal refiriéndose a las personas en general pero considerándolas a cada una individualmente, se usa **cada uno** o **cada cual**:

[72] ● **A mí no me vengas con historias. Cada cual tiene sus problemas, y yo también tengo los míos.**

En el fondo, lo que se hace con el operador **cada** en estos casos es lo mismo que en todos los demás —pero en lugar de considerar un grupo específico se está considerando a la comunidad de los seres humanos en general.

A diferencia de **cada uno/a** —que puede ser utilizado para referirse a los individuos de un grupo conocido considerándolos individualmente— **cada cual** se usa generalmente para hablar de individuos de identidad indeterminada.

1.13.3. Se usa **cada** + ***número*** (+ ***sustantivo***) cuando se quieren considerar grupos de elementos uno por uno:

[73] ● **Tenemos un libro (para) cada tres personas.**

[74] ● **No nos vemos mucho. Más o menos una vez cada quince días.**

[75] ● **Cuando esté hirviendo, lo remueves un poco cada diez minutos más o menos, para que no se pegue.**

El uso de esta estructura es típico de los contextos en los que se está hablando de intervalos regulares, o de distribución regular de algo entre los elementos de un grupo.

➲ El tiempo

1.14. En las afirmaciones que se sitúan en el nivel de la definición de algo, para presentar una característica de una categoría insistiendo en que la información dada se aplica a cada uno de los miembros de dicha categoría, se usa **todo** + ***sustantivo (en singular):***

[76] ● **Todo médico sabe diagnosticar una apendicitis.**

[77] ● **En toda casa debería haber un cuarto de baño.**

En estos usos, **todo** + ***sustantivo*** se parece mucho a **cada** + ***sustantivo***. Sin embargo, a diferencia de este último, sólo se usa al hablar de las características esenciales que forman parte de la *definición* de una categoría.

1.15. Para presentar un elemento preciso y bien determinado (persona o cosa) señalando que, para el hablante, no se trata de nada conocido sino de algo sobre cuya identidad tiene dudas, o con respecto a lo cual quiere de alguna manera distanciarse, se usa **cierto/a**:

[78] ● **¿Y qué te regaló Jorge?**
❍ **Una novela de cierto Joaquín Hurtado. Dice que es muy buena y quiere que me la lea.**

[79] ● **Todo empezó porque Juana quería ir a ver cierta obra de la que le habían hablado y José Luis no quería...**

Cierto/a puede ir solo (como pronombre), o seguido de un sustantivo o de un nombre propio de persona, en función de determinante, o introducido por un artículo de primera mención (indeterminado): **un/una**.

Pero si se trata de elementos que el hablante presenta como (parcialmente) nuevos o indeterminados para él (aun tratándose de elementos muy precisos), no puede funcionar solo como pronombre. De cualquier forma, son raros los usos en los que va solo.

1.16. Para referirse a un elemento señalando que no importa su identidad, se usa **cualquiera**, inmediatamente antes o inmediatamente después del sustantivo.

Cuando **cualquiera** va antes de un sustantivo, se apocopa siempre en **cualquier**:

cualquier + *sustantivo*

o

sustantivo + **cualquiera**

[80] ● **¿Dónde puedo comprar aceite?**
❍ **En cualquier tienda de comestibles.**

[81] ● **Y para comer, te vas a cualquier bar, y ya verás que puedes comer bien gastando poco.**

[82] ● **Cómprame alguna revista... Una cualquiera.**

Cualquier antes del sustantivo funciona como determinante y forma un *bloque* con el sustantivo —igual que los adjetivos antepuestos al sustantivo. **Cualquiera** después del sustantivo es un elemento nuevo con respecto a él: está, pues, en una posición de mayor relieve, y se hace así más hincapié en que *no importa la identidad* del sustantivo, al ser ésta la información nueva con respecto al sustantivo.

Cualquier(a) funciona con sustantivos singulares. Existe una forma de plural (**cualesquiera**) que, sin embargo, tiene usos ya bastante limitados. Su empleo suena a arcaico en español contemporáneo. Esta forma se usa únicamente en registros muy formales o cultos.

Es importante, para los hablantes del francés y del italiano, no confundir **cualquier(a)** con **algún/a/os/as**.

CON MÁS DETALLE: oraciones de relativo

Las oraciones de relativo que tienen como antecedente **cualquiera** van en subjuntivo.

➲ El subjuntivo

1.16.1. Existen además —en registros cultos o formales— otros compuestos con **—quiera** para referirse a elementos temporales, espaciales, etc. señalando que no importa su identidad: **comoquiera (que), dondequiera (que), cuandoquiera (que)**, etc.

Estos operadores suelen ir seguidos de una oración en subjuntivo introducida por **que**.

➲ El subjuntivo

1.17. Al hablar de un grupo, para referirse a una parte próxima a la totalidad, se usa **la mayoría (de +** ***sustantivo contable en plural*****)** o **la mayor parte (de +** ***sustantivo no contable o sustantivo contable en plural*****):**

[83] ● **La mayoría de los españoles cenan después de las nueve de la noche.**

[84] ● **Es mejor que preparemos una macedonia... La mayor parte de la fruta ya está muy madura y, si no la comemos, se nos va a podrir.**

Cuando estas expresiones son sujeto de un verbo, el verbo concuerda con el sustantivo introducido por **la mayoría de** o **la mayor parte de**. Si se trata de un sustantivo plural, va en plural. Si se trata de un sustantivo singular, va en singular. Así, pues, el verbo va en plural con los sustantivos contables y en singular con los no contables.

Con **la gente** se puede usar **la mayoría de**:

[85] ● **La mayoría de la gente cree que estamos casados, pero no es así.**

Estas expresiones pueden desempeñar tanto la función de sujeto como la de complemento.

Cuando ya se sabe de qué grupo se está hablando (es decir de qué sustantivo se trata), se usan **la mayoría** y **la mayor parte** solos, sin nada después.

1.18. Para presentar un elemento como único elemento que se quiere considerar / tener en cuenta se usa **solo/a/os/as**:

[86a] ● **Si te comes todo eso, vas a tomar mucho más de mil calorías. La paella sola ya tiene más.**

Estos usos no son muy frecuentes. En muchos de ellos se puede emplear el adverbio **sólo** seguido del elemento en cuestión:

[86b] ● **Si te comes todo eso vas a tomar mucho más de mil calorías. Sólo la paella ya tiene más.**

1.19. Para referirse a un elemento señalando que en la situación o para el objetivo considerado no existen otros como él, se usa **único/a/os/as**:

[87] ● **Es la única playa a la que me gusta ir.**

[88] ● **El único restaurante del pueblo es carísimo...**

[89] ● **Yo no me preocuparía tanto: sois los únicos que conocen realmente la materia.**

Único/a/os/as puede ir seguido de un sustantivo o solo, en los casos en los que está claro en el contexto de qué sustantivo se trata.

A diferencia de otras lenguas, el español no usa mucho **solo/a/os/as** en estos casos.

Con **solo/a/os/as** se indica que no se quieren tener en cuenta los demás elementos (**sólo la paella**). Con **único/a/os/as** se señala que, en la situación considerada o para el propósito del momento, no existen otros elementos como el considerado (**el único restaurante del pueblo**).

1.19.1. Las oraciones de relativo que tengan como antecedente **el/la único/a/** etc. pueden ir tanto en indicativo como en subjuntivo, a diferencia de lo que sucede en otros idiomas.

➲ El subjuntivo
➲ Las oraciones de relativo

1.20. Para presentar los elementos de una serie progresiva señalando el orden en que aparecen se usan los numerales ordinales:

[90] ● **¿Y Jesús, cuál es?**
❍ **El tercero de la derecha.**

Cuando la serie se refiere al orden en que los elementos mencionados han hecho algo, se usa:

el/la/los/las + *número ordinal* + en + *infinitivo*

o

el/la/los/las + *número ordinal* + *oración de relativo*

[91] ● **El primero en terminar / que terminó fuiste tú.**

Cuando está claro de qué sustantivo se está hablando, no se repite.

1.21. Después de mencionar uno o varios elementos de un grupo o categoría, para referirse a uno nuevo de identidad distinta de los que ya han sido citados o que viene a añadirse, se usa **otro/a/os/as**:

[92] ● **Este color no me gusta demasiado. ¿No tiene otro más claro?**

[93] ● **Primero llegó una señora que quería informaciones sobre un viaje a la India. Al cabo de pocos minutos, entró otra.**

Con sustantivos contables, las intenciones comunicativas con las que se usa **otro/a/os/as** pueden ser de dos tipos:

- introducir elementos que se añaden a los que ya se han mencionado (más cantidad):

[94] ● **¿Nos trae otra botella de agua, por favor? Y otros dos bocadillos.**

En estos casos, **otro/a/os/as** puede ir seguido de un número cardinal y de un sustantivo.

- hacer hincapié en la diversidad de la identidad del elemento introducido:

[95] ● **¿Es éste?**
❍ **No, otro más grande, de otra forma.**

Cuando ya se sabe de qué sustantivo se trata, para introducir uno nuevo de identidad distinta, se usa **otro/a/os/as** solo, sin necesidad de repetir el sustantivo:

[96] ● **Estas albóndigas están buenísimas.**
❍ **Coge otra, que todavía quedan.**

Después de hablar de uno o varios elementos, para referirse a uno distinto que ya había sido mencionado / presentado y cuya existencia ya conoce el destinatario del mensaje, se usa **el/la/los/las + otro/a/os/as** o un ***demostrativo*** + **otro/a/os/as**:

[97] ● **¿Esto qué es?**
❍ **Es un regalo para Laura.**
● **¿Y esto otro?**

[98] ● **De momento, léete este libro y este otro. Luego lo hablamos y vemos cómo puedes seguir.**

CON MÁS DETALLE

A diferencia de lo que sucede en otros idiomas, en español no se usa el operador **otro/a/os/as** para referirse a *más cantidad* de algo no contable; **otro/a/os/as** con sustantivos no contables se refiere a otro *tipo*, a otra *especie*:

[99] ● **Este vino está bastante malo. ¿Te importa que pida otro?**

En español, con sustantivos que remiten a entidades no contables, para referirse a más cantidad, se usa **más +** ***sustantivo*** o, si se sabe de qué sustantivo se está hablando, **más** solo:

[100] ● **Te ha salido buenísima.**
❍ **Sírvete un poco más. Y tú también, Paco, échate más paella.**

Otro —a diferencia de lo que ocurre en italiano, por ejemplo— no se usa como neutro sinónimo de **otras cosas** o de **(algo) más**:

[101a] Español:
● **Pero no es sólo eso, hay mucho más que decir.**

[101b] Italiano:
● **Ma non è solo quello, c'è molto altro da dire.**

Para negar más cantidad de algo no contable, se usa **nada más**, o **no más**:

[102a] ● **Un kilo de azúcar y una barra de pan.**
❍ **¿Algo más?**
● **No, nada más, gracias.**

[102b] ● **¿Quieres más azúcar?**
❍ **No, no más, gracias.**

1.22. Cuando ya se han mencionado uno o varios elementos, para referirse a todos los elementos del grupo del que se está hablando que no han sido considerados todavía se usa **los/las + demás**:

[103] ● **¡Ya se han acabado! Pero si ayer compré como treinta botellas.**
❍ **Sí, pero en la fiesta de anoche nos bebimos como veinte. Hoy, a la hora de comer, otras dos o tres.**
● **¿Y las demás?**

Para referirse a algo que el enunciador no puede o no quiere nombrar, se usa **lo demás**.

1.23. Para referirse a un elemento que ya ha sido mencionado explícitamente, o que ha aparecido implícitamente en el contexto, subrayando que se trata de ese individuo y que no es necesario o no se quiere mencionar / buscar otro de identidad distinta, se usa el operador **mismo/a/os/as**:

[104] ● **¿Quién era?**
❍ **El mismo señor de hace un rato.**

2. PARA HABLAR DE CANTIDADES

2.1. Para referirse a cantidades de entidades contables, se usan los números cardinales.

➲ Los numerales

2.2. Para hablar de manera imprecisa de una gran cantidad de elementos (personas o cosas), se usan varios operadores y expresiones.

2.2.1. Los operadores de uso más general son:

mucho/a/os/as
tanto/a/os/as

Estos operadores también se pueden usar en superlativo:

[105] ● **¿Había mucha gente?**
❍ **Muchísima. Casi no se podía entrar.**

[106] ● **Sí, el piso está muy bien. Lo que pasa es que yo tengo muchos libros y no sé dónde los voy a poner.**

[107] ● **Para que te quede bien, le tienes que poner mucho aceite. Queda un poco pesado, pero más sabroso.**

[108] ● **No pensaba que tuviera tantos amigos.**

Estos dos operadores concuerdan en género y número con el sustantivo al que se refieren. Con sustantivos no contables, se usan sólo las formas singulares **mucho/a** y **tanto/a**. Con sustantivos contables, se usan también las formas de plural.

Cuando ya está claro de qué sustantivo se está hablando, no se repite.

2.2.1.1. Contraste **mucho/a/os/as - tanto/a/os/as**

A diferencia de lo que sucede en otras lenguas en las que los equivalentes de estos dos operadores del español tienden a confundirse, en español se usa **tanto/a/os/as** única y exclusivamente en los casos en los que se presupone un uso previo de **mucho/a/os/as**. Así, en [108], el enunciador usa **tantos** sólo porque ha constatado previamente que la persona de la que está hablando tiene **muchos amigos**.

2.2.1.2. Contraste **muy / mucho** y **tan / tanto**

Como ya se señala en el capítulo sobre las exclamaciones y la intensidad, **muy** y **tan** se usan con adjetivos y adverbios. **Mucho** y **tanto** se usan solos después de un verbo (invariables), con los comparativos (invariables), y con los sustantivos (concuerdan en género y número).

➲ Las exclamaciones y la intensidad

Mucho y **tanto** suelen ir antes del sustantivo al que se refieren.

2.2.2. Para referirse a una gran cantidad de algo, se usan también —registros informales— las expresiones **cantidad de** y, más localizado geográficamente, **la mar de**:

[109] ● **Es una chica muy sociable. Tiene cantidad de amigos.**

A veces se usa también el plural **cantidades de**.

La mar (de) se usa sobre todo para matizar el uso de un adverbio o de un adjetivo.

➲ Las exclamaciones y la intensidad

2.2.3. En registros informales se usa a veces **una/la de** + *sustantivo*:

[110] ● **Era un sitio agradable, pero ¡había una de gente!**

[111] ● **¿Y cómo vais a caber en ese piso, con la de libros que tenéis?**

Es frecuente el uso de **con la de** + *sustantivo* para *recordar* la existencia de una gran cantidad de algo.

2.3. BASTANTE

Para referirse a una cantidad sin expresar explícitamente su punto de vista, el hablante usa el operador **bastante**, que concuerda en número con el sustantivo al que se refiere:

[112] ● **¿Y había mucha gente?**
❍ **Bastante.**

[113] ● **Y de postre, ¿qué les vamos a dar?**
❍ **No te preocupes. Todavía quedan bastantes manzanas. Prepararé una tarta.**

Bastante / bastantes sirve para presentar la cantidad como más bien grande, aunque no lo suficiente para poder usar **mucho/a/os/as**.

➲ Las exclamaciones y la intensidad

2.4. PARA REFERIRSE A UNA CANTIDAD LIMITADA

2.4.1. Para referirse a cantidades más bien limitadas, se usan:

- Hablando de entidades contables:

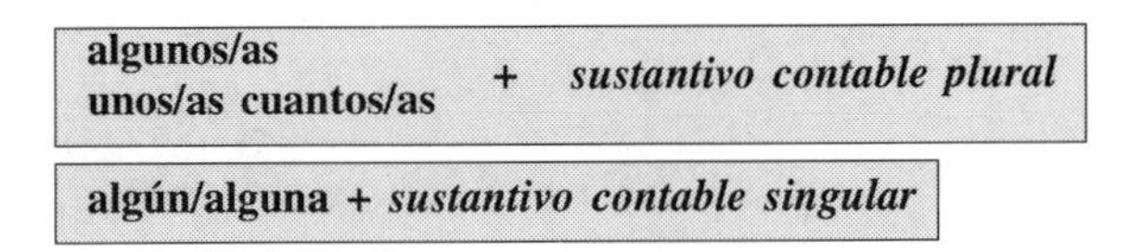

algunos/as
unos/as cuantos/as + *sustantivo contable plural*

algún/alguna + *sustantivo contable singular*

- Hablando de entidades no contables:

[114] ● **Ahora estoy mejor. He hecho algunos amigos.**

[115] ● **¿Qué tal te ha ido?**
❍ **Bien, he estado en "La Casa del Libro". He encontrado unos cuantos libros interesantes.**

un poco de + *sustantivo no contable*

[116] ● **¿Me puedes dejar un poco de dinero? Me he quedado sin un duro.**

[117] ● **... Y al final, le añades un poco de coñac, justo antes de servirlo.**

A diferencia de lo que ocurre con los demás operadores, con **unos cuantos** se hace más hincapié en que, a pesar de tratarse de una cantidad limitada, tiene cierta consistencia.

Con **algún/alguna** + ***(sustantivo singular)*** se insiste más en que se trata de un número muy reducido.

2.4.2. Cuando se quiere subrayar además que se trata de un número muy escaso de elementos, se usa **algun(o)/a que otro/a** + ***(sustantivo contable singular)***:

[118] ● **Parecía un pueblo abandonado. Sólo algún que otro campesino que volvía a su casa, o algún niño jugando...**

2.4.3. Para presentar una cantidad como muy limitada o insuficiente, se usa **poco/a** + ***(sustantivo no contable singular)*** o **pocos/as** + ***(sustantivo contable plural)***:

[119] ● **En esta zona hay poco turismo.**

[120] ● **Me faltan pocas páginas, ya lo estoy terminando. La semana que viene te lo entrego.**

CON MÁS DETALLE: contraste **poco/a/os/as - un poco de**

Con **un poco de**, el hablante se refiere a una cantidad señalando que se trata de una cantidad limitada —pero no necesariamente insuficiente o escasa. Lo que le interesa es decir que no necesita usar **mucho**. Se trata de una manera de afirmar que no nos hallamos ante una situación de ausencia total y de presentar la pequeña cantidad de manera positiva. Por el contrario, con **poco/a/os/as** se insiste más en que se trata de una cantidad muy pequeña —o, en algunos casos, insuficiente / por debajo de los límites supuestos o esperados.

Un poco de se opone a **nada/ninguno**. **Poco/a/os/as** se opone a **mucho/a/os/as**.

➲ Las exclamaciones y la intensidad

2.5. CANTIDADES AÑADIDAS

Para referirse a una cantidad de algo que se viene a añadir, se usan:

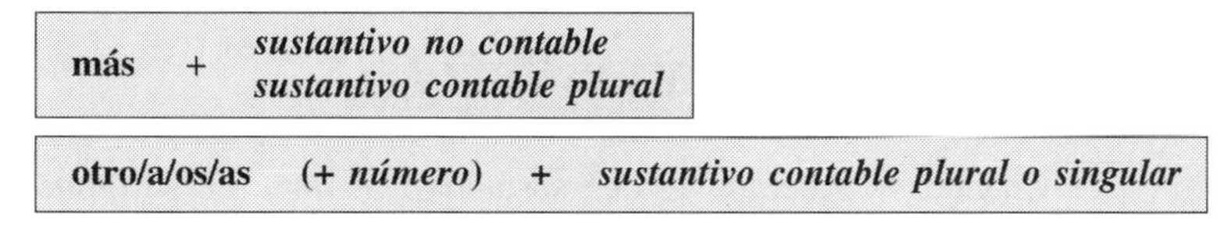
más + ***sustantivo no contable*** / ***sustantivo contable plural***

otro/a/os/as (+ ***número***) + ***sustantivo contable plural o singular***

[121] ● **¿Me pone otra cerveza, por favor?**

[122] ● **¿Quieres más pan? Toma.**

[123] ● **Otros dos cafés, por favor.**

Si se quiere matizar este recurso, también puede emplearse:

un poco más de +	*sustantivo no contable* *sustantivo contable plural*

[124] ● **Si hicieras un poco más de ejercicios, no tendrías problemas.**

2.6. PARA REFERIRSE A TODA LA CANTIDAD DISPONIBLE

Para referirse a toda la cantidad disponible de algo o a todo un grupo, se usa **todo/a/os/as**:

[125] ● **Quería algunos tomates.**
❍ **Sólo me quedan éstos. ¿Cuántos quiere?**
● **A ver... Démelos todos.**

[126] ● **¿Cuánta harina le pongo?**
❍ **Pónsela toda, que no es mucha.**

Para referirse a toda la cantidad concebible de algo —en los registros cultos—, se usa:

cuanto/a + *sustantivo no contable*

cuanto/a/os/as + *sustantivo contable*

[127] ● **Lo suyo es una verdadera enfermedad. Cuantos libros encuentre sobre el tema se los tiene que comprar.**

➲ El subjuntivo

Generalmente, el verbo que sigue va en subjuntivo.

2.7. EXPRESAR UNA CANTIDAD DE MANERA RELATIVA CON RESPECTO A UN TODO: PROPORCIONES

2.7.1. Para referirse al todo se usa:

todo/a + *sustantivo no contable*

todo/a/os/as + *sustantivo contable*

Cuando ya sabemos de qué sustantivo se trata, no se repite el sustantivo:

[128] ● **¿Cuánto quiere?**
❍ **Démelo todo.**

[129] ● **Todos los de esta escuela saben hablar por lo menos dos idiomas.**

[130] ● **¿Te ha gustado?**
❍ **Es que todavía no me lo he leído todo.**

En los registros más informales o con cierto matiz de ironía, se encuentran a veces usos de la forma diminutiva **todito** para subrayar que ninguna porción o elemento de la cantidad considerada queda excluido.

2.7.2. Para referirse a la totalidad de un elemento o conjunto considerado globalmente sin hacer hincapié en las partes o los individuos que lo componen y subrayar al propio tiempo que no se quiere excluir ninguna parte o fragmento, se usa a veces en lugar de **todo** el operador **entero.** Este operador sólo puede referirse a entidades contables:

[131] ● **Carlos se comió él solo la tarta entera.**

2.7.3. Para referirse a una parte de un elemento o un grupo de elementos: las fracciones

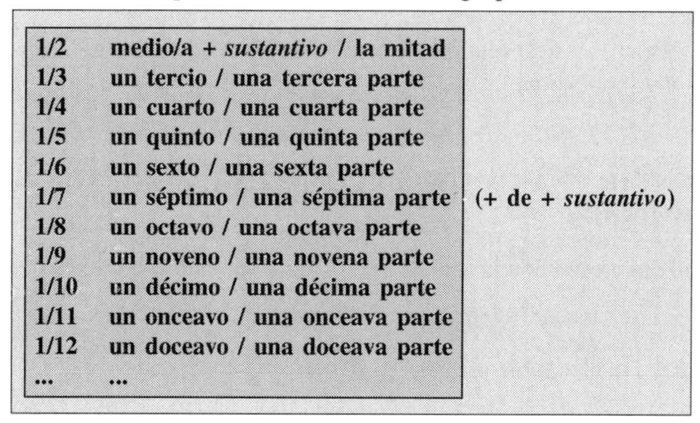

1/2	**medio/a + *sustantivo* / la mitad**	
1/3	**un tercio / una tercera parte**	
1/4	**un cuarto / una cuarta parte**	
1/5	**un quinto / una quinta parte**	
1/6	**un sexto / una sexta parte**	
1/7	**un séptimo / una séptima parte**	**(+ de + *sustantivo*)**
1/8	**un octavo / una octava parte**	
1/9	**un noveno / una novena parte**	
1/10	**un décimo / una décima parte**	
1/11	**un onceavo / una onceava parte**	
1/12	**un doceavo / una doceava parte**	
...	...	

La fracción correspondiente a los números siguientes se forma añadiendo el sufijo **—avo** al número.

Excepciones:

centésimo
milésimo
millonésimo

El sustantivo que sigue a una fracción va introducido por la preposición **de**, excepto en el caso de **medio** (que funciona como adjetivo y, por lo tanto, precede directamente al sustantivo):

[132] **Un cuarto de litro de leche.**

[133] **Media tarta.**

2.7.4. Porcentajes

Para expresar un porcentaje, se usa ***número*** **+ por ciento (+ de +** ***sustantivo*****):**

[134] ● **Y si compramos muchos, ¿nos hacen algún descuento?**
❍ **Depende de la cantidad; pero, de cualquier forma, nunca podemos llegar a más del veinticinco por ciento.**

[135] ● **Te aseguro que no exagero cuando te digo que debe de gastarse por lo menos el sesenta por ciento de lo que gana en sus viajes por el mundo.**

[136] ● **Este año, las cosas van mucho mejor. El número de estudiantes ha aumentado en un ciento veinte por ciento.**

En ocasiones, la proporción se establece en relación con **mil** en lugar de **cien**. Se usa entonces ***número*** **+ por mil (+ de +** ***sustantivo*****)**:

[137] ● **Es un país con un índice de natalidad bajísimo, me parece que no llega ni al cinco por mil anual.**

Este uso es especialmente frecuente en estadísticas, en proporciones referidas a una población.

2.8. PRESENTAR UNA CANTIDAD COMO UNA VALORACIÓN SUBJETIVA DE QUIEN HABLA

2.8.1. Para presentar una cantidad como una valoración subjetiva de quien habla, se usa:

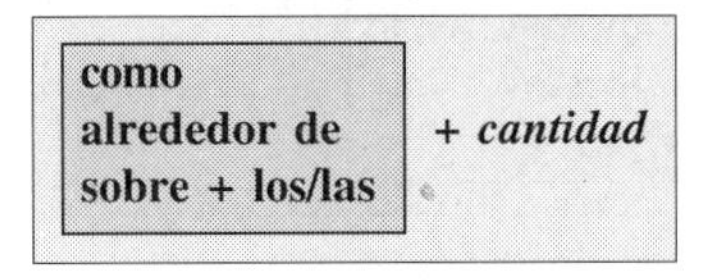

[138] ● **¿Y cuánto azúcar le pusiste?**
❍ **No sé... Como medio kilo.**

[139] ● **¿Cuánta gente va a venir?**
❍ **Sobre las cien.**

[140] ● **Habría alrededor de mil manifestantes.**

Estos tres operadores se usan corrientemente para presentar una cantidad como una valoración subjetiva de quien habla, sin expresar ningún otro punto de vista sobre dicha cantidad.

2.8.2. Para presentar una cantidad como una valoración subjetiva de quien habla y señalar a la vez que el hablante considera dicha cantidad ligeramente superior a la cantidad real, que, por lo tanto, no se llega a alcanzar, se usa **cerca de +** ***cantidad:***

[141] ● **¿Había mucha gente?**
❍ **Cerca de cien personas.**

Cuando además se quiere presentar la cantidad mencionada como una etapa o frontera que se *aspira* a alcanzar o que se *quiere evitar*, señalando a la vez que la cantidad real se acerca mucho a dicha cantidad mencionada —aunque sin llegar a alcanzarla—, se usa **casi** + ***cantidad:***

[142] ● **Os habéis comido casi un kilo de carne entre los dos y todavía tenéis hambre... ¡Será posible!**

➲ Contraste como **mucho - a lo sumo / un poco menos de - cerca de - casi**

2.8.3. Para presentar una cantidad como una valoración subjetiva de quien habla y señalar a la vez que el hablante considera la cantidad mencionada ligeramente inferior a la cantidad real, se usa **algo / un poco más de** + ***cantidad***. Así, por ejemplo, en [143] el hablante considera **doscientas** inferior a la cantidad real:

[143] ● **¿Cuántas páginas son?**
❍ **Un poco más de doscientas.**

➲ Contraste **por lo menos / un poco más de**

2.8.4. Para presentar una cantidad como una valoración subjetiva de quien habla, señalando a la vez que se está haciendo un esfuerzo por mencionar la cantidad más baja posible, y que se considera que la cantidad mencionada es seguramente inferior a la real, se usa:

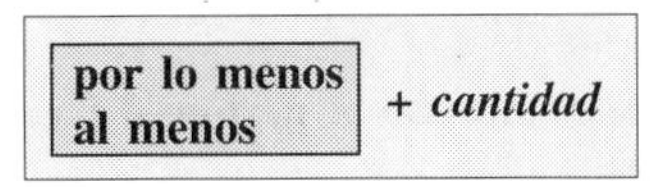

[144] ● **Mira, un libro así debe costar por lo menos quince mil pesetas.**

➧ Contraste **por lo menos / algo/un poco más de**

Al usar **por lo menos**, el hablante expresa su insatisfacción por la cantidad mencionada, que le parece excesivamente pequeña; lo contrario ocurre con **algo/ un poco más de**, operadores con los que el hablante se limita a señalar que la cantidad que está mencionando le parece inferior a la real, sin expresar ningún tipo de insatisfacción.

Por lo menos / al menos implica una aspiración a poder mencionar algo mayor por parte de quien habla.

2.8.5. Para presentar una cantidad como una valoración subjetiva de quien habla, señalando a la vez que se está haciendo un esfuerzo por mencionar la cantidad más alta posible, y que se considera que la cantidad mencionada es seguramente superior a la real, se usa:

como mucho **todo lo más** **a lo sumo**	**+** ***cantidad***

[145] ● **Nosotros estamos sin dinero, o sea que pensamos gastar como mucho diez mil pesetas. Es que más no podemos.**

A lo sumo sólo se emplea en registros cultos.

➧ Contraste **como mucho - todo lo más - a lo sumo / un poco menos de - cerca de - casi**

Al usar **como mucho-todo lo más-a lo sumo**, el hablante expresa su insatisfacción por la cantidad mencionada, que le parece excesiva —al contrario de lo que ocurre con un **poco menos de**, con **cerca de** y con **casi**, operadores con los que el hablante se limita a señalar que la cantidad que está mencionando le parece inferior a la real, sin expresar ningún tipo de insatisfacción.

Como mucho - todo lo más - a lo sumo implican una aspiración a poder mencionar una cantidad menor por parte de quien habla.

2.8.6. Para presentar una cantidad de manera muy aproximada, señalando únicamente el límite mínimo y el límite máximo que puede alcanzar se usa:

de + ***cantidad*** **+ a +** ***cantidad***
entre + ***cantidad*** **+ y +** ***cantidad***

[146] ● **No sé exactamente cuánto cuesta, pero creo que entre mil quinientas y dos mil pesetas.**

[147] ● **Es rapidísimo. Traduce de diez a quince páginas por hora.**

2.8.7. Para presentar una cantidad como un límite máximo, más allá del cual el hablante no quiere llegar (ya sea en el plano metalingüístico —es decir en la elección de las palabras que utiliza en un determinado contexto—, ya sea en el ultralingüístico referencial —en relación con una situación o algo concreto más allá de la lengua, en el mundo extralingüístico), se usa **no más de**:

[148] ● **Estoy sin un duro, o sea que no puedo gastar más de dos mil pesetas.**

2.9. Para presentar una cantidad como algo inferior a las previsiones o las expectativas del hablante o a las expectativas que el hablante atribuye a su interlocutor, se usa:

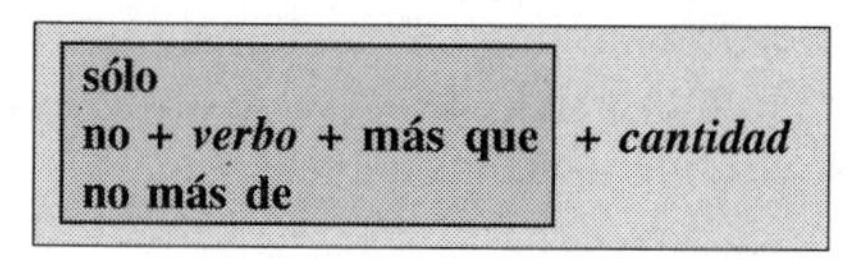

[149] ● **Habíamos invitado a todo el mundo, pero no vinieron más que diez personas.**

[150] ● **¿Vas a necesitar mucha leche?**
○ **No, no mucha: no más de medio litro.**

[151] ● **¿Vas a necesitar mucha leche?**
○ **No, sólo medio litro.**

Sólo sirve además para presentar la cantidad mencionada como pequeña (como en [151])

LOS NUMERALES

1. LOS CARDINALES

Los números cardinales en español, como en todos los idiomas, se obtienen a partir de una serie de formas básicas que se combinan entre ellas para dar números más altos.

1.1. PRIMER GRUPO: UNA FORMA DISTINTA PARA CADA NÚMERO

Se trata, esencialmente, de los elementos básicos del sistema, que sirven para componer cualquier número.

➧ **de 0 a 15:**

0	**cero**
1	**uno (un) / una**
2	**dos**
3	**tres**
4	**cuatro**
5	**cinco**
6	**seis**
7	**siete**
8	**ocho**
9	**nueve**
10	**diez**
11	**once**
12	**doce**
13	**trece**
14	**catorce**
15	**quince**

Pertenecen a este primer grupo, además, todas las decenas y las palabras **cien**, **mil**, **millón** y **billón**:

20	**veinte**
30	**treinta**
40	**cuarenta**
50	**cincuenta**
60	**sesenta**
70	**setenta**
80	**ochenta**
90	**noventa**
100	**cien**
1.000	**mil**
1.000.000	**un millón**
1.000.000.000.000	**un billón**

1.2. OTROS NÚMEROS

Todos los demás números se forman combinando los números de 1 a 10 entre ellos o con las decenas, y/o con las palabras **cien**, **mil**, **mil/millones** y **billón/billones**. A veces, interviene la conjunción **y**.

1.2.1. Existe un grupo de números (de 16 a 29) compuestos con ayuda de la conjunción **y**, pero que se escriben en una sola palabra: **y** se ha integrado y transformado en **i** (debido a las reglas ortográficas habituales). En algunos casos, se han producido además pequeños cambios ortográficos —como la sustitución de la **-z** final de **diez** por **-c**— delante de una **i**, o la aparición de acentos gráficos:

➲ Reglas ortográficas y fonéticas

16	**dieciséis**
17	**diecisiete**
18	**dieciocho**
19	**diecinueve**
21	**veintiuno**
22	**veintidós**
23	**veintitrés**
24	**veinticuatro**
25	**veinticinco**
26	**veintiséis**
27	**veintisiete**
28	**veintiocho**
29	**veintinueve**

1.2.2. Los restantes números se componen combinando de distinta manera los elementos dados hasta aquí: unidades, decenas, centenas...

Las palabras que entran en la composición de estas expresiones numerales se escriben separadas:

34	**treinta y cuatro**
47	**cuarenta y siete**
59	**cincuenta y nueve**
68	**sesenta y ocho**
72	**setenta y dos**
81	**ochenta y uno**
95	**noventa y cinco**
102	**ciento dos**
115	**ciento quince**
127	**ciento veintisiete**
1.178	**mil ciento setenta y ocho**
1.254.328.278.953	**un billón doscientos cincuenta y cuatro mil trescientos veintiocho millones doscientos setenta y ocho mil novecientos cincuenta y tres**

1.2.2.1. Las centenas superiores a **cien** se escriben en una sola palabra y tienen una forma masculina y una femenina:

200	**doscientos / doscientas**
300	**trescientos / trescientas**
400	**cuatrocientos / cuatrocientas**
500	**quinientos / quinientas**
600	**seiscientos / seiscientas**
700	**setecientos / setecientas**
800	**ochocientos / ochocientas**
900	**novecientos / novecientas**

Es importante notar la forma irregular **quinientos/as** y la pérdida del diptongo de **siete** y **nueve** en las formas **setecientos** y **novecientos**. Este último fenómeno es perfectamente coherente con el fenómeno de la monoptongación en posición átona.

➲ Conjugación del presente de indicativo

Estas formas concuerdan en género con el sustantivo al que se refieren, incluso en composición:

doscientos dólares
doscientas pesetas

trescientos cincuenta y dos estudiantes
trescientas cincuenta y dos personas

setecientos veintitrés libros
setecientas veintitrés páginas

1.2.2.2. **cien / ciento**

La palabra **cien** se usa sólo cuando no va seguida ni de decenas ni de unidades:

cien libros
cien mil pesetas
cien millones de habitantes

Cuando siguen decenas y/o unidades, en lugar de **cien** se usa **ciento**:

ciento veinte profesores
ciento treinta mil pesetas

1.2.2.3. Uso de **y**

Se usa **y** sólo entre las decenas y las unidades:

cuarenta y siete
ciento cincuenta y dos
treinta y cuatro mil doscientos cuarenta y cinco

1.2.2.4. La palabra **mil** es invariable. Existe, sin embargo, la expresión **miles de +** ***sustantivo***, en la que aparece en plural; se usa para indicar muy vagamente una gran cantidad de algo contable:

mil pesetas
miles de personas

1.2.2.5. La palabra **uno** (sola o en composición) se apocopa en **un** cuando va seguida directamente de un sustantivo masculino y cuando se encuentra en el interior de un número compuesto. Además, concuerda en femenino con el sustantivo femenino al que se refiere:

[1] ● **¿Cuántos libros son?**
❍ **Uno.**

[2] ● **Este precio incluye un bolígrafo y una carpeta.**

[3] ● **¿Cuánto te vas a quedar?**
❍ **Veintiún días.**

[4] ● **He tenido que pagar setenta y una mil quinientas pesetas.**

Con **un** + ***sustantivo masculino*** / **una** + ***sustantivo femenino***, no se trata tanto de insistir en el número propiamente dicho, como de presentar / introducir un sustantivo que todavía no ha aparecido en el contexto.

➲ El artículo

1.2.2.6. La palabra **millón** va en plural **millones** (aun en el interior de una expresión numeral compuesta) cuando va precedida por un número superior a uno:

un millón
dos millones
veintidós millones trescientos diez mil ciento uno

Cuando **millón / millones** va seguido directamente por un sustantivo, éste aparece introducido por la preposición **de**:

[5] ● **¿Cuánto os costó?**
❍ **Un millón trescientas mil pesetas.**

[6] ● **Es un trabajo muy bien pagado. Voy a ganar cerca de quince millones de pesetas al año.**

1.2.2.7. A diferencia de otros idiomas, el español no dispone de una palabra que signifique **mil millones:**

[7] ● **El planeta tiene más de cinco mil millones de habitantes.**

1.2.2.8. Al escribir los números altos en cifras, se suele poner un punto cada tres cifras —salvo en las fechas, donde la costumbre se pierde:

1.234
2.345.789

[8] ● **Hoy es 13 de agosto de 1992.**

2. LOS ORDINALES

2.1. Los principales números ordinales son los siguientes:

1º	**primero**
2º	**segundo**
3º	**tercero**
4º	**cuarto**
5º	**quinto**
6º	**sexto**
7º	**séptimo**
8º	**octavo**
9º	**noveno**
10º	**décimo**
11º	**undécimo / onceavo**
12º	**duodécimo / doceavo**
13º	**décimo tercero**
14º	**décimo cuarto**
15º	**décimo quinto**

20º	**vigésimo**
21º	**vigésimo primero**
22º	**vigésimo segundo**
23º	**vigésimo tecero**
...	**...**
30º	**trigésimo**
31º	**trigésimo primero**
35º	**trigésimo quinto**

Existen más formas, correspondientes a los números superiores, pero en la mayoría de los contextos (incluso formales) tienen connotaciones tan excesivamente cultas que pueden parecer arcaicas y hasta pedantes. Por eso no las mencionamos en esta obra.

2.2. Existen y se dan usos de las formas ordinales superiores, pero en la lengua hablada en registros informales se prefiere evitar los ordinales a partir de 10. Se recurre normalmente a la alternativa de emplear el cardinal correspondiente:

[9a] ● **Este año se celebra el 52 aniversario de la Revolución.**

2.3. Las palabras **primero** y **tercero** se apocopan en **primer** y **tercer** cuando van seguidas directamente por un sustantivo masculino.

➲ El adjetivo

2.4. Algunos hablantes forman los ordinales superiores a 10 añadiendo el sufijo **—avo** al número cardinal —el uso es corriente pero no aceptado en todos los registros ni por todos los hablantes:

[9b] ● **Este año se celebra el *cincuenta y dosavo aniversario de la Revolución.**

2.5. Para hablar del 100º aniversario y del 1.000º aniversario se usan respectivamente las palabras **centenario** y **milenario**. Para referirse al 200º, 300º, 400º, 500º, 600º, etc. aniversario se usa **segundo centenario, tercer centenario, cuarto centenario, quinto centenario**, etc.:

[10] ● **En 1992 se celebró el quinto centenario del descubrimiento de América.**

3. USOS

3.1. LOS CARDINALES

3.1.1. Al hablar por primera vez de elementos que no han aparecido todavía en el contexto, los números cardinales sin artículo seguidos de un sustantivo se emplean en función de determinantes del sustantivo; los números cardinales funcionan en estos casos como determinantes *de primera mención* (*indeterminados* según la terminología tradicional):

[11] ● **Es un pueblo muy pequeño, hay siete u ocho casas en total.**

Los cardinales solos se usan además para responder a una solicitud de cantidad:

[12] ● **Cuántos quieres?**
❍ **Tres.**

3.1.2. Para informar sobre el número de unas personas o unos objetos presentes en una determinada situación, o de los que se está hablando, se usa:

ser + *número cardinal*

[13] ● **¿Podemos comer? Somos cinco.**

[14] ● **¿Y cuántos sois?**
❍ **Cuatro.**

A diferencia de otras lenguas, el español en estos casos no usa ninguna preposición:

[15a] Alemán:
● **Wir waren zu fünft.**

[15b] Inglés:
● **There were five of us.**

[15c] Italiano:
● **Eravamo in cinque.**

[15d] Español:
● **Éramos cinco.**

3.1.3. Para referirse, especificando el número, a algunos de los elementos de un grupo que ya se ha presentado anteriormente, que está presente en el contexto o cuya existencia se presupone se usa:

número cardinal* + de + *grupo

[16a] ● **¿Qué hiciste en las vacaciones?**
❍ **Fui a esquiar con dos de mis hermanos.**

[17a] ● **¿Qué van a tomar?**
❍ **Para mí, uno de éstos.**
■ **Y para mí también.**
● **O sea que dos de éstos. ¿Y para beber?**

[18] ● **En ese momento se levantaron tres de los presentes y empezaron a armar un jaleo que no te lo puedes ni imaginar.**

En estos casos, el grupo va introducido por un determinante de segunda mención (artículo, posesivo, demostrativo, etc.). Cuando ya se sabe de qué sustantivo se trata, el sustantivo no se repite:

[19] ● **Me he quedado sin cigarrillos.**
❍ **¿Quieres uno de los míos?**

3.1.4. A diferencia de lo que ocurre en otros idiomas, en español los siglos se expresan con números cardinales —y se escriben con números romanos:

[20] ● **El siglo XX** (oralmente: **El siglo veinte)**

➲ El tiempo

3.1.5. A diferencia de lo que sucede en otros idiomas, en español, al referirse a reyes, papas, etc. se usan los números ordinales tan sólo hasta el 10º. A partir del 11º, se usan los números cardinales.

En ambos casos se usan los números romanos:

[21] ● **Carlos III** (oralmente: **tercero)**

[22] ● **Alfonso XIII** (oralmente: **trece)**

3.1.6. Para referirse a algo que ya ha sido presentado por primera vez mediante un número cardinal sin artículo, se usa un número cardinal precedido de un determinante *de segunda mención* —es decir: un artículo de segunda mención (determinado), un posesivo, un demostrativo, etc.:

[16b] ● **¿Qué hiciste en las vacaciones?**
❍ **Fui a esquiar con mis dos hermanos.**

[17b] ● **¿Qué van a tomar?**
❍ **Para mí, uno de éstos.**
■ **Y para mí también.**
● **O sea que estos dos. ¿Y para beber?**

[23] ● **¿Ya han llegado los tres libros que encargué la semana pasada?**

En todos estos casos, los números funcionan como adjetivos.

➲ El adjetivo

3.1.7. Con frecuencia se usa el artículo **el** seguido de un número cardinal (de 1 a 31) para referirse a una fecha de un mes del que se está hablando o del que se acaba de hablar:

[24] ● **Fue todo rapidísimo. Nos conocimos en mayo, el 3, y el 28 nos casamos.**

A veces se usa **el día** + ***número***.

Cuando no se ha mencionado ningún mes en el contexto previo, se trata del mes en el que se produce la enunciación, o del mes inmediatamente anterior o posterior. El tiempo verbal utilizado, en combinación con el número y el conocimiento por parte de los interlocutores del argumento del que están hablando, permiten entender de cuál de los tres se trata:

[25] ● **Adiós, nos vemos el dieciocho.**
❍ **Bueno, adiós, hasta el dieciocho.**

3.2. LOS ORDINALES

Se usan los ordinales para informar sobre el número de orden con que aparece algo:

[26] ● **¿Cuántos te faltan?**
❍ **Éste es el segundo. En total son cuatro.**

[27] ● **El tercer día, como estaba cansado, me fui a la playa.**

CON MÁS DETALLE

- Los ordinales sirven, además, para identificar un elemento a través del número de orden en el que aparece en una serie. Generalmente, van entre el artículo y el sustantivo (igual que un adjetivo antepuesto), como en [26] y [27].

- En los nombres de reyes, papas, etc., suelen ir después del sustantivo:

  Carlos V
  Felipe II

- Por otra parte, los ordinales pueden estar introducidos por un verbo (generalmente, el verbo **ser**), como en [26].

➲ El adjetivo

- Cuando ya sabemos de qué sustantivo estamos hablando, el sustantivo no se repite: igual que en el caso de los adjetivos, se pueden encontrar números ordinales asociados a un determinante, sin sustantivo: ejemplo [26].

LAS ORACIONES IMPERSONALES

A veces, no se expresa explícitamente el sujeto de un verbo.

Puede haber muchos motivos por los que el hablante decide no expresarlo: no sabe cuál es, no quiere decir quién es, no le interesa en la situación considerada y teniendo en cuenta sus intenciones comunicativas, prefiere ocultarlo por alguna razón, etc.

En español, el hablante dispone de distintos recursos para presentar una información sin relacionarla demasiado directamente con un sujeto.

1. UNO/UNA

Cuando la persona que habla se está refiriendo esencialmente a sí misma, pero quiere atribuir a lo que dice un valor ligeramente más general, presentándolo como algo impersonal, suele usar el operador **uno / una**, con el verbo en tercera persona de singular:

[1] ● **Oye, aquí hay un error, ¿no?**
❍ **Sí, es verdad, tienes razón, perdona, pero es que con lo cansado que está uno...**

[2] ● **Lo siento, aquí no se puede aparcar.**
❍ **¿Y eso uno cómo lo va a saber, si no hay ningún cartel?**

2. TÚ

Cuando la persona que habla presenta lo que dice como algo impersonal, con valor general, incluyéndose a sí misma entre los sujetos posibles y, a la vez, llamando a participar a su interlocutor, usa la 2ª persona de singular **tú**:

[3] ● **Cuando estás tan cansado, lo mejor que puedes hacer es irte unos días de vacaciones... y el trabajo, que espere. Y eso fue lo que hice.**

La diferencia fundamental entre el uso de **tú** y el de **uno/una** consiste en que con **uno/una** la persona que habla pone más énfasis en sí misma; con **tú**, por el contrario, quiere implicar también a su interlocutor.

3. LA GENTE/TODO EL MUNDO/*3.ª PERSONA DEL PLURAL*

Cuando la persona que habla presenta lo que dice como algo con valor general, pero de lo que se excluye a sí misma y excluye a su interlocutor:

Verbo en tercera persona de plural	
la gente **todo el mundo**	+ *verbo en tercera persona de singular*

[4] ● **Dicen que van a crear una moneda única para todos los países de la región.**

[5] ● **Sí, ya lo sé, la gente dice que a los niños es mejor dejarlos llorar, pero yo no lo creo en absoluto.**

[6] ● **A mí personalmente no me gusta nada, aunque todo el mundo dice que va a ganar las próximas elecciones... Ya veremos.**

CON MÁS DETALLE

- El uso de la tercera persona de plural se acerca mucho, en lo que al sentido se refiere, al uso de la tercera persona de plural en situaciones en las que se piden servicios en sitios públicos (hoteles, agencias de viaje, etc.), casos en los que no se suele considerar el empleo de la tercera persona de plural como impersonal. Sin embargo, son situaciones en las que no se trata tanto de pedir directamente a nuestro interlocutor que haga determinada cosa, sino de pedírselo a través de él a toda una organización, en la que no sabemos exactamente a quién nos estamos dirigiendo.

- Con **todo el mundo**, el enunciador le da a lo dicho un valor universal que no tiene lo que presenta con las otras dos formas.

4. SE

Cuando la persona que habla presenta lo que dice como algo con valor universal, que no excluye a nadie, usa:

se + *3ª persona de singular o de plural*

[7a] ● **Aquí se habla español.**

[8] ● **No se sabe quién es el autor. Se piensa que es un erudito del siglo XV.**

[9] ● **¿Y cómo te encuentras en una empresa tan grande?**
❍ **Bien, muy bien. Se trabaja estupendamente, sin nadie que te esté todo el día controlando.**

4.1. USO

El uso de la construcción con **se** para presentar lo dicho como impersonal es característico sobre todo de los casos en que se quiere poner el énfasis en la situación / lugar más que en el hecho de que no se conozca o no se quiera especificar el sujeto; el ejemplo [7a] se puede parafrasear con:

[7b] ● **Estamos en una situación en la que la gente habla español.**

A veces, no obstante, sobre todo en el lenguaje formal, el uso de esta construcción puede ser un recurso utilizado por el enunciador para evitar hablar de un sujeto, refiriéndose a la situación.

4.2. CONCORDANCIA DEL VERBO[1]

4.2.1. Cuando la expresión **se** + ***verbo*** introduce un infinitivo, el verbo se mantiene en tercera persona de singular:

[10] ● **En esas situaciones se quiere descansar y nada más.**

4.2.2. Con los verbos transitivos, cuando la expresión **se** + ***verbo*** introduce un sustantivo, el verbo suele concordar en número con él. Pero el verbo no concuerda (y se mantiene siempre en singular) si la expresión **se** + ***verbo*** introduce un pronombre personal o un sustantivo precedido por una preposición (sea la que sea):

[11] ● **El primer día se recibió a las participantes y se las distribuyó entre los distintos grupos.**

[12] ● **En esta asignatura se cuenta con los mejores especialistas del tema.**

[13] ● **¿Qué te pasa? Tú trabajas demasiado. Se te nota agotado.**

[14] ● **En verano se comen muchas verduras.**

1 La presentación que se da aquí de este fenómeno, con todas las decisiones que ha implicado (por ejemplo, la de ignorar ciertas clasificaciones tradicionales) es el resultado de una reflexión a la que contribuyeron considerablemente unas largas conversaciones con Lourdes Díaz.

CON MÁS DETALLE

A veces se antepone el sustantivo:

[15] ● **Cerveza, en España, se bebe mucha.**

En estos casos, a diferencia de lo que ocurre normalmente cuando se antepone el complemento directo, no se suele recoger dicho complemento con un pronombre complemento átono cuando el sustantivo en cuestión se refiere a un objeto:

Caso normal:

[16a] ● **Este libro, lo vendemos mucho.**

Impersonal con **se**:

[16b] ● **Este libro se vende mucho.**

Sí se recoge con un pronombre cuando el sustantivo se refiere a una persona:

[16c] ● **Al director no se le ve nunca.**

[16d] ● **A Pepe se le nota cansado**[2].

4.2.3. En algunos casos, la expresión **se + *verbo*** introduce un infinitivo seguido de un complemento directo propio. El verbo presentado en forma impersonal es, por lo general, un auxiliar o un modal: **poder, querer, tener que, deber, soler, pretender,** etc.:

[17] ● **Y, al final, antes de que se marchen todos se suelen distribuir pequeños recuerdos.**

[18] ● **Sí, claro, es un sitio aislado, pero se pueden hacer muchas cosas.**

4.2.3.1. En estos casos, en los registros informales, el verbo presentado bajo la forma impersonal con **se** suele concordar con el complemento directo del infinitivo —es decir: no se tiene en cuenta el infinitivo y se sigue la regla de concordancia habitual con sustantivos[3].

4.2.3.2. Al contrario, en los registros formales / cultos, se observa cierta tendencia a dejar el verbo en singular, siguiendo la regla de concordancia con los infinitivos e ignorando, en cierto modo, el complemento directo. Esto parece ocurrir sobre todo con verbos como **pretender, lograr,** etc.: cuanto más fuerte es la carga semántica del verbo usado con **se,** más fácil resulta ignorar el complemento directo y seguir la regla de concordancia con el infinitivo.

[19] ● **Durante el curso, se pretende dar una serie de conceptos básicos para que después los participantes puedan seguir cada uno por su cuenta.**

En todos estos casos pueden seguirse, no obstante, las reglas normales de concordancia.

4.2.4. Con los verbos intransitivos, el verbo (que, por el hecho mismo de ser intransitivo, no introduce en esta construcción ningún sustantivo) va siempre en tercera persona de singular:

[20] ● **Por la noche se está bien aquí, al fresco.**

---

2 (Véase la nota en la página 350.)

3 Se trata de un fenómeno que se encuentra perfectamente en la línea del comportamiento normal de los auxiliares.

4.2.5. Cuando en la frase hay un pronombre complemento directo, el verbo se mantiene siempre en singular:

[21a] ● **¿Y las participantes estaban todas juntas?**
❍ **No; el primer día se las distribuyó en grupos de treinta.**

Estas frases con pronombre complemento directo parecen, sin embargo, bastante pesadas, por lo que se intenta evitarlas.

CON MÁS DETALLE

Esta construcción con un pronombre complemento directo se usa casi exclusivamente con los verbos que tienen usos frecuentes en construcción reflexiva, para evitar las ambigüedades que pueden surgir. En [21] queda claro que **las participantes** no se distribuyeron espontáneamente en grupos. Al contrario de lo que ocurre en [21b]:

[21b] ● **¿Y las participantes estaban todas juntas?**
❍ **No; el primer día se distribuyeron en grupos de treinta.**

4.3. A pesar de lo especificado hasta aquí, las gramáticas recogen casos en los que el verbo introduce directamente un sustantivo en plural (sin ninguna preposición) y se mantiene, sin embargo, el verbo en singular:

[22] ● **Actualmente en España, se lee muchos más libros que hace un par de años.**

Se trata, no obstante, de una peculiaridad estilística destinada a desaparecer rápidamente: la gran mayoría de los hablantes del español perciben estas frases como muy extrañas y artificiales.

4.4. Con los verbos reflexivos se evita el uso de la construcción impersonal con **se** para no tenerlo repetido en el mismo contexto. En estos casos, se prefieren las otras posibilidades: **uno, tú, la gente,** ***3ª persona de plural***, etc.

Se evita también el uso de esta forma cuando en la misma frase aparece un posesivo de tercera persona (**su/suyo**), ya que puede inducir a confusión y dificultar la interpretación. En lugar de un enunciado como [23], se prefiere con mucho [24a] o [24b]:

[23] ● ***Al final de la clase se recogen sus cosas y se sale del aula.**

[24a] ● **Al final de la clase todos / los estudiantes recogen sus cosas y salen del aula.**

o

[24b] ● **Al final de la clase todo el mundo / cada estudiante recoge sus cosas y sale del aula.**

5. Además de estas formas se usa a veces:

hay quien **algunos**	+	*verbo en indicativo*

[25] ● **¿Has visto qué tiempo más raro hace? Por la mañana, un calor horrible, y por la tarde, te mueres de frío...**
❍ **Sí, es verdad... Y hay quien dice que va a durar todo el verano.**

[26] ● **Aunque algunos piensan que es injusto, ésta es la única solución.**

Estas formas se usan para referirse a pocos sujetos de identidad indefinida. El predicado no tiene el valor general que se le atribuye con las restantes formas impersonales.

6. A diferencia de lo que sucede en otros idiomas como el francés y el italiano, en los que se retoma a veces un pronombre personal sujeto de primera persona de plural (**nosotros**) con una forma impersonal (de sentido próximo al de las construcciones con **se** del español), en español esto no suele hacerse —las formas de impersonalidad presentadas en este capítulo no sirven, pues, para recoger un sujeto personal bien definido:

[27a] Italiano:
● **Noi, la domenica si lavora.**

[27b] Francés:
● **Nous, le dimanche, on travaille.**

[27c] Español:
● **Nosotros, los domingos, trabajamos.**

[28a] Italiano:
● **Che fate?**
❍ **Si prepara la cena.**

[28b] Francés:
● **Qu'est-ce que vous faites?**
❍ **On prépare le dîner.**

[28c] Español:
● **¿Qué estáis haciendo?**
❍ **(Estamos) Preparando la cena.**

ESENCIA Y EXISTENCIA

1. HABER

Para hablar de la existencia de algo, se usa:

hay		*indefinido*
había		un libro
hubo		dos hombres
habrá	+	cuatro coches
ha habido		algún bar
haya		...
hubiera/ese		
habría		

La forma **hay** es una forma irregular (impersonal) del verbo **haber**. Por eso en los demás tiempos se usa la forma de tercera persona de singular.

Cuando se emplea para hablar de la existencia, **hay / había /** etc. no va nunca en plural —siempre se mantiene la forma singular.

Se usa esta forma para introducir en el contexto algo que todavía no ha sido mencionado, dándole o negándole existencia:

[1] ● **Perdone, por favor, ¿sabe dónde hay un bar por aquí cerca?**

[2] ● **Oye, hay un señor esperándote en el pasillo. Dice que tiene una cita contigo.**

[3] ● **¿Cuántas personas hay en el grupo?**
❍ **Como veinte.**

[4] ● **Es increíble: en menos de una semana ha habido dos accidentes graves de avión.**

CON MÁS DETALLE

Para usar este operador de manera adecuada, es importante entender bien el concepto gramatical de *indefinido*: no se trata de cosas imprecisas, sino simplemente de *cosas que no han aparecido todavía en el contexto* y que se encuentran, por lo tanto, en su primera mención. Así por ejemplo, **tres personas** es indefinido, a diferencia de **esas/las tres personas**, que es definido: *definido* no es sinónimo de *preciso* o *concreto.*

En registros familiares o populares, se observa a menudo una tendencia a regularizar este fenómeno con el funcionamiento de todos los verbos, y a emplear formas de plural de **haber**. Eso se debe a que los hablantes de español tienden a no percibir esta construcción como impersonal.

➲ Individuos, cantidades e intensidad

2. ESTAR

Para hablar de la presencia de algo que ya ha sido mencionado en el contexto previo, y para localizar en el espacio se usa **estar** + ***definido:***

[5] ● **Está tu mujer esperándote abajo.**

[6] ● **¿Dónde pongo esta caja?**
❍ **Déjala en la mesa de mi despacho.**
● **¡Pero si está el ordenador!**
❍ **Bueno, pues entonces, donde encuentres sitio.**

Este uso de **estar** es perfectamente coherente con todos sus demás usos. Este verbo presupone siempre la existencia del sujeto del que se está hablando.

➲ **Ser / estar**

3. **CONTRASTE** HABER / ESTAR

Estos dos operadores traducen lo que en otros idiomas se expresa con un solo operador: **il y a** (francés), **es gibt** (alemán), **c'è/ci sono** (italiano), **there is/are** (inglés), etc.

Se trata, por lo tanto, de un área que plantea bastantes problemas a los estudiantes extranjeros. Es importante preguntarse siempre si los interlocutores han hablado ya del sujeto en cuestión, si saben o no en qué referente concreto se basan. Cuando los interlocutores ya han hablado del sujeto al que se están refiriendo o cuando se presupone su conocimiento por parte del otro interlocutor, se usa **estar**. Cuando no se dan tales circunstancias, se usa **haber**.

Cuando nos ubicamos en el plano de la definición de algo, usamos **ser**.

Así pues, cuando el enunciador no quiere sólo localizar en el espacio algo cuya existencia se presupone, sino *definir un suceso o acontecimiento* por medio de sus *coordenadas* temporales o espaciales, usa **ser** en lugar de **estar**:

[7] ● **¿Dónde vives?**
❍ **En Zagarolo.**
● **¿Y eso dónde es?**
❍ **Es un pueblo cerca de Roma.**

[8] ● **La conferencia es en el aula V.**

➲ **Ser / estar**

CON MÁS DETALLE

En estos usos de **ser**, el enunciador no presupone la existencia de la cosa de la que está hablando: no quiere simplemente *localizar algo que ya conoce*, sino *dar una definición*. En [7], la pregunta **¿Dónde es?** se debe a que, para el enunciador, se trata de un sitio totalmente desconocido, del que le cuesta presuponer nada, ya que nunca lo ha oído nombrar.

Por eso para dar las coordenadas temporales o espaciales de un suceso, se usa siempre **ser** —y no **estar**.

4. SER / ESTAR

Tradicionalmente, se presenta **estar** como la expresión de lo momentáneo —en oposición a **ser**, que sería lo permanente y estable.

Esta presentación, sin embargo, sólo da cuenta parcialmente de la oposición. Por eso optamos aquí por una presentación funcional del problema que, aun teniendo en cuenta esta perspectiva, permite presentar casos en los que tal oposición no funciona de modo muy claro.

4.1. IDENTIDAD / DEFINICIÓN: SER

Cuando se trata de identificar o de definir algo, se usa **ser**:

[9] ● **¿Quién es?**

[10] ● **Mira, ésa es mi mujer.**

[11] ● **¿Está Carmen? Soy su profesor de español.**

[12] ● **El mango es una fruta tropical.**

En estos casos, **ser** introduce con frecuencia un sustantivo.

A veces en estos usos, **ser** concuerda con el complemento predicativo, en lugar de concordar con el sujeto gramatical que ya se ha dado (del que se está hablando):

[13] ● **Toda la gente que llama son amigos o parientes.**

[14] ● **Mi sueldo son sólo ochenta mil pesetas.**

4.2. ORIGEN / NACIONALIDAD / PROCEDENCIA: SER

Cuando se trata de hablar del origen, de la nacionalidad o de la procedencia de algo o de alguien, se usa **ser**, ya que todas estas informaciones se sitúan en el plano de la definición:

[15] ● **¿De dónde eres?**

[16] ● **Prueba este vino. Es de la bodega de mi padre.**

[17] ● **¿Cómo es que hablas tan bien español?**
❍ **Es que soy mexicano.**

4.3. PROFESIÓN / ACTIVIDAD: SER

Cuando se quiere informar sobre la profesión, se usa **ser**, ya que en este caso también estamos en el plano de la definición:

[18] ● **¿A qué te dedicas?**
❍ **Soy profesor de español.**

Es importante notar, además, la ausencia de artículo para introducir el nombre de la profesión.

Cuando se quiere hablar de una actividad temporal, se usa **estar (de)**:

[19] ● **Estoy sin trabajo.**

[20] ● **¿Y tú qué estás haciendo?**
❍ **Estoy de camarero en un hotel.**

CON MÁS DETALLE

Además, cuando se quiere subrayar que una actividad —temporal o no— no corresponde a la profesión principal del sujeto o que el sujeto no es la persona más adecuada para dicha actividad, se usa **hacer de**:

[21] ● **¿Y cómo lo vas a hacer en julio con el niño?**
❍ **Se lo dejo a mi madre y ella hará de canguro por las mañanas.**

4.4. MATERIA / MATERIAL: SER

Para informar sobre el material, se usa **ser**, ya que este tipo de información también se sitúa en el plano de la definición:

[22] ● **¡Qué bonita! Es de madera, ¿verdad?**

4.5. COORDENADAS TEMPORALES O ESPACIALES DE UN SUCESO O ACONTECIMIENTO: SER

Para dar las coordenadas temporales o espaciales de cualquier suceso o acontecimiento, se usa **ser**. Esto se debe a que se trata de elementos que definen el suceso en cuestión:

[23] ● **La fiesta es en casa de Maribel.**

[24] ● **Las elecciones fueron en 1991.**

4.6. LOCALIZACIÓN ESPACIAL: ESTAR

Para localizar en el espacio algo cuya existencia se presupone, se usa **estar**:

[25] ● **El Banco está en la Plaza de Armas.**

4.7. DESCRIPCIÓN DE PERSONAS O COSAS: SER / ESTAR

4.7.1. Al describir personas u objetos con la pretensión de presentar la descripción como algo objetivo, se usa **ser**:

[26] ● **Es azul y verde.**

[27] ● **Son bastante simpáticas, ¿no crees?**

[28] ● **¡Es enorme!**

[29] ● **¡Es carísimo!**
❍ **Sí, pero es muy útil; y de muy buena calidad.**
● **No sé, no sé... Un amigo mío tiene uno parecido y siempre se queja de que es muy malo y se le estropea a menudo.**

4.7.2. Cuando la persona que habla no pretende dar a la descripción un tono objetivo y se reconoce, por lo tanto, como *centro de lo que dice* —por ejemplo, porque está comparando distintos momentos, o insistiendo más en una experiencia vivida personalmente, o formulando apreciaciones subjetivas—, en lugar de **ser** usa **estar**[1]:

1 (Véase la nota en la página 350.)

[30] ● **¡Qué delgado estás!**

[31] ● **Está muy moreno. Seguro que, en lugar de trabajar, se ha ido a la playa.**

[32] ● **Mmm... Todo está buenísimo... La carne, la pasta...**

4.8. APRECIACIÓN SUBJETIVA SOBRE UN DATO O HECHO: SER

4.8.1. Cuando se formulan apreciaciones subjetivas sobre elementos de información o sucesos —y no sobre personas o cosas—, se usa **ser**:

[33] ● **¡Es increíble!**

[34] ● **Es extraño que no haya llegado todavía.**

4.9. VALORACIÓN DE UNA ACTIVIDAD O PERÍODO: SER / ESTAR

Cuando se expresan valoraciones que pretenden presentarse como frías y objetivas, con poca participación de la persona que habla, se usa **ser** + ***frase nominal / adjetivo***:

[35] ● **Ha sido una tarde muy agradable.**

[36] ● **¿Qué tal la fiesta?**
❍ **Ha sido un auténtico fracaso.**

4.10. En las descripciones, con los adjetivos que se refieren a algo presentado como característica provisional, se usa **estar**. Por el contrario, para presentar características más profundas / inherentes al sujeto, como más permanentes, se usa **ser**:

[37] ● **Es muy alto.**

[38] ● **Está gordísimo.**

[39] ● **Es un pesado.**

[40] ● **¡Qué pesado está!**

Por este motivo, hay adjetivos que normalmente sólo se usan con **estar** (**contento, embarazada**, etc.) y otros que se emplean más a menudo con **ser** (**asequible, incomprensible**, etc.)

En muchos casos, la elección entre **ser** y **estar** no depende sino de la voluntad por parte del hablante de relativizar más o menos:

[41] ● **Es muy simpático.**

[42] ● **En estos días lo veo muy a menudo... Está muy simpático.**

CON MÁS DETALLE

En todos los usos, **ser**[1] tiende a presentar las cosas de manera más fría y objetiva, al contrario de **estar**, que denota una fuerte participación del hablante, que se responsabiliza más de lo que dice, presentándose como *centro y único punto de origen de la relación sujeto — predicado* que establece.

Al emplear **estar**, el hablante se pone, en su función de enunciador, en el centro de una red de relaciones espacio—temporales en la que se viene a insertar todo lo dicho (de ahí que se use **estar** para localizar cosas de existencia presupuesta), y se presenta a sí mismo como único responsable y punto de origen de todo. Por eso, cuando el hablante se quiere referir a experiencias vividas en primera persona, prefiere **estar**, como en [32]. Por eso también, cuando compara distintos momentos del tiempo usa **estar**, como en [30] y [31].

Por el contrario, cuando utiliza **ser**, el hablante se presenta a sí mismo como el elemento externo que se limita a constatar cosas que no dependen de él. Esto confiere a los usos de **ser** un carácter más frío y objetivo.

➲ La pasiva

4.11. Además de las expresiones tratadas en los apartados anteriores (**estar de**, **ser de**, etc.) y de las tratadas en el capítulo sobre las perífrasis verbales (**estar a punto de**, **estar para**, **estar por**, **estar al** + ***infinitivo***, etc.), cabe señalar algunos usos característicos de **ser** y **estar**:

Se usa **ya está** para indicar que algo está hecho o terminado:

[43] ● **¿Puedo ayudarte?**
❍ **No. gracias. Ya está.**

Usos de **estar** en construcción absoluta, sin ningún otro elemento adjetivo o prepositivo. En tales casos, **estar** tiene el sentido de ***estar presente*** o de ***estar listo***:

[44] ● **¿Puedo hablar con Julio?**
❍ **Lo siento, no está. ¿Quieres dejarle algún recado?**

[45] ● **¿Para cuándo puede estar?**

[46] ● **¿Ya estás? ¿Nos podemos ir?**

[47] ● **Y ahora hacéis el ejercicio por escrito** [*Al cabo de un rato:*] **¿Estamos? ¿Podemos verlo juntos?**

➲ Perífrasis verbales

5. HABLAR DE LAS TRANSFORMACIONES QUE SUFRE EL SUJETO

5.1. En español no existe, como existe en otros idiomas, un único verbo para referirse a los cambios que pueda vivir el sujeto.

1. La presentación que doy aquí debe mucho a un artículo de Claude Delmas que tuve ocasión de leer hace ya más de diez años en forma manuscrita. No he podido comprobar si ha sido publicado.

Para expresar lo que en francés se expresa con **devenir**, en inglés con **become**, en italiano con **diventare**, en alemán con **werden**, etc. es necesario recurrir a una serie de perífrasis, según el tipo de cambio al que nos estemos refiriendo.

5.2. La mayoría de los verbos y expresiones que se refieren a los cambios sufridos por el sujeto tienen una forma que presenta la transformación como algo que le sucede al sujeto espontáneamente, sin ninguna referencia al agente que la provoca (cuando existe); y otra forma con la que se presenta el cambio como algo provocado por un agente que es el sujeto gramatical del verbo, relegando el sujeto que sufre la transformación al papel de complemento directo[2].

[48a] ● **Con el calor me pongo nervioso.**

[48b] ● **El calor me pone nervioso.**

5.3. Para referirnos a una transformación que se produce de manera rápida o instantánea y que no parece destinada a durar en el tiempo, usamos **ponerse**:

[49] ● **¿Qué tal el examen?**
○ **Mal. Me puse nervioso y no supe contestar a la mitad de las preguntas.**

Como se trata de transformaciones momentáneas, se usa **ponerse** para hablar de características que adquiere provisionalmente el sujeto: **ponerse** se usa, pues, esencialmente con adjetivos.

5.4. Para referirse a transformaciones rápidas, pero más definitivas, usamos generalmente **volverse**:

[50] ● **Trabajaba estupendamente bien. Pero tuvo una enfermedad rarísima y se volvió loco.**

[51] ● **Pero ¿qué le pasa?**
○ **¿Por qué? ¿Qué quieres decir?**
● **Se está volviendo cada día más tacaño... Antes no era así.**

[52] ● **¿Has visto lo perezoso que se ha vuelto?**

Volverse se emplea casi siempre para hablar de una evolución hacia algo negativo. Para hablar de una evolución hacia algo positivo, se utiliza preferentemente **ponerse**.

2. En los apartados que siguen ofreceremos, una por una, las distintas formas que presentan la transformación como algo espontáneo vivido por un sujeto presentado en función de sujeto gramatical -sin hacer referencia a la otra forma, que insiste más en el agente provocador de la transformación, presentándolo como sujeto gramatical de la construcción. Las formas de este segundo grupo aparecerán luego, todas juntas, en un único apartado, porque los distintos matices de cada una de ellas son idénticos a los que hay entre las del primer grupo.

Al igual que **ponerse**, se usa **volverse** para hablar de características; generalmente, va seguido de un adjetivo.

5.5. Para presentar una transformación como algo que se produce de manera progresiva, a través de un largo proceso, se usa **llegar a (ser)**:

[53] ● **Desde que era pequeño se le notaba... Siempre era el más activo en todo, siempre era el líder entre sus compañeros... Y ahora ha llegado a (ser) presidente.**

Con frecuencia al emplear esta perífrasis, el hablante presenta la transformación como resultado de un largo proceso que supone una voluntad, una aspiración o un esfuerzo por parte del sujeto.

Cuando esta expresión va seguida de un sustantivo, con frecuencia se omite **ser**.

5.6. Para presentar una transformación como algo decidido por el sujeto o como el resultado de una evolución natural, casi espontánea, se usa **hacerse**:

[54] ● **Y fue aquel mismo año cuando decidió hacerse cura.**

[55] ● **¡Qué grande estás! ¡Si te has hecho todo un hombre!**

[56] ● **Como vivo en Alemania desde hace muchos años, he decidido hacerme alemán; estoy preparando los papeles.**

Las transformaciones presentadas con **hacerse** suelen ser vividas como definitivas por el hablante; y suelen referirse a la profesión, a la edad, a la ideología, a la religión, etcétera.

Hacerse se emplea tanto con adjetivos como con sustantivos. En este último caso, el sustantivo puede ir o no introducido por un artículo indeterminado. El uso del artículo añade un matiz ponderativo que la expresión sin artículo no tiene, de ahí que parezca más fría y objetiva.

Por otra parte, se utiliza **hacerse** + ***artículo determinado*** + ***adjetivo*** con un sentido próximo a ***fingirse***:

[57] ● **Cuando no entiende algo, siempre se hace el tonto.**

CON MÁS DETALLE

Además de los matices relacionados con el tipo de evolución que el hablante quiere atribuir a la transformación de la que habla, que puede decidir presentar como más o menos rápida y más o menos duradera, es importante notar que al elegir uno u otro de estos verbos, el hablante toma posición de modo evidente con respecto a lo que dice: con **ponerse** y **volverse,** asume plenamente su papel de hablante que controla todo lo que dice y toma sólidamente posición, reconociéndose a sí mismo como origen de lo dicho. Por eso se usan **ponerse** y **volverse** para expresar juicios de valor subjetivo. Por el contrario, con **llegar a ser** y **hacerse** el hablante atribuye al sujeto gramatical el origen de la transformación, negando su participación y su responsabilidad directa.

5.7. Para referirse a un estado / una característica que se atribuye a un sujeto presentándolo como el resultado o la consecuencia de una situación, de un(os) suceso(s) o de una(s) actividad(es) anterior(es) se usan **quedar (se), acabar** y **terminar**:

[58] ● **Durante la guerra, la ciudad quedó totalmente destruida.**

[59] ● **Después de la mudanza, acabamos agotados.**

[60] ● **Te ha quedado preciosa. Te felicito.**

5.8. Además de estas expresiones para hablar de las transformaciones que sufre el sujeto, se usan verbos que se refieren explícitamente a la transformación, como **transformarse en** o **convertirse en**.

Estos verbos se refieren a la transformación en sí y no dejan espacio a que interfiera el hablante en lo que dice. Además, se distinguen de los anteriores en el sentido de que no suelen usarse tanto como aquéllos para referirse a cambios parciales (carácter, profesión, características físicas, etc.), sino a cambios radicales que afectan a todo el ser:

[61] ● **Hace años era un convento; ahora se ha convertido en escuela.**

Transformarse en y **convertirse en** van seguidos de un sustantivo o, más raramente, de un adjetivo usado como sustantivo.

5.9. A cada uno de los verbos y expresiones presentados en 5.3., 5.4., 5.6. y 5.9. corresponde un verbo o expresión que presenta al sujeto como complemento de un verbo cuyo sujeto gramatical (si está expresado) es el agente que provoca los cambios aludidos: **poner, volver, hacer, convertir, transformar**:

[62] ● **A mí, estas cosas me ponen enferma. No las soporto, de verdad.**

Los verbos presentados en 5.7. sólo tienen un único correspondiente activo: **dejar**.

[63] ● **Todo ese trabajo me dejó cansadísimo.**

➲ Perífrasis verbales con **dejar** y con **tener**

➲ La posesión: **tener**

➲ Los tiempos compuestos: el pasado en los distintos tiempos

LA POSESIÓN

1. TENER

Para expresar la posesión de algo en el mundo extralingüístico se utiliza siempre el verbo **tener**:

[1] ● **¿Cuántos hermanos tienes?**

[2] ● **¿Y cómo vais a caber en este piso, con todas las cosas que tenéis?**

Es éste el único verbo que se utiliza en español para expresar la posesión, ya que, al contrario de lo que sucede en otros idiomas, en español **haber** sólo se usa como auxiliar de los tiempos compuestos:

[3] ● **¿Ya has terminado?**
○ **No, todavía me falta un poco.**

[4] ● **Nunca había visto nada por el estilo.**

1.1. CON MÁS DETALLE

Es importante no interpretar de manera demasiado literal los usos de **tener** para expresar la posesión. Estos usos pueden ser de lo más variado y, en muchos casos, no se trata de posesión propiamente dicha:

[5] ● **¿Cómo está tu hermano? Hace mucho que no lo veo...**
○ **Está mal, el pobre. Tiene hepatitis.**
● **¡No me digas!**

Entre los usos figurados, cabe destacar el empleo de **tener** para expresar características físicas o morales de las personas, y el de la expresión de deseos y sentimientos:

[6] ● **Tiene muy mal carácter.**

[7] ● **Tengo ganas de una cerveza. ¿Por qué no salimos un rato?**

[8] ● **No entiendo por qué le tienes tanta manía.**

1.2. Además de estos usos de **tener** para expresar la posesión extralingüística, existen usos de **tener** muy próximos de los usos de **haber** en los tiempos compuestos:

[9] ● **Ya tengo veinte páginas escritas.**

[10] ● **No para un segundo. Me tiene agotado.**

En estos casos, la diferencia con respecto a la construcción con **haber** está en que con **tener** se pone más énfasis en el resultado concreto de un proceso / acción que en el proceso / acción en sí mismo.

1.3. Además de los casos mencionados arriba, cabe recordar la expresión:

tener que + ***infinitivo***

➲ Las perífrasis verbales.

2. POSESIVOS

Además de los verbos vistos hasta aquí, en la expresión de la posesión intervienen con frecuencia los posesivos.

2.1. Para referirse a algo que pertenece a alguien cuando la relación de pertenencia ya está asumida en el contexto porque ha aparecido explícitamente o porque se presupone, se usan las formas átonas del posesivo seguidas del sustantivo:

Posesivos			*Persona a la que pertenece la cosa*
mi/s			**yo**
tu/s			**tú**
su/s	+	*sustantivo*	**él/ella/vd.**
nuestro/a/os/as			**nosotros**
vuestro/a/os/as			**vosotros**
su/s			**ellos/as/vds.**

Estas formas de posesivo no van nunca acompañadas por ningún otro determinante del sustantivo. Son incompatibles, pues, con los demostrativos y con los artículos:

[11] ● **¿Has visto mis gafas?**

[12] ● **¿Me dejas usar tu ordenador durante un par de horas?**

➲ Los posesivos

CON MÁS DETALLE

- Con frecuencia, en la interacción, el hablante se salta la etapa de primera información, en la que se presenta la existencia de la relación de pertenencia. Esto acarrea distintos tipos de reacción por parte del interlocutor, según cuáles sean el objeto del que se está hablando y la relación que existe entre los interlocutores.

- En las relaciones informales, el oyente que no dispone de la información presupuesta pide con frecuencia una explicación, o explicita la presuposición, señalando así que la rechaza:

[13] ● **Anoche salí con mi mujer.**
❍ **¿Con tu mujer? No me habías dicho que estás casado.**

- Sin embargo, esto no se da en todos los casos en los que el hablante se salta la etapa de primera información. Este tipo de decisión está fuertemente determinado por la relación que existe entre los interlocutores y la clase de información que se está presuponiendo, además de los intereses personales y el carácter de los interlocutores. Es más probable que un buen amigo, conocido desde hace mucho tiempo, pida aclaraciones sobre las presuposiciones de informaciones que le parecen dignas de relevancia, como el hecho de que su interlocutor esté / se haya casado, se haya comprado un coche, etc.

- Por otra parte, no se dan nunca estas explicitaciones de la información cuando se trata de elementos que forman o pueden formar parte de un presupuesto de cualquier ser humano: difícilmente se piden aclaraciones sobre **mi padre/madre**, etc., a no ser que se trate de pedir más información (¿a qué se dedica? / ¿dónde vive? / etc.).

2.2. En función de complemento, son raros los usos de los posesivos para referirse a *cosas* que se presuponen para cualquier ser humano, y especialmente para referirse a las partes del cuerpo, la ropa, etc. En estos casos, se usa el artículo en construcciones reflexivas o con un pronombre indirecto:

[14a] Inglés:
● **I have broken my leg.**

[14b] Español:
● **Me he roto la/una pierna.**

[15a] Francés:
● **J'ai tâché ma chemise.**

[15b] Español:
● **Me he manchado la camisa.**

[16] ● **¿Qué tal estás?**
❍ **Fatal. Un perro me ha mordido el pie y estoy que no puedo ni caminar.**

CON MÁS DETALLE

Generalmente, no se usan los posesivos para referirse a *cosas* que constituyen un presupuesto para cualquier persona/cosa, excepto en los casos en los que interesa hablar de la cosa en sí, como entidad autónoma, y no en su relación con la persona/cosa a la que pertenece:

[17] ● **¿Cuánto mide tu mano?**

Generalmente en estos casos el sustantivo en cuestión es sujeto del verbo.

Sin embargo, aun en estos casos, se tiende a preferir dar la vuelta a la frase para usar **tener** + ***objeto / parte del cuerpo*** + ***característica***:

[18a] ● **¡Mira qué libro más bonito me acaban de regalar! Tiene unas fotos preciosas.**

[18b] ● ***... Sus fotos son preciosas.**

[19a] ● **Tiene el pelo muy corto y es morena.**

[19b] ● **¿*? Su pelo es corto...**

2..3. Cuando ya sabemos de qué sustantivo estamos hablando, porque ya ha aparecido en el contexto o está implícito, en lugar de las formas átonas de posesivo se usa alguna de las siguientes estructuras:

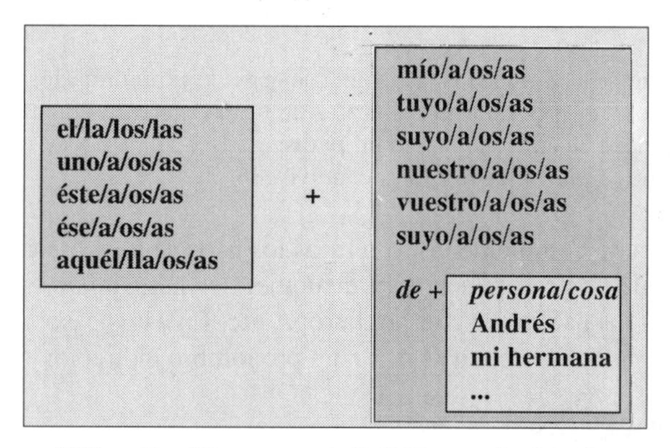

[20] ● **¿Vamos en coche? Es que lo tengo un poco lejos...**
❍ **Bueno, pues, vamos en el mío. Está aquí enfrente.**

[21] ● **Oye, se me ha estropeado la máquina de escribir. ¿Me dejas la tuya?**
❍ **Es que tampoco funciona muy bien; pero, si quieres, allí está la de mi mujer, que ahora no la está usando. Cógela.**

3. PREGUNTAR E INFORMAR SOBRE LA PROPIEDAD

Para preguntar por la pertenencia de algo se usa la pregunta:

¿De quién es (+ *sujeto*)?

En la respuesta, o al hablar espontáneamente de la propiedad, se usa:

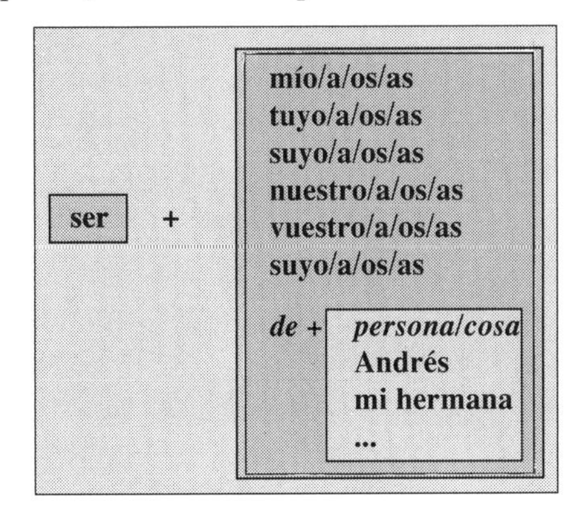

[22] ● **¿Y esta chaqueta que se ha quedado aquí, de quién será?**
❍ **Es mía.**

[23] ● **O sea que te has comprado un coche nuevo, ¿eh?**
❍ **Qué va, si es de un amigo mío que me lo ha prestado.**

LA NECESIDAD

1. HAY QUE

Para expresar con carácter impersonal la necesidad de que se haga algo en una situación dada, se utiliza generalmente

hay que + ***infinitivo***

[1] ● **Para aprender un idioma hay que practicarlo mucho.**

Hay, en esta estructura, es una forma irregular impersonal del presente de indicativo del verbo **haber**. En los demás tiempos, se usa la forma correspondiente de **haber** en tercera persona de singular.

A veces, lo expresado con **hay que** puede referirse a una situación concreta. Sin embargo, aun en estos casos, no deja de tener un valor general, que *no se aplica a ningún sujeto* en particular:

[2] ● **Aquí hace un frío tremendo. Hay que arreglar la calefacción.**

Hay que + ***infinitivo*** es la expresión más utilizada para expresar la necesidad de que se haga algo.

1.1. CON MÁS DETALLE

- Para expresar la necesidad de que no se haga algo, se suele usar la forma negativa **no hay que +** ***infinitivo***:

[3] ● **En los hospitales no hay que hablar demasiado alto, para no molestar a los enfermos.**

Por otra parte, si se quiere expresar la innecesariedad de que se haga algo, se usa generalmente **no hace falta** + *infinitivo* o **no es necesario** + *infinitivo:*

➲ 2.

No suelen encontrarse usos de **no hay que** + ***infinitivo*** para expresar la innecesariedad de que se haga algo.

➧ La persona que usa **no hay que** + ***infinitivo*** tiende a excluir la posibilidad de que se haga la cosa de la que está hablando, ya sea porque considera *necesario que no se haga,* ya sea porque la considera totalmente *superflua o improcedente.*

[4] ● **¿Cómo se abre?**
○ **Me parece que hay que apretar este botón...**
● **No, no... ese botón no hay que tocarlo.**

1.2. Para expresar la necesidad de hacer algo a / con un complemento directo, se usa también

verbo + *sintagma nominal* + que + *infinitivo*

[5] ● **¿Te puedo ayudar en algo?**
○ **Sí, mira... En la habitación de al lado hay dos maletas que cerrar.**

[6] ● **Aquí el trabajo no falta nunca: siempre hay alguna carta que pasar a máquina, o alguna otra cosa que hacer.**

CON MÁS DETALLE

A diferencia de **hay que** + ***infinitivo*** + ***complemento directo del infinitivo,*** con **hay** + ***sintagma nominal*** + **que** + ***infinitivo,*** se hace más hincapié en la presencia / existencia del objeto que requiere la acción —que pasa a ser algo muy próximo de una consecuencia de la existencia del objeto. Al contrario, con **hay que** + ***infinitivo*** + ***complemento directo del infinitivo,*** se pone en primer plano la necesidad de *hacer* algo —y el complemento directo pasa a ser una información nueva que viene después. Con frecuencia, se usa **hay** + ***sintagma nominal*** + **que** + ***infinitivo*** para presentar el objeto como uno de una serie (o de un grupo) que se inserta en una acción o serie de acciones más amplia. Así, en [5], se está hablando de toda una serie de actos relacionados con ordenar la casa, o con preparar las cosas para un viaje, o con vaciar / dejar una casa (cualquiera que sea el motivo: mudanza, devolución de piso prestado, etc.)... Las **dos maletas** pertenecen, pues, a un grupo de objetos que requieren acciones de distintos tipos: cerrar, quitar de en medio, recoger, etc. y no son presentadas como algo aislado. Análogamente, en [6] se está hablando de la rutina de la oficina o de la secretaria, donde las cartas forman parte de una serie de acciones. Al contrario, en [5b] y [6b], se insiste más en las acciones en sí:

[5b] ● **¿Te puedo ayudar en algo?**
○ **Sí, mira... Hay que cerrar esas dos maletas.**

[6b] ● **Y cuando el jefe se va de viaje, es mejor dejarse la mañana libre: siempre hay que pasarle alguna carta justo antes de que se marche, o cancelarle alguna cita, ayudarle a preparar los papeles...**

2. OTRAS EXPRESIONES

En algunas ocasiones, se usan también las siguientes expresiones que, además de referirse a un verbo (necesidad de que se *haga* algo), pueden referirse a sustantivos (necesidad de *cosas* o *personas*):

necesitarse	+	***sustantivo o verbo en infinitivo***
hacer falta	+	***infinitivo o sustantivo***
ser necesario	+	***infinitivo o, más raramente, sustantivo***
ser preciso	+	***infinitivo o, más raramente, sustantivo***
ser menester	+	***infinitivo***

A diferencia de **necesitarse, ser necesario** y **hacer falta** —de uso corriente— las expresiones **ser preciso** y **ser menester** tienen connotaciones más bien culto-literarias. **Ser menester** tiene, además, cierto sabor arcaico:

[7] ● **Para hacer buenas fotos, se necesita una buena máquina.**

[8] ● **¿Y antes de poner los platos hay que enjuagarlos?**
❍ **No, no hace falta.**

2.1. CON MÁS DETALLE

- Para expresar la necesidad de que se haga algo, la fórmula más utilizada es **hay que** + ***infinitivo***. Para expresar la necesidad de que no se haga algo y para negar la necesidad de que se haga algo, se usa generalmente **no hay que** + ***infinitivo***. Por otra parte, para expresar lo innecesario de que se haga algo, se usa **no hace falta / no es necesario** + ***infinitivo***:

[9] ● **Con este nuevo mecanismo, ya no hace falta cortar las hojas antes de meterlas.**

- Contraste **no hay que / no hace falta — no es necesario**

A diferencia de lo que ocurre con **no hay que** + ***infinitivo***, con **no hace falta / no es necesario** + ***infinitivo***, el hablante no exluye del todo la posibilidad de que se haga la cosa a la que se está refiriendo.

2.2. Para expresar la necesidad de una persona u objeto, las expresiones más corrientes son

necesitarse
hacer falta

[10] ● **Aquí se necesita otra mesa.**

3. BASTAR

Para presentar la necesidad de algo o de que se haga algo como una condición mínima suficiente o como aquello que satisface unos requisitos mínimos, se usa:

bastar con + ***infinitivo / sustantivo***

[11] ● **Es muy fácil hacerlo funcionar. Basta con apretar este botón.**

[12] ● **Y al marcharse no hay que hacer nada especial. Basta con avisar y devolver la llave.**

[13] ● **¿Es difícil conseguirlo?**
❍ **No, qué va, es facilísimo. Basta con rellenar un impreso.**

Cuando la necesidad se refiere a un sustantivo o cuando la cosa / acción necesaria ya ha aparecido en el contexto anterior —explícita o implícitamente—, con frecuencia **basta** viene después, para quedar en posición remática; la estructura es en tales casos:

con + ***sustantivo / infinitivo*** + **basta**

[14] ● **¿Hay que ponerle mucho azúcar?**
❍ **No, no, con medio kilo basta.**

[15] ● **¿Y aparte de esto, tengo que hacer algo más?**
❍ **No, con rellenar ese impreso basta.**

4. Para presentar la necesidad de que se haga algo como elemento todavía pendiente se usa:

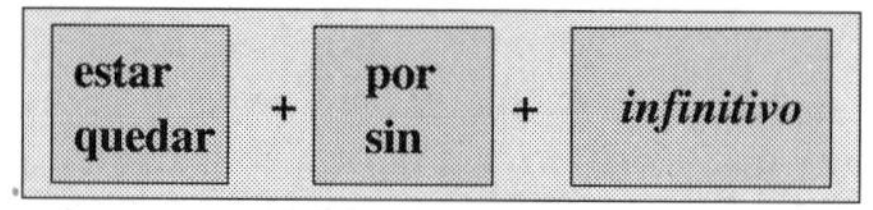

[16] ● **¿Y la ensalada?**
❍ **Todavía está por hacer.**

[17] ● **Espera un segundo. Todavía me quedan dos patatas por pelar y he terminado.**

[18] ● **Se ha terminado el plástico y queda un libro sin forrar.**

[19] ● **¿Qué tal el cuadro?**
❍ **Todavía está sin terminar, pero está quedando precioso.**

Con frecuencia cuando se usan estos operadores, el elemento necesario forma parte de un proceso más amplio, que todavía no se ha terminado.

5. PARA EXPRESAR LA NECESIDAD QUE TIENE UN SUJETO ESPECÍFICO

5.1. NECESITAR

Cuando la necesidad no es impersonal —y no pertenece, por tanto, a una situación, sino a un sujeto en especial—, se usa el verbo **necesitar** conjugado normalmente en una forma personal, seguido de un sustantivo, un infinitivo o (cuando el sujeto del verbo que expresa necesidad es distinto del sujeto del verbo que expresa lo que es necesario) de un subjuntivo:

[20] ● **¿Qué te pasa?**
○ **Necesito hablar con mi hermano y no logro encontrarlo.**

[21] ● **Necesito que me ayudes con la tesis.**

[22] ● **Necesito dinero. ¿Me prestas? Te lo devuelvo dentro de un par de días.**

CON MÁS DETALLE

Para usar correctamente el verbo **necesitar** es importante tomar conciencia de que, a diferencia de lo que ocurre en otras lenguas, este verbo es transitivo en español: el sujeto gramatical es la persona/cosa que tiene la necesidad y el complemento directo es la cosa necesitada. Si la necesidad se refiere a un objeto o persona, el complemento directo será un sustantivo. Si se refiere a un acto, el complemento directo será un verbo.

5.2. OTRAS EXPRESIONES

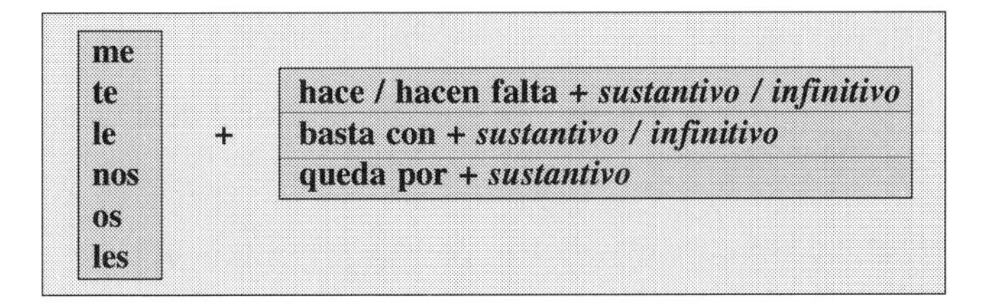

me / **te** / **le** / **nos** / **os** / **les**	+	**hace / hacen falta +** ***sustantivo / infinitivo***
		basta con + ***sustantivo / infinitivo***
		queda por + ***sustantivo***

CON MÁS DETALLE

- En estos contextos, **hacer falta** va seguido más a menudo de un sustantivo: en estos casos es menos frecuente que vaya seguido de un infinitivo, a diferencia de lo que ocurre en sus usos para expresar la necesidad en absoluto referida a una situación —y no a un sujeto específico.

- **Bastar** se usa a veces para expresar la satisfacción del sujeto con lo que ya tiene / se ha dicho / etc., y subrayar así la falta de necesidad de otra cosa:

[23] **"Se me pregunta cómo se siente un héroe. Nunca sé qué responder. Por mi parte, yo me siento lo mismo que antes. No he cambiado ni por dentro ni por fuera. Las quemaduras del sol han dejado de dolerme. La herida de la rodilla se ha cicatrizado. Soy otra vez Luis Alejandro Velasco. Y con eso me basta."** (*Relato de un náufrago*, G. García Márquez)

- Estas expresiones funcionan como **gustar**: el verbo concuerda, por tanto, con el objeto de la necesidad.

➲ Pronombres personales

6. RÉGIMEN DEL VERBO QUE SIGUE A LAS EXPRESIONES DE NECESIDAD

6.1. NECESIDAD IMPERSONAL

Cuando la necesidad es impersonal (es decir que corresponde a una situación— más o menos amplia— y no a una persona específica):

6.1.1. Si la acción presentada como necesaria puede ser efectuada por cualquier sujeto, y no necesariamente por un sujeto determinado, el verbo que se refiere a dicha acción va en infinitivo:

[24] ● **No hay que decir palabrotas.**

[25] ● **En las relaciones de trabajo, es necesario ser muy diplomático.**

6.1.2. Si la necesidad se refiere a una acción que tiene que ser realizada por uno o varios sujetos en particular, el verbo va introducido por **que** y en subjuntivo (en estos casos, no se puede usar **hay que**):

[26] ● **Es necesario que lo hagas tú mismo. No hay otra solución.**

6.2. NECESIDAD DE UN SUJETO

Cuando la necesidad no es impersonal sino que corresponde a un sujeto en particular (en estos casos, tampoco se puede usar **hay que**):

6.2.1. Si se refiere a una acción que debe realizar el mismo sujeto que tiene la necesidad, el verbo va en infinitivo:

[27] ● **Perdona, pero es que estoy muy cansado, necesito dormir un rato. ¿Nos vemos luego?**

6.2.2. Si se refiere a una acción que debe realizar otro distinto de quien tiene la necesidad misma, el verbo va introducido por **que** y en subjuntivo:

[28] ● **Necesito que me dé la cuenta exacta de sus horas; si no, no podré pagarle.**

➲ Indicativo
➲ Subjuntivo

7. TENER QUE Y DEBER

Cuando el enunciador no presenta la necesidad como algo concreto y objetivo, sino que presiona al sujeto para que haga cierta cosa, usa **tener que** o **deber**. En estos casos, se trata de algo que se siente mucho más próximo de la obligación que de la necesidad.

7.1. DEBER

Si el hablante se reconoce a sí mismo como origen de lo dicho, utiliza:

deber + ***infinitivo***

[29] ● **No debes decir esas cosas.**

7.2. TENER QUE

Cuando, por el contrario, no quiere reconocer explícitamente su papel o cuando finge no tener nada que ver, atribuyéndolo todo a factores externos o a la propia situación, usa:

tener que + ***infinitivo***

[30] ● **Para llegar a tiempo, va a tener usted que coger un taxi.**

CON MÁS DETALLE

El hecho de que con **deber** el hablante reconozca explícitamente su función en lo que dice hace que muchas veces lo expresado con **deber** se parezca mucho a un consejo respetuoso —frente a lo expresado con **tener que**, que se siente como más enérgico. Esto explica que las gramáticas hablen de deber moral y deber material.

➲ Perífrasis verbales: **Deber / tener que**

LAS EXCLAMACIONES Y LA INTENSIDAD

Con frecuencia, en lugar de limitarnos a usar un adverbio o un adjetivo en relación con una persona, un objeto, un acto, un proceso, una acción, un comportamiento, etc., para expresar nuestro punto de vista añadimos información sobre la intensidad con la que estamos usando tal o cual adjetivo o adverbio, o sobre nuestra actitud con respecto a lo que vamos diciendo. Análogamente, matizamos el uso que hacemos de ciertos verbos, hablando de la intensidad / cantidad / frecuencia con la que se produce lo que con ellos expresamos.

➲ Individuos y cantidades
➲ El adjetivo
➲ El adverbio

1. LA INTENSIDAD DE ADJETIVOS Y ADVERBIOS

Para matizar en intensidad el uso de un adjetivo o de un adverbio se suele usar:

nada **especialmente** **casi** **más bien** **bastante** **sumamente** **excepcionalmente** **extraordinariamente** **realmente** **verdaderamente** **súper** **la mar de** **cantidad de** **muy** **tan**	+	***adjetivo / adverbio***

ligeramente **algo** **un tanto** **un poco** **demasiado** **harto**	+	***adjetivo / adverbio***

[1] ● **¿Qué te parece?**
❍ **Es muy bonito.**

[2] ● **¡Qué vergüenza! ¿No?**
❍ **Claro, pero ¿cómo íbamos a suponer que iba a ser tan caro? Y mira que llevo bastante dinero, pero ¡cómo me iba a imaginar algo así!**

[3] ● **¿Lo conoces? ¿Y cómo es?**
❍ **Bastante simpático, pero un tanto extraño.**

[4] ● **Ha quedado ligeramente salado, pero está buenísimo.**

[5] ● **Es precioso, aunque me parece un poco pequeño para lo que necesitamos.**

[6] ● **Habla demasiado rápido, no se le entiende nada.**

[7] ● **No será nativo, pero habla la mar de bien.**

[8a] ● **Es un poco caro, pero realmente bueno.**

➲ Comparar

1.1. Seguido de un adjetivo o de un adverbio, el operador **nada** funciona sólo en enunciados negativos con verbos atributivos como **ser, estar, parecer,** etc., y en enunciados tanto negativos como afirmativos, con los demás verbos —aunque con ligeros cambios de matiz.

Nada puede funcionar con cualquier tipo de adjetivo y sirve para expresar la ausencia de la característica a la que remite el adjetivo o el adverbio. Puede usarse tanto para expresar valoraciones positivas como valoraciones negativas:

[9] ● **Verás, se come bien y no es nada caro.**

[10] ● **Yo no estoy de acuerdo. No me parece nada inteligente, incluso diría que es un poco tonto.**

[11] ● **Tiene una casa que no es nada fea.**

Cuando el hablante usa **nada**, expresa abiertamente su punto de vista, sin tratar de suavizarlo de ninguna manera.

El uso de **nada** indica que el hablante está tratando de contestar a algo dicho explícitamente por su interlocutor, o a lo que él se imagina que puede ser la valoración o la objeción de éste.

1.2. Los operadores **sumamente, súper, cantidad de** sólo funcionan en enunciados afirmativos. En enunciados negativos, pueden funcionar sólo excepcionalmente —en respuesta a un uso previo de dichos operadores por parte de otro, para rechazarlo y corregir inmediatamente después:

[12] ● **Ojo, no le pongas tanto que es sumamente picante. No te lo vas a poder comer.**
❍ **No, no es sumamente picante, es lo picante por excelencia.**

El hablante usa estos operadores, tanto en relación con características que se suele considerar positivas como con características con connotaciones negativas, para expresar abiertamente un punto de vista suyo, sin intentar suavizarlo de ninguna manera:

[13] ● **Te aconsejo que lo leas. Es sumamente interesante.**

[14] ● **¿No has estado nunca? Es cantidad de agradable.**

1.2.1. Los operadores **súper** y **cantidad de** se usan únicamente en registros informales (especialmente entre jóvenes), para dar a lo dicho mayor fuerza impresiva:

[15] ● **¿No lo conoces? Es súper simpático.**

[16] ● **Es un autor súper interesante. Te lo aconsejo.**

1.3. Los operadores **extraordinariamente, especialmente, excepcionalmente, realmente, verdaderamente, la mar de, muy** y **tan** pueden funcionar tanto en enunciados afirmativos como en enunciados negativos. Sin embargo, **realmente** y **verdaderamente** tienen usos bastante raros en enunciados negativos:

[17] ● **¿Vamos al mismo sitio de la otra vez? Estaba bien...**
❍ **No sé... Es que ese día nos trataron excepcionalmente bien, pero no sé cómo será hoy...**

[18] ● **No es especialmente bueno; pero para lo que necesito yo, está perfecto.**

Estos operadores pueden funcionar con cualquier tipo de adjetivo o adverbio, tanto para expresar cosas positivas como negativas.

1.3.1. En enunciados afirmativos, se usan para expresar abiertamente un punto de vista, sin intentar suavizarlo ni matizarlo de ninguna manera.

1.3.1.1. En oraciones afirmativas, se usan los operadores **extraordinariamente, excepcionalmente** y **especialmente** para señalar que la característica presentada tiene una dimensión insólita o sorprendente para quien habla.

1.3.1.2. Los operadores **realmente** y **verdaderamente** tienen un sentido próximo al de **muy**:

[19a] ● **Es un sitio verdaderamente tranquilo. De verdad, te lo aconsejo.**

➧ Con frecuencia, se usan para decir / repetir / confirmar lo que se está diciendo en el momento mismo de decirlo. Se usan también cuando ya se ha planteado en el contexto la relación *sujeto-predicado* y, para el enunciador, sólo se trata de confirmarla / reafirmarla:

[20] ● **No sé si ir. Antonia me decía anoche que es un sitio tranquilo pero que está un poco lejos...**
❍ **Sí, es realmente bonito, pero es verdad que está lejos.**

➧ A diferencia de los demás, estos dos operadores pueden combinar con **muy, bastante, un poco** y **demasiado**. En estos casos, los preceden:

[8b] ● **Es un poco caro, pero es realmente muy bueno.**

Además, estos dos operadores sustituyen a **muy** con los adjetivos o adverbios en superlativo o con valor de superlativo, con los que el uso de **muy** es imposible:

[21] ● **Es verdaderamente buenísmo.**

[22] ● **Es realmente horrible.**

➧ A diferencia de lo que ocurre con su equivalente en otros idiomas, en español no se usa nunca el operador **propio** con el sentido de **realmente / verdaderamente:**

[19b] Italiano:
● **E' un posto proprio tranquillo. Davvero te lo consiglio.**

1.3.1.3. El uso de **la mar de** se limita esencialmente a los registros informales / coloquiales.

1.3.2. Los mismos operadores **extraordinariamente, especialmente, excepcionalmente, realmente, verdaderamente, la mar de, muy** y **tan** también pueden funcionar en enunciados negativos.

Sin embargo, en tales casos suele tratarse de enunciados en los que el hablante usa un adjetivo o un adverbio de sentido opuesto al que usaría si realmente dijera lo que piensa:

[23a] ● **No es especialmente bonito.**

y

[24a] ● **No habla muy mal / tan mal.**

significan algo próximo de

[23b] ● **Es bastante / más bien feo.**

y

[24b] ● **Habla bastante bien.**

Esta estrategia implica la voluntad del hablante de no expresar demasiado abiertamente su punto de vista: se trata de suavizar un poco lo dicho de cara al destinatario del mensaje.

1.4. Con **bastante**, el enunciador presenta de manera positiva cierta insatisfacción por algo ("*estoy satisfecho, pero no del todo*"), señalando que, para él, la cosa de la que está hablando no cumple con lo que le parecen unos requisitos mínimos para la satisfacción plena o supera un límite máximo tolerable:

[25] ● **¿Te ha gustado?**
❍ **Sí, es bastante interesante.**

[26] ● **Cocinan bien, es un buen restaurante, pero es bastante caro.**

El hablante que usa **bastante** en [25] está diciendo que no se siente totalmente satisfecho con la cosa de la que está hablando (cualquier objeto / libro / película / etc.). Al usar **bastante** en [26], el enunciador expresa su insatisfacción por haber superado el restaurante del que está hablando un límite máximo aceptable.

CON MÁS DETALLE

- Con adjetivos / adverbios con connotaciones que suelen considerarse positivas, **bastante** señala que la cosa de la que se está hablando se acerca mucho a lo que parecería satisfactorio, pero no alcanza un límite mínimo deseable.

- Con adjetivos / adverbios con connotaciones que suelen considerarse negativas, **bastante** señala que se ha superado un límite máximo deseable.

1.4.1. En contextos en los que el interlocutor acaba de decir lo contrario de lo que se expresa con **bastante**, se neutraliza en parte la sensación de insatisfacción:

[27] ● **¿Y de verdad era tan raro?**
❍ **No, a mí no me lo pareció. Y es bastante simpático.**

[28] ● **Es un pesado, no me gustaría nada trabajar con él.**
❍ **Sí, pero habla bastante bien inglés, que es lo que necesitamos.**

Bastante pasa a ser en estos casos una manera de expresar algo sin mostrar demasiado entusiasmo (con adjetivos o adverbios que suelen tener connotaciones positivas), o sin mostrar una actitud demasiado negativa (con adjetivos o adverbios que suelen tener connotaciones más bien negativas), por respeto al destinatario del mensaje.

Este sentido ligeramente más positivo que puede cobrar este operador en tales contextos, se debe al contraste con lo anterior.

1.4.2. La decisión de usar **bastante**, frente a la posibilidad de expresar puntos de vista más explícitos, sin utilizar ningún gradativo de adjetivo o de adverbio, se debe a una atención especial hacia el oyente, a un deseo de respetarlo y tener en cuenta lo que sabemos que son o creemos que podrían ser sus expectativas, suavizando las opiniones formuladas.

El uso de **bastante** con sustantivos tiene connotaciones muy similares.

➲ Individuos y cantidades

1.5. El operador **más bien** funciona de manera próxima a **bastante**: el enunciador lo usa para señalar que ve una fuerte tendencia en la cosa de la que está hablando (ya sea ésta una persona, un objeto, una acción, un proceso, etc.) hacia lo que expresa el adjetivo o el adverbio:

[29] ● **¿Y cómo es?**
❍ **Más bien gordo, simpático...**

Por evidentes razones de cacofonía, se evita el uso de este operador con el adverbio **bien**.

1.6. Con **casi** el hablante señala una voluntad de usar un determinado elemento lingüístico, pero expresa a la vez su vacilación / incertidumbre ante tal uso:

[30] ● **Siempre lo sabe todo... Resulta casi pedante.**

[31] ● **Lo hizo casi bien. Sólo tenía un error.**

1.7. Los operadores del segundo grupo (**ligeramente, algo, un tanto, un poco, demasiado** y **harto**) siempre transforman en característica negativa lo dicho, sea cual sea el adjetivo o el adverbio utilizado. Si no queremos que una determinada cosa sea *barata,* podemos decir:

[32] ● **Es lo ideal, lo que pasa es que es un poco barato. Nos interesa fijar un precio de venta más alto.**

aun remitiendo el adjetivo **barato** a una característica que se suele considerar positiva.

1.7.1. Los operadores **ligeramente, algo, un tanto, un poco** y **harto** sólo pueden funcionar en enunciados afirmativos. En enunciados negativos aparecen excepcionalmente cuando se trata de rechazar / corregir un uso inmediatamente precedente de alguno de estos mismos operadores por parte de otra persona:

[8c] ● **Es un poco caro, pero realmente bueno.**
○ **No, no es un poco caro: es carísimo.**

1.7.2. El operador **demasiado** funciona habitualmente tanto en enunciados afirmativos como en enunciados negativos.

1.7.3. El enunciador utiliza **demasiado** y **harto** para expresar de manera explícita y rotunda una valoración personal negativa o la inaceptabilidad de la cosa de la que está hablando (que puede ser un objeto, una persona, un acto, etc.) para una determinada situación, debido a que supera unos límites tolerables:

[33] ● **¿Vamos en mi coche?**
○ **No; es demasiado pequeño. No vamos a caber con todo este equipaje.**

1.7.4. Con **ligeramente, algo, un tanto** y **un poco** se expresa igualmente una valoración negativa o la inaceptabilidad de la cosa de la que se está hablando, pero, a la vez, se manifiesta cierto respeto por las expectativas del interlocutor: al no saber lo que éste espera, el enunciador prefiere suponer que se trata de una valoración positiva o una aceptación de la cosa de la que se está hablando, y le suaviza los argumentos negativos:

[34] ● **¿Y qué te ha parecido?**
○ **Un poco lenta.**

[35] ● **¿Compramos ésta?**
○ **Es que es un poco grande, no sé si va a caber en ese rincón.**

1.7.5. **Demasiado** y **un poco** pueden combinarse entre ellos; en tal caso, el orden es siempre **un poco demasiado**:

[36] ● **¿Y que te parece?**
○ **Para mí, es un poco demasiado caro.**

CON MÁS DETALLE

➧ La elección entre los operadores que sirven para expresar puntos de vista de manera explícita (tanto positivos como negativos) y los que sirven para expresar dudas, reservas, o puntos de vista negativos teniendo en cuenta las expectativas del oyente, se basa únicamente en las necesidades impuestas por la situación, la relación que existe entre los interlocutores y en lo que sabe o supone el hablante sobre su relación con su interlocutor y la cosa de la que se está hablando.

- Contraste **un poco / poco**

Con **un poco +** ***adjetivo / adverbio***, el enunciador presenta un adjetivo o adverbio como característica negativa, suavizando su afirmación por respeto a su interlocutor. El adjetivo / adverbio presentados con **un poco** se refieren, pues, a algo indeseado:

[5] ● **Es precioso, aunque me parece un poco pequeño para lo que necesitamos.**

[37a] ● **Se come bastante bien, pero es un poco caro.**

[32] ● **Es lo ideal, lo que pasa es que es un poco barato...**

[38a] ● **¿Y qué te ha parecido?**
❍ **Un poco lenta.**

[35] ● **¿Compramos ésta?**
❍ **Es que es un poco grande, no sé si va a caber en ese rincón.**

Con **poco**, por el contrario, el hablante expresa su insatisfacción debida a la falta / escasez / insuficiencia de alguna cosa o característica deseada:

[37b] ● **Para mí, lo que pasa es que es poco inteligente.**

[38b] ● **Es un coche muy poco potente. No te lo aconsejo.**

A diferencia de lo que ocurre en otras lenguas, el español tiende a no usar demasiado este operador, y prefiere **no +** ***verbo*** **+ muy +** ***adjetivo / adverbio:***

[39a] Italiano:
● **Sta poco bene.**

[39b] Español:
● **No está muy bien.**

1.8. CONTRASTE TAN/TANTO - MUY/MUCHO

Tan y **muy** se usan con adjetivos y adverbios, y **tanto/a/os/as** y **mucho/a/os/as** con sustantivos. **Tanto** y **mucho** (invariables) se usan además solos, después de un verbo.

A diferencia de otras lenguas en que los equivalentes de **tan/tanto** y **muy/mucho** se confunden o tienden a confundirse, en español, el uso de **tan/tanto** obedece a unas reglas muy precisas.

Se usa **tan/tanto** sólo y únicamente cuando en el contexto *se presupone* un **muy/mucho**. El hablante que dice **tan caro** en [2], usa **tan** porque previamente ha constatado que es **muy caro**.

CON MÁS DETALLE

A veces se dan usos de **tan/tanto** aun en contextos en los que no ha aparecido explícitamente **muy/ mucho**:

[40] ● **¿Y qué te ha parecido?**
❍ **¡Es tan bonito!**

Lo que ocurre en estos casos es que el enunciador se salta la primera etapa (en la que se dice explícitamente por primera vez **es bonito**), para ir más allá, mediante una exclamación, a través de la cual señala que ya ha pensado y madurado que **es muy bonito**[1]. De ahí el matiz exclamativo de este tipo de enunciado.

Es importante, sin embargo, no confundir **tan/tanto** con los contextos en los que aparece: con frecuencia, los manuales de gramática explican la diferencia que hay entre **tan/tanto** y **muy/mucho** diciendo que **tan/tanto** es exclamativo, o comparativo, confundiendo así el elemento analizado con los contextos en los que aparece.

2. A veces, en lugar de **muy** + ***adjetivo*** se usa una forma propia del adjetivo que significa lo mismo: el superlativo absoluto.

2.1. FORMACIÓN

El superlativo absoluto se forma como sigue:

- Si el adjetivo termina en consonante, se añade **—ísimo/a/os/as**;
- Si el adjetivo termina en vocal, se sustituye la vocal por **—ísimo/a/os/as**:

interesante	→	**interesantísimo**
largo	→	**larguísimo**
difícil	→	**dificilísimo**
fácil	→	**facilísimo**

[41] ● **Oye, está buenísimo.**

[42] ● **¿Y qué tal?**
❍ **¡Ay, no me hables... Aburridísimo!**

---

1. Generalmente, se usa **tan** para dar un paso más, presuponiendo la característica aludida, para hablar, por ejemplo, de sus consecuencias:

[40b] ● **Es tan bonito que me lo quiero comprar.**

Sin embargo, es frecuente que se deje la frase sin acabar: el oyente podrá darle la interpretación que quiera.

2.2. SUPERLATIVOS IRREGULARES

Existe cierto número de adjetivos con superlativo irregular. En la mayoría de los casos, se trata de formas cultas derivadas directamente de la forma latina (cultismos), o de consecuencias de las reglas de diptongación. Hay una clara tendencia a no usar demasiado frecuentemente estas formas en el lenguaje corriente, en el que se prefiere la perífrasis **muy +** ***adjetivo***.

Damos a continuación algunos de los principales superlativos irregulares:

amable	→	**amabilísimo**
antiguo	→	**antiquísimo**
bueno	→	**bonísimo**
célebre	→	**celebérrimo**
fiel	→	**fidelísimo**
fuerte	→	**fortísimo**
libre	→	**libérrimo**
noble	→	**nobilísimo**
nuevo	→	**novísimo**
sabio	→	**sapientísimo**
...	→	**...**

Los adjetivos **bueno, fuerte** y **nuevo** —que son los de uso más frecuente entre todos los de este grupo— tienen además una forma regular cada vez más usada: **buenísimo, fuertísimo** y **nuevísimo**. Las formas cultas **bonísimo, fortísimo** y **novísimo** van apareciendo como arcaizantes.

2.3. ADJETIVOS CON VALOR DE SUPERLATIVO

Algunos adjetivos de uso muy frecuente tiene, por su propio semantismo, un valor de superlativo y, por tanto, no sirven para crear una forma de superlativo:

Adjetivo:	Significación:
estupendo	***muy bueno***
precioso	***muy bonito***
fantástico	***muy bueno***
horrible	***muy feo / desgradable / malo / etc.***
tremendo	***desgradable / etc.***
pésimo	***de muy mala calidad***
horroroso	***muy feo/malo***
espantoso	***muy malo/feo***

[43] ● **Es precioso. Enhorabuena. Realmente lo habéis hecho muy bien.**

[44] ● **¿Qué te pasa?**
○ **Tengo un dolor horrible... Aquí...**

[45] ● **¿Qué te parece si vamos a comer a un chino?**
❍ **Estupendo.**

2.4. Debido a su significación paralela a la de **muy + *adjetivo***, el superlativo absoluto es, en principio, incompatible con la mayoría de los operadores utilizados para graduar el uso de un adjetivo presentados en 1.
Lo mismo ocurre con los adjetivos presentados en 2.3.

De los operadores presentados en 1., los únicos que combinan sin ningún problema con los superlativos son **realmente** y **verdaderamente**:

[46] ● **Es realmente simpatiquísimo.**

[47] ● **Lo encuentro verdaderamente fantástico.**

Los demás no suelen encontrarse con superlativos. Sin embargo, pueden darse, en contextos excepcionales, usos en los que los hablantes, forzando ligeramente las posibilidades del sistema, combinan alguno de estos operadores con un superlativo. En tales casos, lo dicho adquiere un carácter algo más coloquial e impresivo.

2.5. Generalmente, se percibe el uso del superlativo en **—ísimo** como levemente más enérgico que la construcción con **muy**:

[41a] ● **Oye, está buenísimo.**

[41b] ● **Oye, está muy bueno.**

2.6. También se pueden formar adverbios a partir de adjetivos en superlativo absoluto, o con significación próxima a la de un superlativo:

[48] ● **¿Qué tal os ha ido?**
❍ **Estupendamente.**

➲ El adverbio

2.7. Igual que en el caso de los adjetivos, existen adverbios de uso frecuentísimo que ya tienen sentido superlativo:

[49] ● **¿Qué tal estás?**
❍ **Fatal. Me duele todo.**

3. A veces, para intensificar un adjetivo o un adverbio, expresando algo de sentido próximo al de **muy + *adjetivo***, se usa

de un + *adjetivo/adverbio/etc.* +	**increíble / terrible...** **que + *frase***

[50] ● **Es de un pesado que no te lo puedes ni imaginar.**

[51] **Una vez que un pariente de lo más lejano llegó a ministro, nos arreglamos para que nombrase a buena parte de la familia en la sucursal de correos de la calle Serrano.** (*Historias de cronopios y famas*, J. Cortázar)

Con frecuencia, se usa **de un** + ***adjetivo / adverbio*** sin nada después; en estos casos, se deja la frase incompleta, cosa que no suele constituir, sin embargo, ningún obstáculo para la comprensión: el sentido queda claro en el contexto.

Se usa también, con matices muy parecidos, la construcción **de lo más** + ***adjetivo / adverbio:***

[52] ● **Es de lo más interesante. Te lo aconsejo, de verdad.**

➲ El artículo

CON MÁS DETALLE

Si el adjetivo tiene un comparativo irregular de uso corriente, a veces se usa esta forma en lugar de **más** + ***adjetivo***:

[53] ● **Es de lo mejor que vas a encontrar.**

Esta construcción se usa esencialmente al expresar puntos de vista sobre algo o al valorar objetos o conceptos con los verbos **ser** y **estar**.

➲ Comparar

4. A veces, para dar una valoración global de algo de lo que se acaba de hablar, o sobre lo que se acaba de dar alguna explicación se usa la construcción:

ser + algo +	**Ø**	**+**	***adjetivo/superlativo/comparativo***
	de un **de lo más**	**+**	***adjetivo***

[54] ● **Está tan mal que tarda varios minutos en atravesar la habitación. Es algo horrible.**

[55] ● **¿Has visto lo que come? Es algo impresionante la cantidad de comida que puede tragar.**

[56] ● **Debe de ser aburridísimo, ¿no?**
❍ **No creas, es algo mucho más interesante de lo que parece.**

5. Para matizar el uso de un verbo, además de cualquier adverbio usado solo o en combinación con uno de los recursos presentados hasta aquí, se puede emplear:

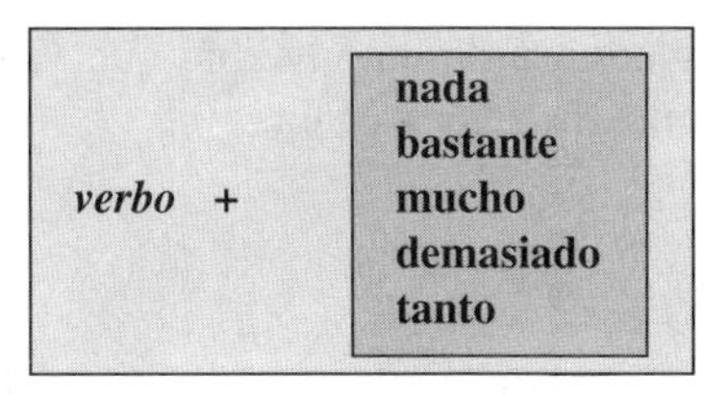

[57] ● **Trabajas demasiado. ¿Por qué no descansas un poco?**

[58] ● **Me apetece mucho ir al cine. ¿Por qué no vamos?**[2]

5.1. Como hemos señalado arriba, cuando ya ha aparecido **mucho** en el contexto, o se presupone, se usa **tanto**.

Así, para aconsejar a alguien que no haga algo, o para decirle que no haga cierta cosa:

[59] ● **Por favor, no hagas tanto ruido.**

[60] ● **Por favor, no vuelvas demasiado tarde que mañana tenemos que salir pronto. Y no bebas mucho.**

Con **tanto** se presupone la cosa de la que se está hablando: ya está en el contexto. La persona que usa **tanto** en [59] lo hace porque ha notado / constatado que el otro está haciendo **mucho ruido**. Por otra parte, en [60] el enunciador no quiere / no puede pensar en información / experiencias previas: con **mucho** no se presupone nada, por lo que se trata de peticiones o consejos sin prejuicios.

➲ 1.

6. Para presentar lo expresado por un verbo como algo que no llega / llegó a producirse se usa:

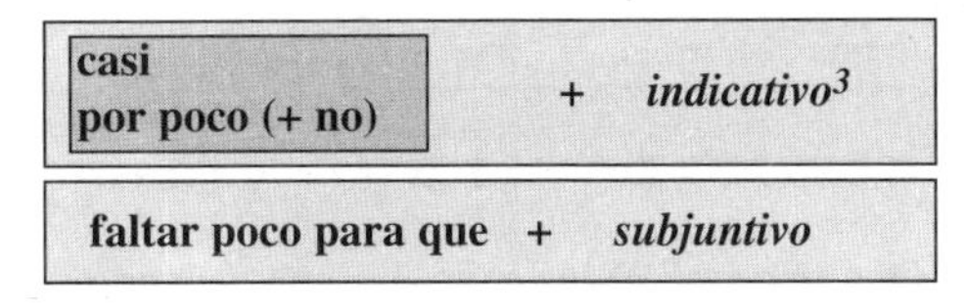

[61] ● **Me resbalé y casi me partí la pierna.**

[62] ● **Íbamos bastante rápido, cuando cruzó un niño corriendo, y por poco lo atropellamos.**

Con **casi** y **por poco** incluso al hablar del pasado es frecuente el uso del presente.

---

2. En algunos contextos como éste, en registros informales, en lugar de **mucho** se usa también **cantidad**:

[58a] ● **Me apetece cantidad ir a verte.**

3. He aquí otra prueba de lo absurdo que es querer analizar el subjuntivo tan sólo en términos de *realidad* o de *irrealidad*.

7. Para referirnos a un empleo de un adjetivo o de un adverbio que ya ha aparecido en el contexto, o que se presupone, usamos la construcción:

lo +	*adjetivo* *adverbio*	+ que + *verbo*

En esta construcción, el adjetivo y el verbo concuerdan con el sujeto al que se refieren:

[63] ● **Me sorprende lo bien que hablan.**

[64a] ● **¡Es increíble lo bonitas que son!**

En estos ejemplos, la persona que dice **me sorprende / es increíble** lo dice porque ya ha constatado o pensado anteriormente que **hablan (muy) bien / son (muy) bonitas**.

Es frecuente el uso de esta construcción en contextos en los que el hablante rebasa el nivel de la primera mención del adjetivo o del adverbio para referirse a ella, y expresar un punto de vista suyo.

A diferencia de otros idiomas, el español no usa nunca en estos casos ni **cómo** ni **cuánto**:

[64b] Inglés:
● **It is incredible how nice they are!**

[64c] Italiano:
● **E' incredibile quanto sono carine!**

➲ El artículo: Lo, una forma de artículo neutro.

8. Para referirse a una progresión en intensidad /cantidad en el tiempo, tanto en relación con adjetivos y adverbios como en relación con verbos, se suele usar:

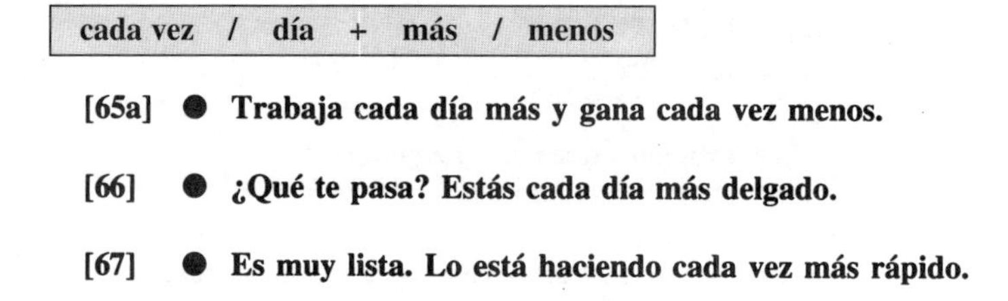

cada vez / día + más / menos

[65a] ● **Trabaja cada día más y gana cada vez menos.**

[66] ● **¿Qué te pasa? Estás cada día más delgado.**

[67] ● **Es muy lista. Lo está haciendo cada vez más rápido.**

Estos operadores pueden ir solos después de un verbo o inmediatamente antes de un adjetivo o de un adverbio.

A diferencia de otras lenguas (francés, italiano, alemán, etc.), en estos casos el español no utiliza nunca la palabra **siempre**. Tampoco se usan en español construcciones con la repetición de un comparativo:

[65b] Italiano:

● **Lavora sempre di piú e guadagna sempre di meno.**

[65c] Alemán:

● **Er arbeitet immer mehr, aber verdient immer weniger.**

[65d] Francés:

● **Il travaille de plus en plus mais il gagne de moins en moins chaque fois.**

[65e] Inglés:

● **He works more and more, but earns less and less.**

9. LAS EXCLAMACIONES

Además de los recursos presentados hasta aquí para valorar objetos, personas, comportamientos, actos, etc., se usan a menudo las exclamaciones.

Las exclamaciones sirven para expresar frente a las cosas reacciones más espontáneas y menos controladas que la información que podemos dar sobre nuestro punto de vista mediante una oración afirmativa normal.

Además de ir marcadas por los signos de exclamación (abierto y cerrado) y por una entonación característica, las exclamaciones pueden distinguirse por el tipo de construcción adoptada.

9.1. PARA EXCLAMAR SOBRE LA INTENSIDAD

Cuando la exclamación se refiere a la intensidad con la que queremos emplear un adjetivo, un adverbio, o un sustantivo se suele usar:

¡Qué	+	***adjetivo*** ***adverbio*** ***sustantivo* (+ tan + *adjetivo*)**	**(+ *verbo*) (+ *sujeto*)!**

Con esta construcción, el hablante se refiere a la intensidad de la caracterización que da de un proceso o de un sustantivo mediante una relación que establece entre el sustantivo mismo y un adjetivo, o entre el verbo y un adverbio.

[68] ● **¡Qué bonito!**

[69] ● **¡Qué grande está!**

[70] ● **¡Qué bien habla!**

[71] ● **¡Qué casa!**

[72] ● **¡Qué escultura más fea!**

[73] ● **¡Qué bonito es esto!**

[74] ● **¡Qué rápido habla tu hermano!**

[75] ● **¡Qué chaqueta más bonita te has comprado!**
○ **¿Cuál? ¿La de cuadritos? Pues me ha costado muy barata.**

A diferencia de otras lenguas, en estos casos el español no utiliza nunca ni **cómo** ni **cuánto**.

Se encuentran usos de **¡cuán +** ***adjetivo / adverbio*****!** Se trata, sin embargo, de una estructura que tiende a desaparecer por completo. El operador **cuán** suena arcaico en las exclamaciones, por eso los hablantes del español tienden en su gran mayoría a rechazarlo en los registros corrientes (formales o informales). El único contexto en el que se toleran fácilmente los usos de **cuán** en las exclamaciones es el de los discursos con tono poético-lírico: por lo demás, sus usos parecen irse reduciendo cada vez más al ámbito de las oraciones interrogativas, especialmente las indirectas —y también en estos casos se intenta evitarlo.

Con **¡qué +** ***sustantivo*****!**, la persona que habla exclama sobre alguna (o las) característica(s) de un sustantivo sin decir nada explícitamente. Esto hace que esta construcción sea, a veces, ambigua y pueda plantear dificultades de interpretación:

[76] ● **¡Qué coche!**
○ **¿Qué quieres decir? ¿Te gusta?**

9.2. PARA EXCLAMAR SOBRE LA CANTIDAD:

¡Cuánto/a + *sustantivo no contable (+ verbo)(+ sujeto)!*
¡Cuántos/as + *sustantivo contable (+ verbo)(+ sujeto)!*
¡Cuánto + *verbo (+ sujeto)!*

[77] ● **¡Cuánta cerveza bebes!**

[78] ● **¡Cuántos discos tienes!**

[79] ● **Mira, ésta es la plaza principal de la ciudad.**
○ **¡Cuántos coches!**

[80] ● **¡Cuánto habla! ¿Cuántos años tiene?**
○ **Va a cumplir tres en julio.**

La construcción **¡qué + de +** ***sustantivo*****!** tiene matices arcaicos o populares.

9.3. PARA EXCLAMAR SOBRE EL MODO

Cuando la exclamación se refiere al modo de hacer algo se utiliza:

¡Cómo + *verbo* (+ *sujeto*)!

[81] ● **¡Cómo canta!**
❍ **Sí, maravillosamente, ¿verdad?**

Cómo también se emplea en ocasiones para exclamar sobre la cantidad.

9.4. PARA EXCLAMAR SOBRE UN ELEMENTO ESPACIAL

Cuando la exclamación se refiere a algún elemento espacial se utiliza:

¡Dónde + *verbo*!

[82] ● **Y para llegar tienes que salir de la ciudad por la carretera del aeropuerto. Después de unos quince kilómetros, hay un pequeño puente a la derecha. Lo coges y te vas por un caminito de tierra que sigue el río. Luego...**
❍ **Oye, pero ¡dónde vives!**

9.5. Además de estas estructuras propias de la exclamación, con frecuencia se exclama repitiendo algo dicho por otro —o con simples frases afirmativas. En estos casos, la exclamación va marcada por la entonación:

[83] ● **¿Por qué no vamos a dar un paseo por la playa?**
❍ **¡Por la playa! ¡Pero si está lejísimos!**

9.5.1. Entre las exclamaciones de este tipo, merecen una atención especial las exclamaciones con *futuro de probabilidad,* usadas para expresar rechazo o incredulidad hacia una actitud o comportamiento de otro:

[84] ● **¿Has visto? Ni siquiera me ha saludado. ¡Será imbécil!**

[85] ● **¿Te has enterado? Van a subir el precio de la gasolina otra vez.**
❍ **¡Será posible! Es la cuarta vez en un mes.**

Este tipo de exclamación está muy próximo de las oraciones interrogativas en futuro, usadas para expresar duda, incertidumbre, etc.

➲ El futuro

9.6. Las exclamaciones marcan a menudo una ruptura con respecto al contexto anterior y van introducidas por **pero**:

[86] ● **Mira, éste es el salón.**
❍ **Pero ¡qué maravilla!**

9.6.1. Como son reacciones enérgicas, las exclamaciones constituyen con frecuencia informaciones nuevas y van generalmente en indicativo, en imperativo o en condicional —pero no en subjuntivo, excepto cuando en la exclamación lo único que se hace es repetir las palabras que acaba de pronunciar otro:

[87] ● **¿Y qué quería?**
❍ **Que lo resolviéramos nosotros.**
● **¡Que lo resolviéramos nosotros! A mí me parece que se está pasando.**

9.7. A veces, además, se emplea la construcción con **lo** presentada en 7. para exclamar, como señalando que la persona que habla antes de formular su exclamación ya ha pensado, constatado, etc. varias veces lo que dice:

[88] ● **¡Lo bueno que está esto!**

➲ El artículo

COMPARAR

1. LAS COMPARACIONES

Tradicionalmente, se subdividen en
- comparativas de superioridad e inferioridad,
- comparativas de igualdad.

1.1. COMPARATIVAS DE SUPERIORIDAD Y DE INFERIORIDAD

1.1.1. Con adverbios, adjetivos o sustantivos:

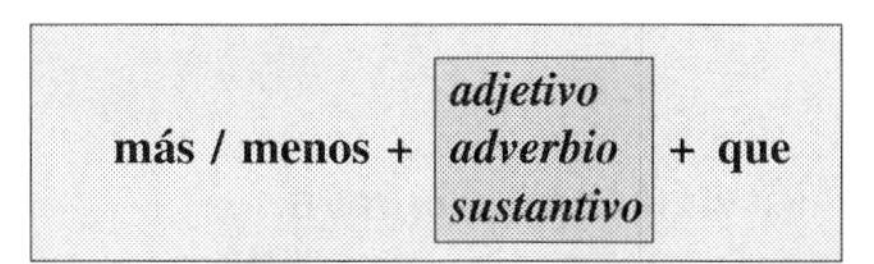

[1] ● **¿Y a Encarna la entiendes bien?**
❍ **No, qué va, si habla más rápido que Concha...**

[2] ● **¿Y qué os ha parecido?**
❍ **Ésta es mucho más bonita que la que vimos ayer, pero también es mucho más cara.**

[3] ● **¿Y quién es el que lee más en la familia?**
❍ **Pues... No sé... Yo leo más libros que mi marido, pero él lee mucho por trabajo... Revistas, periódicos y también algún libro de vez en cuando.**
● **¿Y tu hijo?**
❍ **No sé... Lee menos libros que yo, pero muchas más revistas... De música, de cine... Le encantan...**

En la mayoría de los casos, cuando se comparan dos o más elementos no se expresa el segundo término de la comparación porque está claro en el contexto:

[4] ● **¿Y sois iguales?**
❍ **No; él es un poco más alto.**

1.1.1.1. Comparativos irregulares.

Algunos adjetivos y adverbios de uso común tienen un comparativo de superioridad irregular. He aquí los principales:

bien / bueno	→	**mejor**
mal / malo	→	**peor**
grande *(edad)*	→	**mayor**
grande *(tamaño)*	→	**mayor / más grande**
pequeño *(edad)*	→	**menor**
pequeño *(tamaño)*	→	**menor / más pequeño**
alto	→	**superior / más alto**
bajo	→	**inferior / más bajo**

En el caso de **grande** y de **pequeño**, se prefiere generalmente usar la forma irregular sólo para referirse a la edad. Cuando se habla del tamaño, aunque se encuentran usos de la forma irregular, suelen ser raros.

Por otra parte, incluso en el caso de **bueno** y **malo** se encuentran con frecuencia —en registros informales— usos de una forma regularizada, sobre todo en contextos en los que hay un fuerte matiz de subjetividad por parte de quien habla, que interviene directamente en lo que dice.

1.1.2. Con verbos:

sujeto A* + *verbo* + más/menos que + *sujeto B

Se usa esta estructura para comparar dos sujetos en relación con un mismo verbo:

[5] ● **Ana gana más que Josefa.**

[6] ● **Yo creo que viven mucho mejor. Trabajan menos y ganan más que nosotros.**

Cuando la proporción de superioridad o inferioridad es un múltiplo de la cantidad que se refiere a uno de los dos sujetos:

- Si uno de los dos sujetos hace *dos veces más* o *la mitad* que el otro lo expresado por el verbo, la estructura es:

sujeto A + *verbo* + el doble / la mitad que + *sujeto B*

[7] ● **Felipe trabaja el doble que Juan, pero gana justo la mitad.**

- Con otras proporciones que se refieren a un múltiplo:

sujeto A + *verbo* + *número* + veces + más/menos que + *sujeto B*

[8] ● **Conmigo no te quejes. Yo trabajo igual que tú.**
❍ **Sí, pero tú ganas tres veces más.**

Cuando el punto de referencia no es otro sujeto, sino una cantidad:

sujeto A + *verbo* + más/menos de + *número o cantidad*

[9] ● **¡Te has comido más de un kilo de fruta en una tarde!**

[10] ● **Son exámenes largos y difíciles. Para cada uno te tienes que estudiar más de quince libros.**

En realidad, esta última estructura no se refiere tanto a una comparación como a la expresión de una cantidad indeterminada con respecto a un punto de referencia aproximado. Sin embargo, al tratarse de una estructura casi idéntica a la anterior, que con frecuencia plantea problemas a los extranjeros que aprenden español, puesto que tienden a confundirla con la anterior, nos parece oportuno incluirla en este capítulo.

sujeto A + *verbo A* + más/menos de los que + *verbo B* (+ *sujeto B*)

[11] ● **Es más caro de lo que parece.**

[12] ● **No me sorprende que esté en esa situación. Gasta mucho más de lo que gana.**
❍ **Eso no está nada claro. Y además qué importa...**

Esta estructura sirve tanto para comparar un sujeto consigo mismo con respecto a dos verbos distintos, como dos sujetos distintos con respecto a dos verbos distintos.

En estos casos, también es más frecuente que no se exprese el segundo término de la comparación por estar claro en el contexto:

[13] ● **Tú trabajas más que Javier, ¿no?**
❍ **Sí; yo trabajo mucho más pero gano mucho menos.**

1.2. COMPARATIVO DE IGUALDAD

1.2.1. Con adjetivos y adverbios:

tan + *adjetivo/adverbio* + como

igual de + *adjetivo/adverbio* + que

[14] ● **Mira, éste es tan caro como aquél, pero además es mucho menos práctico.**

[15a] ● **A mí no me gusta ninguno de los dos. Además, son igual de caros.**

Cuando no se menciona el segundo término porque ya ha aparecido en el contexto, se prefiere la construcción con **igual de**.

➲ **muy/mucho — tan/tanto**

A veces, cuando no se expresa el segundo elemento por estar claro en el contexto, se usa el operador **igualmente**:

[16] ● **Mira éste, es igualmente interesante y, además, cuesta mucho menos.**

CON MÁS DETALLE

A veces se usa el operador **igual de** con un sujeto en plural que incluye a varios individuos que ya se han mencionado, para expresar una comparación entre dichos elementos. Así, en [15a], los dos elementos de los que se está hablando son **uno igual de caro que el otro**. Este uso es más difícil con el operador **igualmente**, que sirve por lo general para comparar un sujeto con respecto a otro elemento mencionado antes. Así, pues, se tiende a interpretar [15b] como ***los dos elementos en cuestión son tan caros como otro elemento del que se ha hablado anteriormente,*** más que como una comparación entre los dos elementos mismos:

[15b] ● **A mí no me gusta ninguno de los dos. Además, son igualmente caros.**

➲ 1.12.

1.2.2. Con sustantivos:

tantos/as + *sustantivo contable* + como

el mismo número de + *sustantivo contable* + que

tanto/a + *sustantivo no contable* + como

la misma cantidad de + *sustantivo no contable* + que

[17] ● **Yo, de estos dos manuales, prefiero éste. Tiene tantos ejercicios como ése, pero además tiene más textos.**

[18] ● **Yo que usted me quedaría con éste: cabe el mismo número de discos, pero además tiene esta parte para poner casetes.**
❍ **¿Y cuánto vale?**
● **Más o menos lo mismo.**

[19] ● **Yo ya sé por qué se te ha quemado. Es que tienes que poner la misma cantidad de harina que de mantequilla. Y además, la leche.**

Cuando no se menciona el segundo elemento de la comparación porque ya ha aparecido en el contexto, se prefiere la construcción con **el mismo número de / la misma cantidad de**.

1.2.3. Con verbos:

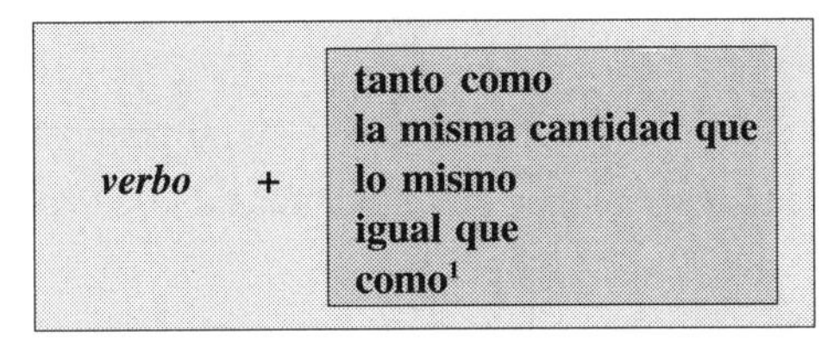

Con **tanto como** y con **la misma cantidad que** nos referimos más bien a cantidades. Con **igual que**, **como** y **cual** el hablante se refiere a un modo.

[20] ● **Trabajo tanto como mi jefe, pero gano muchísimo menos.**

[21] ● **Habla igual que su hermano.**

[22] ● **No entiendo por qué sigo engordando si como la misma cantidad que tú.**

[23] ● **Es impresionante. Habla como un nativo.**

1.3. EL SEGUNDO ELEMENTO DE LA COMPARACIÓN

Es frecuente que no se exprese el segundo término de una comparación, por estar implícito en el contexto.

Como ya se ha visto en los apartados anteriores, cuando el segundo elemento de una comparación se expresa, se introduce por lo general con **que**, excepto en los casos en que se trata de un número o de una expresión introducida por **lo**, casos en los que se usa **de**:

[24] ● **Hoy he trabajado más que ayer.**

[25] ● **Me costó más de lo que creía.**

1 Además, se encuentran usos de **cual.** Sin embargo, es menos frecuente en estos casos y tiene connotaciones más bien cultas. **Cual** se emplea casi únicamente cuando el segundo término de la comparación se sitúa en el plano de la definición del sujeto B, o se refiere a experiencia/conocimientos universalmente compartidos.

Con los comparativos **superior** e **inferior**, el segundo término suele ir introducido por la preposición **a**; con el adjetivo **igual**, de uso frecuente al comparar cosas o personas, puede ir introducido tanto por **que** como por **a**. Con los adjetivos **distinto** y **diferente**, que también tienen un uso frecuente en contextos en los que se comparan personas o cosas, el segundo término puede ir introducido tanto por **a** como por **de**.

Cuando el segundo elemento de una comparación es un pronombre personal, se usan siempre la formas **yo / tú / él...** —nunca **mí / ti...**:

[26] ● **Gana más que yo, pero también hay que ver lo que trabaja. No para un segundo.**

[27] ● **Con lo que comes... No entiendo cómo estás tan delgado.**
❍ **¿Por qué dices eso, si yo como mucho menos que tú?**

1.4. LAS COMPARACIONES Y LA INTENSIDAD

Cuando se quiere añadir un matiz de mayor / menor intensidad a una comparación, se utiliza generalmente:

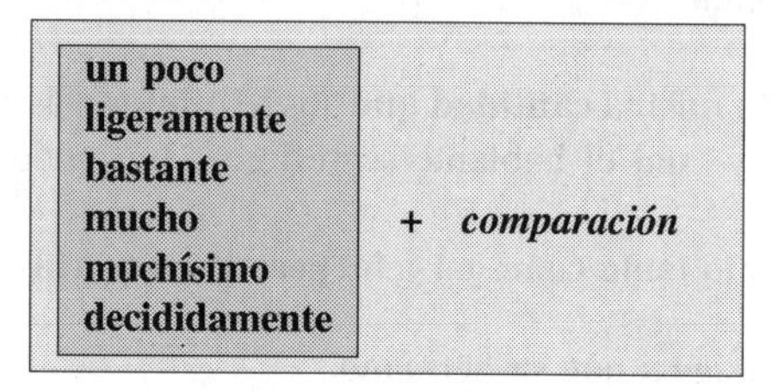

[28] ● **Son dos ciudades muy parecidas, pero aquí se vive muchísimo mejor.**

[29] ● **Para examen oral, te tienes que leer uno de estos dos libros. Yo te recomiendo éste. Es un poco más largo, pero es decididamente más interesante.**

➲ Las exclamaciones y la intensidad

1.5. OTRAS EXPRESIONES USADAS PARA COMPARAR

Además de las formas consideradas tradicionalmente propias de la comparación, se usan otras formas:

1.5.1. Para referirse a la similitud entre dos sujetos, se usa:

parecerse a

[30] ● **¿Y éste es tu hijo? Se parece mucho a tu mujer...**
❍ **Sí... Pero también mucha gente dice que se parece a mí...**

[31] ● **Es impresionante. Son de dos autores totalmente distintos, de dos épocas distintas... Y, sin embargo, encuentro que se parecen muchísimo.**

CON MÁS DETALLE

Contraste **parecer / parecerse**

Se usa **parecerse** para evocar una similitud entre dos personas, objetos o conceptos distintos. Se usa **parecer** para expresar una sensación / valoración sobre algo:

[32] ● **Dice unas cosas... Parece un niño.**

1.5.2. Para expresar que hay una similitud muy fuerte entre dos sujetos, se usa:

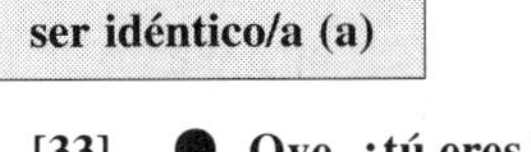
ser idéntico/a (a)

[33] ● **Oye, ¿tú eres hermano de José Luis?**
○ **Sí, ¿por qué?**
● **Sois idénticos.**

[34] ● **¿Te gusta?**
○ **Me encanta... Es idéntico a uno que vi el año pasado en París.**

En registros informales / familiares se usa además:

ser clavado/a (a)

[35] ● **Es clavado a tu madre.**
○ **Sí, lo dice todo el mundo.**

1.5.3. Para presentar dos cosas como análogas o equivalentes, se usa por lo general:

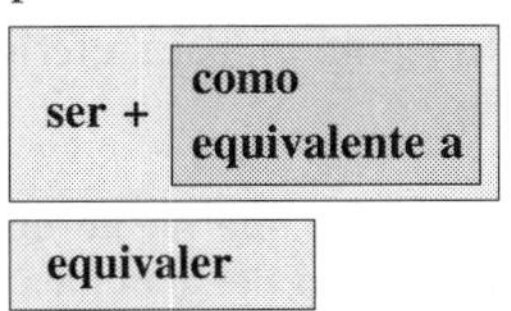
ser + como / equivalente a

equivaler

[36] ● **Es un sitio maravilloso. Es como estar en la playa.**

[37] ● **¿La *maîtrise* francesa es equivalente a la licenciatura española?**

Los usos del verbo **equivaler** son menos frecuentes. Este verbo, debido a su semantismo (se trata de un verbo que describe una situación), se usa esencialmente en presente y en imperfecto de indicativo.

Además, al hablar de un comportamiento o de un modo de hacer algo presentándolo como próximo o parecido a lo que expresa un adjetivo o un sustantivo se usa a veces la expresión:

a lo + *adjetivo / sustantivo*

[38a] ● **Se comió una sandía entera a lo bestia: con las manos y a bocados.**

Es frecuente, además, el uso de **a lo** + ***nombre de personaje famoso***:

[39] ● **Saltó de la rama a lo Tarzán.**

En la lengua coloquial, se encuentra también **en plan** + ***adjetivo / sustantivo / personaje famoso***:

[38b] ● **Se comió una sandía entera en plan bestia: con las manos y a bocados.**

Para referirse a la manera de hacer algo en otro país o en otra cultura, se usa:

a la + ***adjetivo de nacionalidad o procedencia en femenino***

[40] ● **Aquí cenamos tarde, a la española.**

[41] ● **Me encantan las habas a la catalana.**

1.5.4. Para expresar la diversidad, se usa:

distinto/a(s) / diferente(s) de

[42] ● **Es muy distinto del resto de su familia en todo lo que hace.**

En estos casos, no se usa el adjetivo **diverso**. Este adjetivo se emplea casi exclusivamente como determinante del sustantivo, para referirse a una pluralidad —con un sentido muy próximo a **varios**:

[43] ● **Hay diversos motivos por los que no he querido escribirle. El principal es que prefiero verlo personalmente. Así se aclararán mejor las cosas.**

1.5.5. Para expresar una comparación de superioridad o de inferioridad entre dos o más elementos, sin querer escoger ninguno de ellos como superior o inferior al otro / a los demás, y señalar así que a ambos / a todos ellos se aplica en grado máximo / mínimo lo expresado por el adjetivo, por el adverbio o por el verbo, se usa la expresión:

a cual más / menos + ***adjetivo / adverbio***
a cual + ***comparativo irregular***

[44] ● **Hablan a cual mejor.**

[45] ● **Son tres hermanas, a cual más bonita.**

Es frecuente en estos casos que se esté hablando de más de dos elementos.

CON MÁS DETALLE

Para expresar esta idea, suena rara en español la expresión **uno más / menos que el otro**, a diferencia de lo que ocurre en otros idiomas. Esta expresión en español tiende a interpretarse en su sentido literal, como una manera de decir que los elementos en cuestión no son todos iguales —y no tanto como una manera de señalar que es difícil escoger.

2. CORRELACIÓN ENTRE LA PROGRESIÓN DE DOS ACCIONES

Para establecer una correlación entre la progresión positiva o negativa de dos acciones se usa:

cuanto más / menos + *elemento 1* + (tanto) más / menos + *elemento 2*

[46] ● **Créeme... Es mejor que lo dejes. Cuanto más trabajes, más problemas vas a tener...**

[47] ● **Le dije que lo dejara, que cuanto más trabajara más problemas iba a tener...**

A veces en esta construcción se usan formas de comparativo irregular, en lugar de **más + *adjetivo / adverbio*:**

[48] ● **¿Y cuánto azúcar tengo que poner?**
❍ **Es igual. Cuanto más, mejor.**

Cuando el verbo se refiere al futuro, va en subjuntivo: presente de subjuntivo si se trata de un futuro con respecto al momento de la enunciación (como en [46]); imperfecto de subjuntivo cuando se trata de un futuro con respecto a un momento del pasado (como en [47]).

➲ Hablar del futuro
➲ El subjuntivo
➲ Establecer relaciones desde un punto de vista temporal

3. EL SUPERLATIVO RELATIVO

El superlativo sirve para hablar de alguna característica o acción (predicado verbal) por la que destaca el elemento del que se está hablando.

El superlativo presenta dicha característica como algo que alcanza su límite máximo.

El *superlativo absoluto* sirve para hablar de un elemento en sí, sin compararlo explícitamente con ningún otro:

[49] ● **Es una película interesantísima.**

[50] ● **Este chico come muchísimo.**

El *superlativo relativo* sirve para hablar de un elemento en comparación con otros, presentando alguna característica por la que destaca, al ser superior o inferior a todos los demás dentro de un grupo considerado:

[51] ● **Es el más delgado de la clase.**

[52] ● **Es la persona menos ambiciosa que he conocido en mi vida.**

3.1. CON ADJETIVOS

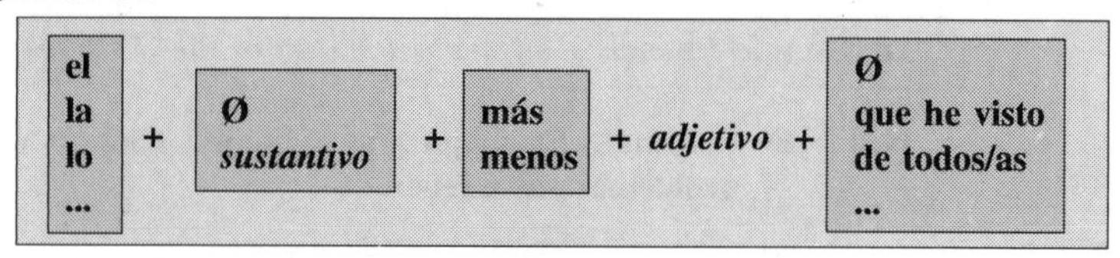

[53] ● **Son todas igual de bonitas, pero creo que ésta es la más cómoda.**
❍ **Sí, pero también es la más cara...**

[54] ● **Te la recomiendo. Es una de las novelas más interesantes que he leído en mi vida.**

[55] ● **¿Queréis cenar en el mejor restaurante de Madrid? Os invito.**

3.2. OTROS CASOS

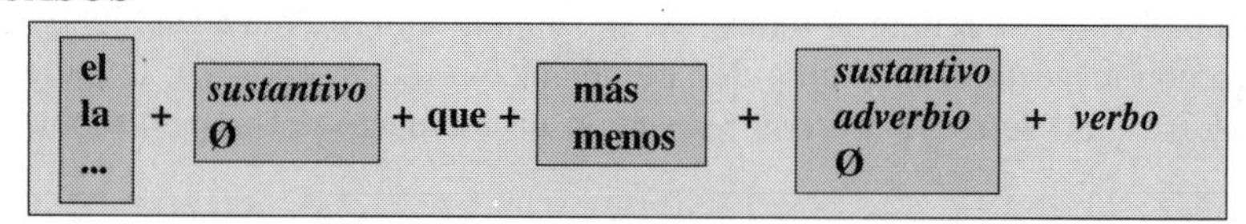

[56] ● **Y en todo el país, la ciudad que más me gusta es Madrid.**

[57] ● **¿Quién es entre vosotros el que habla más idiomas extranjeros?**

3.3. Es importante notar la ausencia de artículo justo antes de **más/menos** en estas construcciones:

[58a] Francés:
● **C'est la ville la plus belle.**

[58b] Español:
● **Es la ciudad más bonita.**

[59a] Francés:
● **Celui qui gagne le plus...**

[59b] Español:
● **El que gana más...**

3.4. En español, contrariamente a lo que ocurre en otras lenguas, el verbo de una oración de relativo que tiene como antecedente un superlativo relativo puede ir tanto en indicativo como en subjuntivo:

[60] ● **Tráeme el más barato que encuentres.**

[61] ● **Es la novela más bonita que he leído.**

El uso del indicativo y del subjuntivo obedece, como siempre, a las reglas habituales basadas en lo que es la esencia de cada uno de estos dos modos.

➲ El indicativo
➲ El subjuntivo

COORDINAR E INTRODUCIR NUEVOS ELEMENTOS

Cuando mencionamos más de un concepto o entidad, generalmente señalamos que estamos teniendo en cuenta lo que ya habíamos dicho antes —es decir que mantenemos constantemente una cuenta de lo que ya hemos dicho y de lo que vamos diciendo.

Al mencionar más de una entidad o concepto, podemos establecer varios tipos de relaciones entre ellos. A veces, el enunciador se limita a señalar que está mencionando más de un concepto o entidad. Con frecuencia, sin embargo, expresa además algún punto de vista propio sobre lo que dice.

1. COORDINAR

Cuando el hablante se limita a señalar que el nuevo elemento mencionado se añade a otro(s) mencionado(s) antes, lo introduce con:

y (**e** si la palabra que sigue empieza por un sonido vocálico **/i/**, grafías **i—** o **hi—** + consonante)

[1] ● **El jueves y el viernes estaré en Barcelona.**

[2] ● **Mañana te llamo y hablamos, ¿vale?**

[3] ● **Habla francés e inglés corrientemente.**

[4] ● **Iba caminando por la calle cuando me caí y me rompí el brazo. Me llevaron al hospital. Me hicieron una radiografía y me pusieron una escayola.**

[5] ● **¿Y quién más va a ir?**
❍ **Nadie. Vamos sólo tú y yo.**

[6] ● **Sí, tienes razón, es bonito y barato. Ha sido un verdadero negocio.**

[7] ● **Llámalos. No te arrepentirás: trabajan rápido y bien.**

[8] ● **¿Qué tal Sonsoles?**
❍ **No sé, hace mucho que no la veo. El otro día me dijo que me llamaría y no me llamó.**

Cuando el elemento anterior (al que se añade el elemento coordinado por **y/e**) es negativo no se usa **y/e** sino **ni**:

[9] ● **Así no puedes seguir: ni estudias, ni trabajas, ni haces nada.**

Como se ve en estos ejemplos, **y/e** puede relacionar elementos de cualquier tipo: sustantivos, adjetivos, adverbios, verbos, pronombres o incluso oraciones enteras.

Los elementos relacionados con **y/e** tienen que ser del mismo tipo. Cuando no se trata de elementos del mismo tipo, tiene que haber aparecido algo en el contexto que los haya puesto en el mismo plano; pero en estos casos, la coordinación parece a veces extraña, anómala:

[10] ● **Para este trabajo necesitamos a alguien que sea médico y que se relacione fácilmente con los demás, que sea simpático.**
❍ **Creo que conozco a la persona que necesitamos. Es médico y simpático. Además, está buscando trabajo.**

A menudo, el elemento introducido por **y/e** constituye una consecuencia de lo dicho justo antes:

[11] ● **A fuerza de jugar con él se cayó y se rompió.**

Este efecto expresivo tan frecuente se debe a que **y/e** establece cierta continuidad con lo anterior.

Uso de **y/e** en las preguntas

Con frecuencia se emplea este operador en las preguntas.

Su uso no es algo totalmente caprichoso y arbitrario, sino que depende de reglas muy precisas.

Cuando ya hemos formulado una pregunta, la(s) siguiente(s) va(n) en principio introducida(s) por **y/e**:

[12] ● **¿Cómo te llamas?**
❍ **Hugo.**
● **¿Y dónde vives?**
❍ **En Mérida.**

Puede no introducirse la(s) pregunta(s) que sigue(n) con **y/e** en las situaciones en que está claro que se van a formular una serie de preguntas: interrogatorio, entrevista, sondeo de opinión, preguntas de un cuestionario en general. En los demás casos, si después de una primera pregunta no se introduce(n) la(s) pregunta(s) que sigue(n) con **y/e**, la situación comunicativa adquiere inmediatamente un tono parecido al de un interrogatorio.

No se introduce(n) con **y/e** la(s) pregunta(s) que sigue(n) a una primera pregunta cuando se trata de aclarar o pedir más detalles sobre lo que se ha preguntado con anterioridad:

[13] ● **¿Cómo te llamas?**
❍ **Alonso.**
● **¿De nombre, o de apellido?**

Para introducir el último elemento de una enumeración, se usa siempre,en principio, **y/e** u **o/u**. No se emplean ni **y/e** ni **o/u** cuando se quiere subrayar que se trata de una enumeración.

2. Cuando mencionamos un nuevo elemento que en cierta medida rompe con lo dicho anteriormente, contrasta con ello o lo limita de alguna manera, utilizamos generalmente:

pero
mas

[14] ● **Es caro, pero es muy bueno.**

[15] ● **Ven mañana, pero pronto... que si no no estaré.**

[16] ● **Es extranjero, pero habla español como un nativo.**

Con frecuencia, el contraste no es explícito u objetivo. Para la persona que habla se trata, sin embargo, de algo que puede ir en contra de lo que acaba de decir o de las expectativas de su interlocutor.

En ocasiones, el contraste con lo anterior es poco evidente: se trata, en algunos casos, de un contraste con experiencias previas vividas por los interlocutores, o con información de la que disponen sobre cosas que han ocurrido o suelen ocurrir en otras circunstancias:

[17] ● **¿Quedamos en que te llamo yo en cuanto sepa algo?**
❍ **Vale, pero llámame con tiempo.**

A veces, el hablante utiliza **pero** para romper con un elemento que acaba de mencionar, que repite inmediatamente después, como para *relanzarlo* con más intensidad:

[18] ● **Es tan bonito... pero tan bonito.**

[19] ● **Escribe bien; pero que muy bien.**

Al usar **pero** para relanzar un elemento, la persona que habla quiere romper con la interpretación que del elemento en cuestión le parece la más corriente y que supone que es la de su interlocutor, para volver a proponerle el mismo elemento con toda su intensidad: *"No se trata de un **bonito** o de un **bien** normales, sino de un **bonito** o de un **bien** verdaderos, no de los que estás acostumbrado a ver".*

Al contrario de lo que sucede en otros idiomas (italiano, alemán, etc.), cuando **pero** o **mas** introducen una oración, se encuentran siempre en primera posición en la oración que introducen. No pueden ir intercalados después de otro elemento:

[20a] Italiano:
● **Parlo inglese e francese. L'inglese però non lo parlo tanto bene.**

[20b] Alemán:
● **Ich spreche Englisch und Französisch. Englisch spreche Ich aber nicht sehr gut.**

[20c] Español:
● **Hablo inglés y francés. Pero el inglés no lo hablo muy bien.**

➧ Contraste **pero / mas**:

El operador **mas** tiene un uso limitadísimo en la lengua hablada —e incluso en la escrita. Aporta cierto matiz culto-literario, que hace difícil su uso en la mayoría de los contextos:

[21] ● **Escuchó las palabras de su padre, mas no las obedeció.**

3. Cuando mencionamos dos o más elementos como una alternativa, utilizamos generalmente:

o (**u** si la palabra que sigue empieza por el fonema **/o/**, grafías **o—** u **ho—**)

[22] ● **¿Y cómo vamos?**
❍ **No sé, ya veremos... En coche o en tren.**

[23] ● **No eran muchos. En total, unas siete u ocho personas.**

Cuando queremos subrayar la alternativa (es decir que los dos o más elementos mencionados se excluyen unos a otros), utilizamos:

o bien **o/u... o/u...** **(o) bien... (o) bien...**

[24] ● **Una de dos: o te cambias y sales con nosotros, o te quedas aquí solo. Lo que no puedes hacer es tenernos a todos esperando.**

[25] ● **Bueno, no te preocupes. Te llamo o bien te escribo en cuanto tenga la respuesta.**

Cuando la disyuntiva se refiere a cosas generalmente futuras, sobre las que hay un elemento de duda, se utiliza a veces:

ya sea... ya sea

[26] ● **De alguna manera, ya sea repitiéndolo de memoria, ya sea copiándolo varias veces, tendrás que aprendértelo.**

4. Cuando queremos marcar que estamos teniendo en cuenta que ya hemos mencionado uno o varios elementos y queremos subrayar que estamos añadiendo otro más, utilizamos:

también

[27] ● **Habla español, inglés y también francés.**

[28] ● **Sí, es horroroso. A mí también me pasó algo por el estilo hace un par de meses...**

También se sitúa en el plano en el que con la lengua no hablamos tan sólo de lo que sucede en el mundo extralingüístico, sino de la lengua misma, de lo que vamos diciendo, de cómo va progresando la comunicación con nuestro interlocutor. Con este operador, la persona que habla señala que está teniendo en cuenta lo que ya se ha dicho y que lo que menciona ahora se viene a añadir a lo que ya ha aparecido.

Con frecuencia, en los contextos en los que aparece **también** han desaparecido algunos elementos que ya están en el contexto porque el enunciador y su oyente ya saben de qué elementos se trata:

[29a] ● **¿Te gusta?**
❍ **Sí, mucho.**
● **A mí también.**

Son característicos los usos de **también** con los pronombres personales para señalar que un predicado que ya se ha dado *se aplica* a un nuevo sujeto.

➲ Los pronombres personales

Por lo general, **también** va después del elemento que introduce si dicho elemento ya había aparecido en el contexto previo, explícita o implícitamente:

[30a] ● **¿A qué te dedicas?**
○ **Soy profesor de español. ¿Y tú?**
● **Yo también.**

[31a] ● **¿Pol viene con nosotros, o se queda con Julia?**
○ **No, no, él también viene.**

[32] ● **La cerveza también me hace daño, o sea que no lo hagáis por mí. Tomad vino tranquilamente.**

En [32], es probable que ya se haya mencionado la cerveza como alternativa al vino en el contexto inmediatamente anterior.

Cuando el elemento que *contabilizamos* mediante el operador **también** es totalmente nuevo y no ha sido mencionado en ningún momento, ni ha aparecido implícitamente siquiera, suele ir después de **también**:

[33] ● **Trabaja y también estudia.**

[34] ● **Habla español, inglés y también francés.**

La presencia de un operador como **también** por sí sola ya implica que tiene que haber algo anterior en el desarollo del *discurso meta-enunciativo*. Diremos, pues, que **también** *crea un antes*. Dicho elemento temático puede ser, en algunas ocasiones, el mero hecho de decir algo o de estar *hablando de* o *aludiendo a* un tema.

Contraste **también / y también / y... también**

Cuando el elemento nuevo que mencionamos se viene a añadir a los que ya han aparecido en el contexto sin que se repitan justo antes de dicho elemento nuevo, se usa más a menudo **también**. Cuando inmediatamente antes del elemento nuevo que vamos a mencionar se acaban de mencionar explícitamente, en la misma oración, los elementos a los que se añade el elemento introducido por **también** —que viene a ser una manera de rematar una enumeración—, se utiliza generalmente **y también** o **y... también** —con independencia de que **también** vaya antes o después de dicho elemento.

A diferencia de otros idiomas (como el alemán), en español **también** no se usa cuando lo que se añade es una negación más; en estos casos se usa **tampoco**:

[35] ● **¿Ha llamado Theo?**
○ **No.**
● **¿Y José María?**
○ **Tampoco.**

A diferencia de otros idiomas, el español no suele utilizar el operador **siempre** con las intenciones comunicativas con las que emplea **también**.

El español tampoco utiliza nunca la expresión **también si** para introducir una oración concesiva. En estos casos, se utiliza, entre otras posibilidades, el operador **aunque**:

[36a] Italiano:
● **Anche se piove devo uscire lo stesso.**

[36b] Francés:
● **Même s'il pleut, je dois sortir.**

[36c] Español:
● **Aunque llueva, tengo que salir.**

[36d] ● ***También si llueve...**

A veces, en contextos en los que se usa **también**, se usa —en registros bastante formales o literarios— el operador **asimismo**:

[37] ● **Habla español, inglés y asimismo francés.**

[38] ● **Por todos estos motivos, creemos que es importante desarrollar la industria hotelera en la zona. Y añadiría que es asimismo fundamental impulsar la artesanía local, para que se vayan potenciando, de todas las maneras posibles, los recursos autóctonos.**

No se suele usar **asimismo** cuando sólo se introduce un sujeto nuevo referido al mismo verbo. Es más frecuente el uso de este operador cuando, al hablar de un sujeto determinado o de una situación, se introducen nuevos elementos de información sin que cambie el objeto principal del discurso:

[29b] ● **¿Te gusta?**
❍ **Sí, mucho.**
● ***A mí asimismo.**

[30b] ● **¿A qué se dedica?**
❍ **Soy profesor de idiomas, ¿y usted?**
● ***Yo, asimismo (soy profesor de idiomas).**

[31b] ● **¿Pol viene con nosotros, o se queda con Julia?**
● ***No, no, él asimismo viene.**

El uso de **asimismo** es imposible en todos estos ejemplos: por una parte, se trata de temas demasiado corrientes; y, por otra, se introducen nuevos sujetos, pero no se dan informaciones nuevas.

5. A veces, para referir a un nuevo elemento un elemento de información o una valoración que ya se ha expresado, se usa:

igualmente **también**

[39] ● **Podemos ir a *La Cocina*. Se come bien y es un sitio muy agradable. O, si os apetece comer un pescado buenísimo, podemos ir al *Buitre de Oro*. Es igualmente bueno. Lo que pasa es que es un poco caro.**

Con el operador **igualmente** se presenta el nuevo elemento como análogo en algo al elemento mencionado anteriormente.

➲ Comparar

Con **también**, se añade el elemento nuevo a los demás elementos que ya se han mencionado.

➲ 1.4.

En estos casos, el español no suele utilizar el operador **siempre**.

6. Cuando queremos marcar —como con **también**— que estamos teniendo en cuenta que ya hemos negado uno o varios elementos y queremos subrayar que vamos a introducir una negación más que se añade a las anteriores, se utiliza:

tampoco

[40] ● **¡Pobre! Fíjate lo que le pasó... Dio una fiesta y no fue ninguno de sus mejores amigos.**
❍ **¡No puede ser! ¡Cómo no iba a haber nadie! ¿Y Alberto?**
● **No, él tampoco fue.**

[41] ● **... ¿Y habla inglés?**
❍ **No, señor... Pero acabo de empezar un curso.**
● **Ya, pero es que nosotros lo necesitamos ahora. ¿Y francés?**
❍ **No, tampoco.**

Como **también**, **tampoco** se sitúa en el nivel en el que con la lengua no hablamos tan sólo de lo que sucede en el mundo extralingüístico, sino de la lengua misma, de lo que vamos diciendo, de cómo va progresando la comunicación con nuestro interlocutor. Con este operador, la persona que habla señala que está teniendo en cuenta lo que ya se ha dicho, y que la negación que introduce ahora se viene a añadir a lo que ya ha aparecido.

Como en el caso de **también**, con frecuencia en los contextos en los que aparece **tampoco** han desaparecido algunos elementos que ya están en el contexto, porque el enunciador y su oyente ya saben de qué elementos se trata:

[42] ● **¿Te gusta?**
❍ **No mucho.**
● **A mí tampoco.**

Como en el caso de **también**, son característicos los usos de **tampoco** con pronombres personales para señalar que *se aplica* un predicado que ya se ha dado a un nuevo sujeto.

➲ Los pronombres personales.

Generalmente, **tampoco** va después del elemento que introduce si se trata de un elemento que ya ha aparecido —explícita o implícitamente— en el contexto previo:

[43] ● **¿Hablas inglés?**
❍ **Yo no, ¿y tú?**
● **Yo, tampoco.**

[44] ● **¿Y tú tampoco vienes?**
❍ **Es que tengo que terminar este trabajo.**

[45] ● **La cerveza tampoco me gusta, o sea que no lo hagáis por mí. Tomad vino tranquilamente.**

Cuando el elemento que introduce es totalmente nuevo y no ha aparecido aún en el contexto, **tampoco** suele ir antes:

[46] ● **No trabaja, ni tampoco estudia.**

[47] ● **No habla ni español, ni inglés, ni tampoco francés.**

Como en el caso de **también**, la presencia de un operador como **tampoco** por sí sola ya implica que tiene que haber algo anterior en el desarrollo del *discurso meta-enunciativo.* Podemos decir que, como **también**, **tampoco** *crea un antes.* Dicho elemento temático puede ser, en algunas ocasiones, el mero hecho de *decir* algo o de *estar hablando de* o *aludiendo a* un tema. Con frecuencia en estos casos, en otros idiomas no se suele —o no se puede— usar el equivalente de **tampoco**:

[48] ● **Y si te molesta tanto mi presencia, podías habérmelo dicho antes. Pero no te procupes, que me marcho esta misma tarde.**
❍ **Chico, no te pongas así, tampoco es eso, por favor. Lo que quería decir es que...**

➧ Contraste **tampoco / ni tampoco**

Cuando la nueva negación que introducimos se viene a añadir a las que ya han aparecido en el contexto, sin que se repitan justo antes, se suele usar **tampoco**. Cuando inmediatamente antes de la nueva negación que vamos a introducir se acaban de negar explícitamente, en la misma oración, otros elementos a los que se añade la negación introducida por **tampoco**, se utiliza generalmente **ni tampoco** o **ni... tampoco**.

7. Cuando mencionamos un elemento señalando que se trata del último elemento que se nos podía ocurrir tener que mencionar en el contexto en el que nos hallamos, utilizamos:

hasta

[49] ● **Es tan fácil que todos supieron hacerlo... Hasta Juan.**

[50] ● **Es un grosero... No sólo no dio las gracias, sino que hasta se fue sin despedirse.**

Hasta se sitúa en el plano en que la persona que habla expresa puntos de vista sobre lo que dice, y no remite por lo tanto directamente a lo extralingüístico. Al usar este operador, el hablante dice que tener que mencionar el elemento que introduce con **hasta** le parece extraño y no entraba en sus previsiones. **Hasta** señala que el hablante ha llegado al final de un recorrido conceptual, al último elemento que puede concebir en dicho recorrido.

Cuando el elemento introducido por **hasta** es un verbo, se usa con frecuencia **llegar (hasta) a +** ***infinitivo*** como alternativa a **hasta +** ***verbo***:

[51a] ● **Se produjo una situación tan tensa que, por un momento, él llegó hasta a amenazarla con marcharse.**

El ejemplo [51a] es más o menos equivalente a [51b]:

[51b] ● **Se produjo una situación tan tensa que, en un determinado momento, él hasta la amenazó con marcharse.**

Hasta va siempre antes del elemento al que se refiere.

8. Cuando mencionamos un elemento nuevo que se viene a añadir a una serie de otros que ya hemos mencionado, subrayando que los que ya habíamos mencionado nos parecían suficientes y que la mención del nuevo elemento es, en cierto sentido, superflua, usamos:

además **encima**

[52] ● **¿Y por qué no vinisteis?**
○ **Es que hacía frío, estábamos cansados y, además, no funcionaba el coche.**

[53] ● **No sólo no vino, sino que además ni siquiera llamó.**

[54] ● **Tenemos el coche llenísimo... Las maletas, los juguetes, el perro... Y además los libros y la máquina de escribir. No cabe ni un alfiler.**

[55] ● **Lo que más molesta de las bodas es que tienes que estar horas sonriéndole a todo el mundo y charlando con personas que no te interesan. Y encima tienes que ponerte guapa.**

Al estar presentada como información superflua que el hablante decide dar *a pesar de todo,* la información introducida con **además** adquiere un relieve especial, y viene a ser la información que el hablante considera decisiva para su relato / razonamiento.

Como **hasta**, **además** y **encima** se sitúan en el nivel en el que la persona que habla expresa sus puntos de vista sobre lo que dice, y no remite, por lo tanto directamente a lo extralingüístico.

Como **hasta**, **además** suele ponerse antes del elemento que introduce. Sin embargo, también se puede encontrar justo después del elemento al que se refiere, generalmente con cierto matiz de insatisfacción por parte del hablante.

A veces se usa **además de** justo antes de los elementos previos (que el hablante puede haber mencionado o no, ya que, de cualquier forma, los introduce / repite con **además de**) y que presenta como suficientes, seguido luego de la información que el hablante quiere dar como información principal y que presenta como innecesaria por ser suficiente, en su opinión, lo que ya ha dicho:

[56] ● **Ha sido simpatiquísimo. Además de mandarme un telegrama, ha venido a verme y me ha traído un regalo.**

9. Cuando mencionamos un elemento señalando además que se trata de algo que, en nuestra opinión, no debería ser necesario mencionar porque debería ser evidente, algo que cae por su propio peso, utilizamos:

siquiera

[57] ● **Por favor, ayúdeme, déme algo... Una peseta siquiera.**

[58] ● **Esperemos que nos dé una respuesta pronto.**
❍ **¡Qué nos va a contestar! Si está ocupadísimo, y ya ves que no le interesa nuestra proposición.**
● **Bueno pero podría siquiera llamarnos, ¿no crees?**

[59] ● **Salió totalmente desnuda, sin un bañador siquiera.**

Siquiera suele ir después del elemento al que se refiere, pero en algunos casos también se puede encontrar antes.

Como **hasta**, **además** y **encima**, **siquiera** se sitúa en el nivel en el que la persona que habla expresa sus puntos de vista sobre lo que dice, y no remite, por lo tanto, directamente a lo extralingüístico.

10. Cuando negamos un elemento, señalando que nos parece que estamos negando algo que no deberíamos negar, algo que debería ser evidente, caer por su propio peso, usamos:

ni siquiera

[60] ● **No sólo no vino, sino que ni siquiera llamó.**

[61] ● **Era tan difícil que nadie logró hacerlo, ni siquiera Roberto.**

➧ Contraste **tampoco / ni siquiera**

Con **ni siquiera**, la persona que habla expresa su punto de vista sobre la negación que introduce, señalando que no le parece algo normal, que no entraba en sus previsiones. Con **tampoco**, por el contrario, se limita a señalar que está teniendo en cuenta las negaciones anteriores y que va a añadir una más, sin expresar ningún tipo de juicio personal.

Ni siquiera es la negación de **siquiera**, es decir la negación de lo que debería ser evidente. Es el equivalente de la forma negativa de lo que se expresa con **hasta** en la forma afirmativa: tanto con **hasta** como con **ni siquiera**, la persona que habla señala que le parece que está diciendo o mencionando algo que no debería mencionar, algo anómalo, que está en el límite de lo concebible.

11. Cuando mencionamos un elemento nuevo señalando que se trata del límite mínimo que podemos mencionar o al que podemos aspirar aunque creemos que se podría mencionar algo más, o que nos esperaríamos algo más, usamos generalmente:

por lo menos
al menos

[62] ● **Había muchísima gente... Por lo menos unas cien personas.**

[63] ● **Me parece que se están pasando. Por lo menos, podrían haber llamado.**

[64] ● **Son unas clases aburridísimas... Si al menos de vez en cuando escucháramos una canción...**

➧ Contraste **siquiera / por los menos**

Con **siquiera**, la persona que habla se limita a señalar que el elemento mencionado le parece algo que debería ser evidente, caer por su propio peso, pero no expresa ninguna aspiración a algo mayor, ni ninguna apreciación negativa sobre el elemento en cuestión. Con **por lo menos**, señala además que el elemento en cuestión le parece poco y que cree que se podría llegar a más. **Por lo menos** incluye, por lo tanto, una apreciación negativa sobre el elemento en cuestión, que parece insatisfactorio.

12. Cuando mencionamos un elemento nuevo subrayando que se incluye entre lo que ya se ha dicho, bien porque es el último elemento que se nos podía ocurrir tener que mencionar (como con **hasta**), bien porque se quiere insistir en que lo que se ha dicho ya es suficiente y, por lo tanto, sería superfluo mencionar un elemento nuevo (como con **además**), bien porque se quiere señalar que el elemento en cuestión entra en lo que se puede aceptar (de manera próxima a lo que se hace con **siquiera**), se usa a veces:

incluso

[65] ● **En estos dos años ha hecho muchísimas cosas: ha tenido un hijo, ha escrito un libro e incluso ha estado trabajando.**

[66] ● **Yo les daría algo de comer, incluso un bocadillo.**

[67] ● **Es tan fácil que incluso Pedro lo supo hacer.**

Incluso sirve para hacer más o menos las mismas cosas que se hacen con **hasta**, con **además** y con **siquiera**. Sin embargo, al tratarse de un único operador que expresa cosas tan distintas entre ellas, es menos explícito que los otros tres y tiene, por lo tanto, un sentido menos enérgico.

13. Para introducir el único elemento que queda excluido de un grupo, o la única posibilidad que no se tiene en consideración, se usa:

excepto

[68] ● **Todos lo han hecho, excepto tú.**

[69] ● **Trabajo todos los días, mañana y tarde, excepto los sábados, que sólo trabajo por la mañana.**

[70] ● **Me los he leído todos excepto ése. Lo he intentado, pero... ¡Me ha parecido tan pesado!**

Para introducir la condición mínima para la no realización de algo se usa **excepto que**.

➲ Expresar condiciones

CORREGIR, OPONER CONTRASTAR INFORMACIONES

1. Cuando negamos un elemento para sustituirlo inmediatamente después por otro, solemos utilizar:

no... sino (que)...

[1] ● **Oye, ¿tu mujer, que es francesa, podrá aconsejarme...?**
○ **No es francesa sino inglesa.**

[2] ● **No sólo no vino, sino que ni siquiera llamó.**

Se suele utilizar esta construcción para corregir algo que acabamos de decir o, más frecuentemente, algo que acaba de decir nuestro interlocutor. A veces, además, la usamos para matizar lo que decimos, descartando total o parcialmente una primera hipótesis, para corregirla luego sustituyendo alguno de sus elementos.

Se utiliza la construcción **no... sino...** en todos los casos, excepto cuando lo que se sustituye es el verbo conjugado; en tales casos, se emplea la construcción **no... sino que...**

Sin embargo, no es ésta la única construcción que se usa para corregir lo dicho sustituyendo un elemento por otro. A menudo se niega el primer elemento e inmediatamente después se afirma el que se estima más acertado para la situación considerada, sin hacer uso de esta construcción:

[3] ● **O sea que a ti también te parece bonita...**
○ **No me parece, lo es.**

Entre los usos de **no... sino...**, cabe destacar la expresión **no sólo... sino que además...**, usada para añadir algo que el hablante presenta como un elemento de sorpresa o asombro para él o para su interlocutor:

[4] ● **Son realmente muy generosos: fíjate que, cuando fuimos a verlos, no sólo nos invitaron a comer, sino que además nos ofrecieron la casa para el verano.**

[5] ● **No sólo llega tarde, sino que además viene de mal humor.**

Contraste **no... sino... / no... pero...**

Se usa **no... sino...** para sustituir un elemento presupuesto por otro. Se usa **no... pero...** cuando, después de negar un primer elemento, se quiere hablar de algo distinto, que puede constituir un matiz o una compensación por el elemento negado:

[6] ● **Necesitamos una secretaria que sepa hablar inglés.**
○ **Mira, ella no sabe inglés, pero es muy buena y trabaja bien y rápido.**

Son dignos de notar, además, los usos de **no... sino...** en los que el elemento **sino** no introduce un elemento idéntico (es decir del mismo tipo) al negado justo antes, sino tan sólo una restricción o un matiz a lo que se acaba de negar: el sentido viene a ser *"el único elemento que escapa a la negación anterior es el siguiente"*. Se trata, pues, de una expresión muy próxima de **sólo**. En estos casos, se usa también **no... más que...:**

[7] ● **No estudia sino inglés. (= sólo inglés)**

[8] ● **No vino sino Andrés. (=sólo Andrés)**

[9] ● **La verdad, no entiendo cómo vive. No come más que lechuga...**

➲ Individuos y cantidades

En contextos en los que se utiliza **no... sino (que)...** para descartar el primer elemento negado y sustituirlo por el que sigue, se usa a veces —registros más bien literarios / cultos— la expresión:

no... antes bien

[10] ● **No es un tema secundario, antes bien, a mi entender, constituye la clave.**

Con esta expresión se da a entender una preferencia por el segundo elemento introducido, pero no se subraya tan claramente que se está sustituyendo un elemento por otro.

2. Para añadir otra información que tiende a confirmar o a reforzar lo que se acaba de decir porque puede parecer insuficiente se usa:

es más **más aún**	+ *información*

[11] ● **Me consta que no lo hizo. Es más, él mismo me lo dijo.**

[12] ● **¿Y tú crees que sabe hablar español?**
❍ **Estoy seguro. Más aún, es profesor de español en una escuela; o sea que no hay ningún problema.**

3. Para corregir, inmediatamente después de darla, una información que acabamos de dar, se usan frecuentemente:

mejor dicho **qué digo**	+ *información correcta*

[13] ● **La reunión es el jueves a las tres, qué digo, a las cuatro.**

[14] ● **Quedamos delante de la estación... O no, mejor dicho, delante del bar de enfrente...**

Con frecuencia se emplea **mejor dicho** aun en contextos en los que no se trata tanto de corregir la información propiamente dicha, sino la manera como se ha dado, utilizando luego un término más explícito o enérgico. En estos casos, la persona que habla se siente insatisfecha por las palabras que ha utilizado y quiere añadir algo más:

[15] ● **¿Qué te ha parecido?**
❍ **No sé... No me gusta mucho. O, mejor dicho, no es mi tipo.**

4. Para sustituir por otro un elemento de información que ya se ha dado, sin negar previamente el elemento ya mencionado, se usa:

en vez / lugar de + *elemento 1* + , + *elemento 2*

En esta construcción, el *elemento 2* viene a reemplazar al *elemento 1*.

[16] ● **En vez de perder tanto tiempo escribiéndolo de nuevo, es mejor corregir lo que ya está hecho.**

[17] ● **Para mí, un café.**
❍ **Y para mí, una cerveza.**
● **Ah, pues para mí, también: en vez del café, una cerveza.**

[18] ● **Yo creo que, en lugar de trabajar tanto sin cobrar, te convendría hacer otra cosa, aunque sea menos prestigiosa.**

En lugar de tiene un uso ligeramente más culto que **en vez de**.

▸ Contraste **en vez de / en cambio**

A diferencia de su equivalente en otras lenguas, el operador **en vez de** requiere siempre la mención de los dos elementos (el que ya se ha dado y se quiere descartar, y el nuevo elemento que viene a sustituirlo). Nunca se usa **en vez de** solo, intercalado en una frase para contrastar dos informaciones. En estos casos, el español usa los operadores **en cambio** y **sin embargo**:

[19a] Italiano:
● **Oggi sono stato a casa. Ieri, invece, sono andato dai miei.**

[19b] Inglés:
● **Today I stayed at home. Yesterday, instead, I went to my parents'.**

[19c] Español:
● **Hoy me he quedado en casa. Ayer, en cambio, fui a ver a mis padres.**

▸ Contraste **en vez de / no... sino (que)...**

Con **en vez de** se sustituye un elemento de información que ya se ha dado por otro, sin necesidad de negar previamente el elemento que se quiere descartar. Al contrario, con **no... sino (que)...** primero se niega el elemento que ya se había dado y, después, se introduce el nuevo elemento.

5. Para presentar dos informaciones nuevas oponiéndolas, como para subrayar que son distintas, se usan (intercalados entre ambas informaciones) los operadores:

en cambio
sin embargo
mientras que

[20] ● **En Madrid, las tiendas están abiertas hasta la una y media o dos. En Roma, en cambio, cierran a la una.**

[21] ● **En el norte, la gente se acuesta muy pronto y todo acaba antes. Sin embargo, en el sur, los horarios se parecen mucho más a los españoles.**

[22] ● **En las grandes ciudades, la gente en verano se escapa y se va al campo o a la montaña de vacaciones, mientras que en los pueblos la gente, por lo general, se queda en su casa.**

➲ 1.4.

▸ Contraste **en cambio / sin embargo / mientras que**

Estos tres operadores se oponen entre sí tanto por la estructura que requieren como por un ligero matiz de significación.

Sin embargo y **mientras que** se hallan siempre entre las dos informaciones que contrastan:

Información 1 + **en cambio / sin embargo / mientras que** + *información 2*

La *información 1* puede haberse dado explícita o implícitamente.

En cambio puede tener una estructura ligeramente distinta:

sujeto/situación 1 + *predicado 1* + *sujeto/situación 2* + **en cambio** + *predicado 2*

A pesar de parecerse mucho en la mayoría de sus usos, **en cambio**, **mientras que** y **sin embargo** se emplean en contextos y con intenciones comunicativas ligeramente distintas:

- se usan **en cambio** y **mientras que** cuando sólo se quieren contrastar las dos informaciones en sí, en casos en los que las informaciones en cuestión no son una manera de decir algo de un alcance mucho más amplio o que rebasa el nivel de las dos informaciones en sí;
- se utiliza **sin embargo** cuando se trata de dos informaciones a través de las cuales el hablante se está refiriendo a algo más amplio. En estos casos, la segunda información —que se quiere contrastar con la primera— no tiene un valor por sí misma, sino que viene a constituir una manera de matizar o completar lo que ya se ha querido expresar a través de la primera información (que ya se ha dado). Así pues, en [21], la persona que habla no está tan interesada en hablar de los horarios en el norte y en el sur del país en sí y por sí mismos, sino que probablemente está informando a su interlocutor sobre los horarios en su país (posiblemente en contraste con los horarios españoles): después de decir, de manera general y mediante la primera información que los horarios en el país del que está hablando son distintos de los horarios españoles, decide matizar o completar esta información añadiendo que en el sur se parecen más a los horarios españoles.

En muchos casos, estos ligeros cambios de perspectiva son casi imperceptibles, aunque por lo general conviene recordar que **sin embargo** tiende a matizar o limitar lo que se acaba de decir, al introducir una información que está ligeramente en contraste.

6. Para introducir una nueva información subrayando que se trata de algo opuesto a otra información que se refiere a otro sujeto / situación, se usan con frecuencia los operadores:

contrariamente a...		
al contrario de...	+	*elemento opuesto + información*
en contra de...		

[23] ● **Contrariamente a lo que habíamos anunciado, la reunión será por la tarde.**

[24] ● **Al contrario de lo que sucede en otros idiomas, en español no se usa nunca el subjuntivo en las oraciones interrogativas.**

[25] ● **En contra de lo que esperaba, tengo que reconocer que tenías razón.**

También se emplea con cierta frecuencia **por el contrario**, con una estrucutra en la que el *elemento opuesto* no aparece explícitamente en la misma oración:

por el contrario + , + *información*

[26] ● **No, no tengo ganas de ir al cine. Al teatro, por el contrario, iría a gusto.**

EL TIEMPO

1. MARCADORES TEMPORALES

Para referirse a los distintos momentos del tiempo, el enunciador dispone principalmente de tres tipos de marcadores temporales:

- un grupo que se define únicamente en relación con el momento presente, en el que se produce la comunicación (momento de la enunciación);
- un grupo que se define en relación con el momento pasado, presente o futuro del que se está hablando, que puede coincidir o no con el momento de la enunciación;
- un grupo que por sí mismo define un momento; de este grupo sólo trataremos aquí los marcadores que expresan la instantaneidad de algo (los demás están ampliamente tratados en el resto del capítulo).

1.1. MARCADORES QUE SE DEFINEN EN RELACIÓN CON EL MOMENTO DE LA ENUNCIACIÓN

marcadores:	**significación:**
hoy / hoy día	***día en el que se produce la comunicación***
esta [**mañana** / **tarde** / **noche**]	***mañana, tarde, noche del día en que se produce la información***
anoche	***noche anterior al día en que se produce la comunicación***
ayer	***día anterior al día en que se produce la comunicación***

anteayer **antes de ayer**	***día anterior a ayer***
mañana	***día posterior al día en que se produce la comunicación***
pasado mañana	***día posterior a mañana***
hoy en día	***época en que se produce la comunicación, pero no necesariamente el día mismo***
antaño	***época del pasado, alejada en el tiempo***
de momento	***en el momento en que se produce la comunicación. Se usa para poner un límite temporal a algo que se afirma, presentándolo como algo provisional, que puede cambiar***
ahora	***momento en el que se produce la comunicación***
en este [**momento** / **instante**]	***momento en que se produce la comunicación***

➲ Fechas reales o reconstruidas

[1] ● **Antes era distinto. Pero ahora las cosas han cambiado mucho y, hoy en día, los jóvenes ya no siguen esas reglas tan rígidas que teníamos nosotros.**

CON MÁS DETALLE

Todos los operadores presentados, **ahora** y **de momento** presuponen la existencia de otros momentos, anteriores o posteriores, con los que viven en oposición.

➧ **Ahora** presupone un *antes* o un *después*. Esto puede llevar a efectos expresivos especiales en algunos contextos, como por ejemplo:

[2a] ● **¿Qué pasa?**

[2b] ● **¿Qué pasa ahora?**

Ante un enunciado como éste, el oyente entiende inmediatamente la referencia a otros momentos. Su conocimiento de la situación y/o de la relación que se ha ido estableciendo entre los interlocutores ayuda a interpretar la intención comunicativa de quien habla (por ejemplo, la nota ligeramente polémica que puede adquirir el empleo de **ahora** en ciertos contextos, como en [2b]).

➲ Hablar del presente: **ahora que**

A veces, para referirse a la inmediatez se usa **ahora mismo, enseguida, inmediatamente** o **ya**:

[3] ● **¿Me puedes traer un vaso de agua, por favor?**
❍ **Enseguida.**

Los marcadores se ponen antes del verbo cuando estamos hablando del marcador o lo tomamos como punto de partida presupuesto y el verbo es lo que constituye la información nueva:

[4a] ● **Ahora le telefoneo.**

Por el contrario, cuando el marcador va detrás del verbo, constituye el elemento nuevo, una información que se añade a un verbo conocido o presupuesto y que viene a situarlo en el tiempo[1]:

[4b] ● **Le telefoneo ahora.**

➧ **De momento** implica sobre todo la existencia de momentos posteriores. Esto explica el matiz de provisionalidad que adquiere lo que se sitúa en el tiempo con esta expresión:

[5] ● **¿Y qué hacemos?**
❍ **De momento, nada.**

1.2. MARCADORES QUE SE DEFINEN EN RELACIÓN CON EL MOMENTO DEL QUE SE ESTÁ HABLANDO

Cuando en el contexto no hay ninguna alusión explícita a otro momento del que se está hablando, el momento punto de referencia con respecto al que se definen estos operadores suele ser el momento de la enunciación:

marcador:	significación:
entonces **en ese (mismo) momento / instante**	***en el momento del que se está hablando***
todavía **aún** **hasta este/ese momento** **hasta ahora**	***en los momentos anteriores al momento del que se está hablando o en que se produce la comunicación, hasta ese mismo momento***
antes	***en los momentos anteriores al momento del que se está hablando o en que se produce la comunicación***
ya	***antes del momento en que se está hablando, o en dicho momento***

1 En estos casos, el marcador parece estar en una posición de especial relieve: cobra su significación a partir del contraste con respecto a otros operadores que hubieran podido aparecer o supuestamente tematizados o implícitos en el discurso anterior o en las actitudes de los hablantes.

luego **después** **tras** **más tarde**	***en el tiempo posterior al momento del que se está hablando***
enseguida	***inmediatamente después del momento preciso del que se está hablando***
al / a la **a las / los** **al cabo de** + **cantidad de tiempo**	***después de la cantidad de tiempo especificada***
el/la **día/año** **semana/** **mes** **siguiente**	***en la unidad de tiempo que sigue a aquélla de la que se está hablando***
desde ya	***ya en el momento del que se está hablando (raro en español peninsular)***
cuanto antes	***después del momento del que se está hablando, procurando dejar pasar la menor cantidad posible de tiempo***
a más tardar	***antes del momento del que se está hablando o, como última posibilidad, en el momento mismo del que se está hablando***

1.2.1. El/la + día/mes/año/semana... + siguiente

Se usa esta expresión para hablar de la unidad de tiempo que sigue a aquélla de la que se está hablando. Esta expresión no sirve apara hablar de la unidad de tiempo que sigue a aquélla en la que se produce la enunciación.

Contraste **el día/mes... / al día/mes... siguiente**

Se usa **el/la + día/semana... + siguiente** para hablar de dicha unidad de tiempo. En la mayoría de los casos (aunque no siempre) la expresión tiene la función de sujeto de la oración:

[6] ● **El día siguiente fue horrible. No paramos en todo el día.**

Cuando se usa esta expresión para situar un suceso marcando la evolución o el transcurso del tiempo con respecto al momento del que se está hablando, se usa **al/a la + día/semana... + siguiente**:

[7] ● **Tuvimos una larga discusión y se enfadó tanto que al día siguiente se marchó.**

Contraste **aún / todavía / hasta este/ese momento / hasta ahora / antes**

Con **aún** y **todavía** se tienen en cuenta todos los momentos anteriores al momento del que se está hablando o en el que se produce la comunicación. Con **antes,** sólo se tienen en cuenta los momentos anteriores, sin llegar a considerar el momento mismo del que se está hablando o en el que se produce la comunicación:

[8] ● **Antes íbamos a menudo; ahora, ya no.**

Además, con **aún** y con **todavía** se presupone que está previsto que termine aquello de lo que se está hablando: tanto el hablante como su interlocutor comparten esta información:

[9] ● **¡Todavía estás aquí! ¿Pero no tenías prisa?**

Con **aún no** y **todavía no** se introduce algo previsto para decir que hasta el momento del que se está hablando no se ha producido:

[10] ● **¿Ya han hablado de las elecciones?**
❍ **No, todavía no.**

➲ Hablar de la continuidad de lo expresado por el verbo

En español no se suele usar **todavía** para hablar de la repetición de algo. En estos casos, se prefieren otros recursos.

➲ La repetición

A diferencia de otros idiomas, el español tampoco suele emplear la palabra **siempre** con el sentido de **todavía**.

Con **hasta este/ese (mismo) momento / hasta ahora** —igual que con **todavía / aún**—, se tienen en cuenta todos los momentos anteriores al momento considerado, incluyendo el momento mismo del que se está hablando. Sin embargo —a diferencia de lo que ocurre con **todavía / aún**—, con **hasta este/ese momento / hasta ahora** no ha habido ningún tipo de presuposición sobre la información en cuestión.

El uso de **hasta este/ese (mismo) momento** en lugar de **hasta ahora** implica una voluntad mayor de puntualización por parte del hablante:

[11] ● **¿Dónde has estado hasta ahora? Te andábamos buscando.**
❍ **Pues hasta este mismo momento estaba esperándoos en aquella esquina.**

A veces, se encuentran usos de **hasta ahora / hasta este/ese momento** combinados con **todavía / aún**:

[12] ● **¿Ha llegado el paquete?**
○ **Hasta ahora, todavía no nos han traído nada.**

Con **antes** no se presupone nada acerca de las informaciones que se introducen. Además, **antes** excluye el momento mismo del que se está hablando.

Cuando **antes** introduce un punto de referencia temporal (fecha real o reconstituida, suceso que funciona como fecha, etc.) mencionado explícitamente, va seguido de la preposición **de**. En estos casos, no suele tratarse del momento de la enunciación:

[13] ● **Llámame antes de las diez.**

Cuando ya está claro en el contexto cuál es el punto de referencia o cuando el punto de referencia es el momento de la enunciación, **antes** se encuentra solo en la frase:

[14] ● **Antes íbamos a menudo, pero ahora ya no.**

A veces, al referirse con **antes** a un momento anterior a otro momento del que se está hablando, se especifica la cantidad de tiempo que ha pasado. En tales casos, la cantidad precede a **antes**:

[15] ● **Dos horas antes de la reunión, me encontré con ella por la calle.**[2]

➲ Establecer relaciones desde un punto de vista temporal
➲ Reconstituir una fecha en el futuro

Contraste **aún / todavía / ya**

Con **ya**, igual que con **todavía** y **aún**, se presupone que va a producirse o terminarse algo. Se presupone además que el destinatario del mensaje ya dispone de esta información o, de cualquier forma, se le atribuye dicho conocimiento. En este punto, estos operadores son iguales.

La diferencia fundamental entre **ya** y **todavía / aún** está en la perspectiva desde la que se mira el suceso al que se refieren. Con **todavía / aún**, la persona que

2 Cuando se especifica la cantidad de tiempo, **antes** no puede funcionar con respecto al momento de la enunciación, a diferencia de lo que ocurre en otros idiomas. En estos casos, el español usa otros operadores:

[16a] Alemán:
● **Vor einer Woche habe ich ihn gesehen.**
[16b] Español:
● **Hace una semana lo vi / Lo vi hace una semana.**

habla se sitúa antes de que se haya producido un suceso previsto. Con **ya**, por el contrario, la persona que habla se sitúa después de dicho acontecimiento.

Con **ya no** se expresa que ha habido una interrupción de una situación previa:

[17] ● **¿Qué tal en el banco?**
❍ **Ya no trabajo allí.**

➲ Interrupción de lo expresado por el verbo

Cuando **ya** va seguido del verbo en una forma afirmativa, se expresa que algo que estaba previsto se ha producido:

[18] ● **Ya he terminado eso. ¿Cuándo quiere que se lo entregue?**

Se usa, a veces, **ya +** ***participio pasado / adjetivo / adverbio / sustantivo / etc.*** para referirse al momento en que el sujeto del que se está hablando adquiere las propiedades o hace suyo de alguna manera el estado o la situación expresados por el participio pasado / adjetivo / adverbio / sustantivo / etc. El sentido de estos usos es muy próximo al de **una vez +** ***participio pasado*** **/ después de +** ***infinitivo***:

[19] ● **Decidí coger el tren y alejarme. Ya en la frontera, pensé en volver.**

➲ Establecer relaciones desde un punto de vista temporal

A veces, en la respuesta a algo dicho por otro, se usa **ya** con el sentido de ***inmediatamente / sin dejar pasar más tiempo***:

[20] ● **Más tarde lo llamo.**
❍ **Mejor será que lo llames ya.**

➧ Contraste **luego / después / tras**

Cuando el punto de referencia ya está claro por el contexto, suele usarse **luego** con el significado de ***una vez transcurrido el tiempo de referencia:***

[21] ● **Tengo clase hasta las seis. Si quieres, nos vemos luego.**

Pero cuando no se ha establecido ningún punto de referencia claro, **luego** significa ***más tarde, después de un rato:***

[22] ● **Oye, me voy. Nos vemos luego.**

Generalmente en estos casos, los interlocutores comparten la información de que hay otra situación posterior prevista, a la que se están refiriendo.

Tras se usa normalmente en relación con un punto de referencia mencionado explícitamente o seguido de una expresión de cantidad de tiempo:

[23] ● **Tras una semana de huelga, obtuvieron lo que reivindicaban.**

Después se puede usar solo (igual que **luego**) o en relación con un punto de referencia mencionado explícitamente o presupuesto en el contexto. Cuando el punto de referencia ya está en el contexto y no se repite, se usa **después**. Cuando se introduce explícitamente se usa **después de**:

[24] ● **De acuerdo: después del concierto, en el Comercial.**

Con frecuencia se usa **después de** + *expresión de cantidad de tiempo*:

[25] ● **Después de un mes de vacaciones, uno se siente como nuevo.**

➲ Establecer relaciones desde un punto de vista temporal

El uso de **tras** en lugar de **después (de)** tiene connotaciones más cultas.

A veces se usa **después de** para hablar de un momento posterior a otro momento del que se está hablando, especificando, a la vez, la cantidad de tiempo que ha pasado. La estructura suele ser:

cantidad de tiempo + **después** (+ **de** + *punto de referencia*)

[26] ● **Se casaron un año después de conocerse.**

Cuando el momento tomado como punto de referencia ya ha sido mencionado explícitamente, o se sabe claramente cuál es, no se repite.

En estos casos, en español, el momento *punto de referencia* no puede ser el momento de la enunciación: **después** funciona en relación con el momento de la enunciación sólo para hablar de un momento posterior de manera indefinida, sin especificar cuánto tiempo va a pasar:

[27] ● **Nos vemos después.**

[28] ● **Hay que llamar a Eugenia.**
❍ **No te preocupes, después la llamo yo.**[3]

➲ Reconstituir una fecha en el futuro

3 Es frecuente entre los francófonos la confusión entre **después** y **desde,** debido al parecido que existe entre **después** y el operador francés ***depuis.*** Se trata de conceptos totalmente distintos; por consiguiente, es importante tener especial cuidado para evitar dicha confusión.

Cuando se especifica la cantidad de tiempo, **más tarde** también funciona en relación con un momento del que se está hablando y que ya se ha mencionado anteriormente. Dicho momento no puede ser el momento de enunciación. La estructura es:

cantidad de tiempo **+ más tarde**

[29] ● **Terminamos a las tres. Una hora más tarde, ya habíamos entregado el trabajo.**

Sin embargo —igual que en el caso de **después** y de **antes**—, si no se especifica la cantidad de tiempo, este operador sí puede funcionar en relación con el momento de enunciación:

[30] ● **¿Puedes volver a llamar más tarde?**

1.2.2. Al informar sobre el desarrollo de algo después de presentar una o varias acciones, para introducir una más como inmediatamente posterior, se usa a veces, además de **inmediatamente después**, la expresión **acto seguido**:

[31] ● **Se instaló en su habitación y, acto seguido, nos llamó diciéndonos que se encontraba mal.**

Con **inmediatamente después** se insiste más en la posterioridad con respecto a otro suceso / punto de referencia, subrayando así el hecho de que se trata de acciones bien separadas una de la otra. Con **acto seguido**, por el contrario, se presenta globalmente una sucesión de acciones en la que la última queda perfectamente integrada.

El punto de referencia es, con frecuencia, el acto mismo de enunciación.

1.2.3. A veces, para referirse a la posterioridad con respecto a un momento o acontecimiento, se usa **a continuación**. El punto de referencia es a menudo el acto mismo de enunciación:

[32] ● **A continuación, voy a enumerar las pruebas que, a mi juicio, avalan mi hipótesis.**

1.2.4. **Desde ya**

Se usa este operador para referirse a algo que se podía o se pensaba postergar, o que se va a realizar en futuro:

[33] ● **Tienes que ponerte en contacto con él desde ya, sin esperar ni un momento más.**

Al usar este operador se quiere subrayar el hecho de que la cosa no se va a / no se puede aplazar. **Desde ya** tiene un sentido muy próximo a ***inmediatamente***.

El empleo de **desde ya** es muy poco frecuente en español peninsular.

1.2.5. Cuanto antes

Se usa **cuanto antes** para referirse a una fecha indeterminada, posterior al momento del que se está hablando, subrayando que tiene que ser después del menor período posible de tiempo:

[34] ● **Mira, ahora no te puedo dar una respuesta, tienes que esperar unos días...**
○ **Vale, pero llámame cuanto antes, que es importante.**

1.2.6. A más tardar

A más tardar se parece a **cuanto antes**: también se quiere evitar, lo más posible, que pase el tiempo. La diferencia con respecto a **cuanto antes** está en que con **a más tardar** se da un momento como límite último para que se realice la acción, esperando que se produzca antes de dicho momento:

[35] ● **Todavía no está listo, pero te lo entrego el lunes a más tardar.**

1.3. MARCADORES QUE EXPRESAN LA INSTANTANEIDAD

1.3.1. Para presentar un suceso como algo que se produce de manera instantánea y totalmente imprevista suelen usarse:

de repente
de súbito
súbitamente
de pronto

[36] ● **Estaba a punto de dormirme cuando de repente llamaron a la puerta y me desperté.**

1.3.2. Para presentar un suceso como algo instantáneo o repentino, que se destaca en el transcurso del tiempo, sin querer especificar una fecha precisa del pasado o del futuro se usa con frecuencia:

un (buen) día
una vez

[37] ● **Un día comprendí que mi vida tenía que cambiar, que no podía seguir viviendo así...**

[38] ● **Estoy harto, pero ya verás... Un buen día cojo y me marcho sin decir nada.**

El uso de estos marcadores es característico de los relatos muy estructurados y de los cuentos y narraciones infantiles.

El uso de **un buen día** en lugar de **un día** o de **una vez** indica una mayor participación del hablante en lo que dice y que, a su vez, llama la atención del oyente. Además, se usa **una vez** o **un día** en un relato cuando no se quiere especificar la fecha. Son características, a este respecto, las fórmulas tradicionales para empezar los cuentos en español: **Había una vez... Érase una vez...**

1.3.3. Para referirse a un momento indeterminado del futuro con respecto al momento y acto de enunciación o con respecto a otro momento (generalmente del pasado) del que se está hablando, percibido como algo inminente, que puede llegar de manera repentina, se usa:

de un momento a otro **cualquier día** **cualquier/un día de estos**

[39] ● **Estoy tan harto de esta ciudad que cualquier día de estos me busco una casita en el campo...**

1.4. Para presentar un suceso como algo que sucede después de varios intentos frustrados o de una situación prolongada que impacientaba al hablante porque lo que se había previsto no llega a producirse, se usa:

de una vez **una vez por todas**

[40] ● **A ver si en esta agencia logramos venderla de una vez.**

[41] ● **Tengo que conseguir que, de una vez por todas, los médicos me digan lo que tengo.**

Lo que se presenta con estos dos marcadores viene a ser algo que remata una situación de incertidumbre, impaciencia y duda para el hablante.

Las expresiones **de una vez por todas** y **de una vez** se utilizan fundamentalmente en relación con sucesos que todavía no se han producido, en los anuncios de planes y proyectos, en las peticiones de ayuda, en las quejas, en el lenguaje de la persuasión al expresar impaciencia por algo que no logra terminarse, que no hace el oyente, etc. Por este motivo, el verbo va casi siempre en presente de indicativo, en futuro o en imperativo.

1.5. POSICIÓN DE LOS MARCADORES CON RESPECTO AL VERBO

Todos estos operadores pueden ir antes o después del verbo. Como siempre, el elemento más nuevo va después. Si ya se sabe, o está claro por el contexto, que ha sucedido una determinada cosa o si el enunciador decide darla por sabida o supuesta: pone el marcador después del verbo. El marcador, como información nueva, viene a situar en el tiempo lo expresado por el verbo y adquiere una posición de relieve. Por el contrario, si lo que quiere el enunciador es tan sólo informar sobre algo que sucedió en un determinado momento, trata estos marcadores como algo más contextualizado y los pone antes del verbo, dejándole a éste la posición de más relieve que tienen los elementos nuevos: se trata de informar sobre el marcador temporal.

➲ El orden de las palabras

2. LA FRECUENCIA

2.1. Para expresar la frecuencia se usan los siguientes marcadores (ordenados de mayor a menor frecuencia):

siempre **cada + día / semana / mes / año / verano / etc.** **todos/as + los/las + días / semanas / meses / años / etc.**
a menudo **frecuentemente** **con frecuencia**
de vez en cuando **de cuando en cuando** **a veces**
alguna vez **algún día** **alguna que otra vez**
raramente **apenas** **casi nunca**
nunca **jamás**

[42] ● **¿Vas mucho al cine?**
○ **De vez en cuando, cuando tengo tiempo.**

Con los operadores **casi nunca**, **nunca** y **jamás**, el verbo está en la forma afirmativa cuando van delante, y en forma negativa cuando van detrás:

[43a] ● **Nunca he visto nada por el estilo.**

[43b] ● **No he visto nunca nada por el estilo.**

➲ El orden de las palabras

2.2. A veces se usa la expresión **en mi/la vida** con un sentido idéntico al de **nunca**:

[44] ● **En la vida he dicho una cosa así.**

Igual que con **nunca**, **apenas**, **casi nunca** y **jamás** cuando esta expresión va antes del verbo, el verbo va en la forma afirmativa. Cuando la expresión va después, el verbo va en la forma negativa.

2.3. Además de estos marcadores de frecuencia, cuando nos estamos refiriendo a una situación específica habitual o a un momento determinado que se repite regularmente, usamos:

generalmente **por lo general**

[45] ● **¿Y cómo pasáis los fines de semana?**
❍ **Generalmente, vamos al campo.**

2.4. Para referirse a una frecuencia con intermitencias regulares se usa:

cada + ***número*** **+** ***unidad de tiempo***
número **+ vez/veces por +** ***unidad de tiempo***

[46] ● **¿Cada cuánto hay que regarla?**
❍ **Cada tres o cuatro días, pero no más.**

2.4.1. Para referirse a algo que el enunciador considera que ocurre con mucha frecuencia y con intermitencias más o menos regulares, se emplea:

cada dos por tres

[47] ● **Es muy frágil: cada dos por tres está enfermo.**

CON MÁS DETALLE

Siempre

En español, la palabra **siempre** se usa sólo con el sentido de ***todo el tiempo***.

Son raros sus usos con el sentido de ***todavía*** —es decir para expresar la continuidad.

➲ Expresar la continuidad

Tampoco suele usarse para referirse a una progresión de algo que se desarrolla en el tiempo y que va creciendo o disminuyendo. En estos casos, se usa **cada vez/día más**:

[48] ● **No entiendo por qué está cada día más gordo. Con lo delgado que era...**

➧ Contraste **nunca / alguna vez**

A diferencia de otras lenguas, para hacer preguntas sobre las experiencias previas del sujeto sólo se usa **nunca** cuando el hablante cree o piensa que su interlocutor no tiene la experiencia en cuestión:

[49] ● **¿No has estado nunca en China?**
○ **Sí, sí estuve el año pasado. ¿No te acuerdas de que te lo conté?**

A veces en estos casos, se trata de preguntas que expresan sorpresa por algo que acaba de decir otro y que no corresponde a nuestras previsiones.

Cuando la persona que habla no presupone nada sobre la respuesta, se usa **alguna vez / algún día**:

[50] ● **¿Has estado alguna vez en París?**

➧ **Tal vez**

A diferencia de otras lenguas, el español no usa nunca **tal vez** para referirse a la frecuencia.

Al igual que los marcadores presentados en 1, **siempre**, **nunca**, **alguna vez** y **tal vez** también pueden ir antes o después del verbo.

3. LA REPETICIÓN

Para expresar la repetición de lo que indica el verbo se emplea normalmente:

***verbo en una forma conjugada* + de nuevo / otra vez**
volver *en una forma conjugada* + a + *infinitivo*

[51] ● **¡Tiene una mala suerte increíble! La semana pasada lo atracaron y, a los dos o tres días, lo volvieron a atracar.**

➲ Perífrasis verbales: volver

3.1. El uso de **volver a +** ***infinitivo*** es característico, entre otros, de los relatos pasados en los que se habla de la repetición o de la no repetición de algo esperado o previsto:

[52a] ● **¿Y después de ese día?**
○ **No sé, no lo he vuelto a ver desde entonces.**

A veces en estos casos se combina el uso de **volver a + *infinitivo*** con el de la expresión **ya no + *verbo***, usada para hablar de la situación posterior a la interrupción de algo[4]:

[52b] ● **¿Y después de ese día?**
❍ **No sé, ya no lo he vuelto a ver desde entonces.**

3.2. Para subrayar la repetición persistente de algo, que se hace más de una vez, se usa a veces **una y otra vez** o **varias veces**. Con **una y otra vez** se insiste más en la persistencia:

[54] ● **Lo leyó una y otra vez, hasta que se lo supo de memoria.**

CON MÁS DETALLE

La repetición se expresa también mediante el prefijo **re-** unido al verbo:

rehacer	**hacer de nuevo**
reescribir	**escribir de nuevo**
replantear	**plantear de nuevo**
releer	**leer de nuevo**
retomar	**tomar de nuevo**
reempezar	**empezar de nuevo**
...	...

[55] ● **¿Lo has acabado ya?**
❍ **Sí, pero no me ha quedado muy bien, lo quiero reescribir.**

Sin embargo, es importante tomar conciencia de que, al contrario de lo que sucede en otros idiomas (italiano, francés...) en los que dicho prefijo es altamente productivo y se puede unir a cualquier verbo, el prefijo **re-** en español es muy poco productivo y tiene un uso limitadísimo[5].

3.3. Para señalar que lo que dice es una repetición de algo que acaba de decir, el enunciador dispone, en español, de varios recursos.

➲ Sobre los actos de habla y la enunciación: repetir lo dicho

---

4 A diferencia de lo que ocurre en otros idiomas, el español no suele usar ni el operador **todavía** ni el operador **siempre** para hablar de la repetición de un acto o de una situación, y prefiere siempre **volver a + *infinitivo*** y **de nuevo / otra vez:**

[53a] Francés:
● **Allô!**
❍ **Salut, c'est encore Pierre. J'ai oublié de te dire que...**

[53b] Italiano:
● **Pronto?**
❍ **Ciao, sono sempre Pietro. Mi sono dimenticato di dirti che...**

[53c] Español:
● **¡Diga!**
❍ **Hola, soy Pedro otra vez. Me he olvidado de decirte que...**

5 Convendrá, pues, al estudiante extranjero cerciorarse siempre de si existe o no la palabra y si se emplea normalmente, antes de lanzarse en usos de palabras nuevas, forjadas con el prefijo **re-**. Ante la duda, será oportuno recurrir a las otras maneras de expresar la repetición presentadas arriba.

4. INTERRUPCIÓN DE LO EXPRESADO POR EL VERBO

Para expresar la interrupción de lo expresado por un verbo se emplea:

dejar de + *infinitivo*
ya no + *verbo conjugado*

Con **dejar** (conjugado) **de** + ***infinitivo***, el enunciador se refiere al momento mismo en el que se produce dicha interrupción:

[56] ● **¿Te has enterado de que Miguel ha dejado de estudiar y se ha puesto a trabajar como camarero?**

➲ Perífrasis verbales: **dejar**

Al contrario, con **ya no** + ***verbo conjugado***, hace más hincapié en la situación posterior que surge a partir de dicha interrupción:

[57] ● **Dale muchos recuerdos a Susana.**
❍ **Es que ya no trabaja conmigo.**

Existen, además, usos de **dejarse de** + ***sustantivo***, y —más en América— de **dejarse de** + ***infinitivo***. Estos empleos suelen tener matices bastante coloquiales:

[58] ● **Venga, déjate de tonterías y ayúdame de una vez.**

Estos usos están semánticamente muy próximos de **dejar de** + ***infinitivo***.

➲ Perífrasis verbales

4.1. Es importante tomar conciencia de que en español —salvo en algunos países de Hispanoamérica y siempre en empleo más restringido— no se usa la expresión:

no + *verbo conjugado* + **más**

para describir la situación posterior a la interrupción de algo, al contrario de lo que sucede con su equivalente literal en otros idiomas como el italiano (**non** + ***verbo*** + **più**), el francés (**ne... plus**), el alemán (**nicht mehr**), etc.[6]

6

[59a] Italiano:
● **Non abito più qui.**

[59b] Francés:
● **Je n'habite plus ici.**

[59c] Alemán:
● **Ich wohne nicht mehr hier.**

[59d] Español:
● **Ya no vivo aquí.**

En español peninsular se emplea **no + *verbo* + más** exclusivamente en relación con una *cantidad* de algo, para señalar que dicha cantidad no sigue (o no puede seguir) aumentando. Esta construcción va con frecuencia introducida por **ya**:

[59] ● **Venga, sírvete un poco más.**
❍ **No, gracias... ya no puedo más.**
● **Yo tampoco voy a comer más.**[7]

5. CONTINUIDAD DE LO EXPRESADO POR EL VERBO

Para expresar la continuidad de lo expresado por un verbo, se emplea:

seguir / continuar + *gerundio*

[63] ● **¿Sigues estudiando alemán?**
❍ **No, lo he dejado. No tenía tiempo.**

En español, al contrario de lo que sucede en otros idiomas, los verbos **seguir** y **continuar** siempre van seguidos del gerundio del verbo —nunca del infinitivo, ya sea con o sin preposición.

➲ Perífrasis verbales: **seguir / continuar**
➲ Marcadores temporales: **todavía / aún / antes**

6. REMITIR AL PORVENIR

6.1. Para aplazar algo de manera indeterminada, o remitir al porvenir de manera bastante inconcreta se emplea:

ya + *futuro*

[64] ● **No te preocupes, mujer. Ya verás cómo todo se soluciona.**

[65] ● **Bueno, a ver si nos vemos...**
❍ **Ya quedaremos.**

---

7 En el fondo, en todos los usos de **no + *verbo* + más** se trata simplemente de la negación de un empleo de **más** para referirse a una *cantidad ulterior* de algo. Es significativa, a este respecto, la diferencia que hay entre [60a] y [60b]:

[60a] ● **Yo no estudio más. Me parece que ya hemos hecho bastante.**

[60b] ● **Ya no estudio. (Ahora trabajo en una fábrica).**

En [60a], el hablante niega que haya o pueda haber una cantidad ulterior -pero no se refiere a la interrupción de *estudiar*. En [60b], al contrario, remite tan sólo a la interrupción de la relación **yo - *estudiar***.

Es corriente el uso de esta expresión con imperativos empleados para dar órdenes (familiar), consejos, etc.:

[61] ● **Hazme caso. No bebas más, que si no mañana estarás fatal todo el día.**

[62] ● **Vale, te he entendido, pero por favor no me lo repitas más.**

Esta estructura es frecuente en respuestas a algo dicho por otro. Generalmente, se usa después de la expresión de algún problema que hay que resolver, de alguna preocupación, etc.; o cuando se acaba de sugerir algo sobre lo que el enunciador no quiere o no puede tomar ninguna decisión inmediata o que no le apetece plantearse en la situación en la que se encuentra.

El uso de esta estructura es muy frecuente en enunciados con los que se quiere tranquilizar al otro.

6.2. Para remitir de manera indeterminada a un porvenir más inmediato se emplea:

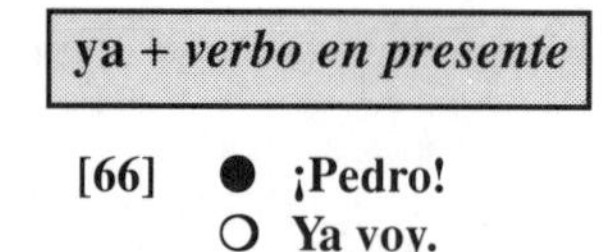

[66] ● **¡Pedro!**
○ **Ya voy.**

Es frecuente el uso de esta estructura seguida de un pronombre sujeto o de un nombre con función de sujeto en respuesta a una intención de hacer algo formulada por otro, para quitarle la preocupación atribuyendo el predicado —y la acción para ejecutar— al sujeto mencionado. También es frecuente su uso cuando otro acaba de plantear la necesidad de hacer alguna cosa. En tal caso, también se trata de una manera de *asignar la tarea al sujeto* mencionado inmediatamente después de **ya + *presente***[8]:

[68] ● **Hay que avisar a Andrés.**
○ **No te preocupes, ya le avisamos nosotros.**

[69] ● **Deja eso... Ya lo arregla Ana.**

Como esta estructura es esencialmente una manera de *quitar una tarea o una preocupación* al otro, se usa con menos frecuencia cuando hay una razón / explicación para lo dicho:

[70a] ● **Si me dices cómo se hace, instalo el programa en el ordenador.**
○ **Espera, lo hace Jorge... Es un poco complicado**[9].

Tampoco se suele usar esta estructura cuando se anuncia la intención de hacer una cosa de manera inmediata, o cuando se asignan tareas y no se trata de tranquilizar al interlocutor.

---

8 A veces, el sujeto introducido puede ser el mismo destinatario del mensaje:

[67] ● **¿Quitamos la mesa?**
○ **Ya la quitas tú luego, que me tengo que marchar. Ahora sentémonos diez minutos a**

Es significativa en estos casos la posición del sujeto: sigue al verbo porque es el elemento remático (nuevo). El predicado verbal ya está en el contexto, por lo que antecede.

9 Nótese la ausencia del **ya** en este ejemplo. A veces también se puede usar **ya + *(pronombre) sujeto*** seguido de una explicación; pero se trata de contextos en los que interesa más *tranquilizar al otro* que darle una explicación en sí:

[70b] ● **Si me dices cómo se hace, instalo el programa en el ordenador.**
○ **Espera, ya lo hace Jorge. Es un poco complicado.**

[71] ● **Hay que limpiar el baño.**
❍ **Eso lo haces tú, que yo he preparado la cena.**

7. LOS DÍAS DE LA SEMANA

7.1. Los nombres de los días de la semana

lunes, martes, miércoles, jueves, viernes, sábado, domingo

son masculinos. Las palabras que se refieren a ellos van, pues, en las formas masculinas.

7.2. Para preguntar por el día de la semana se utiliza:

¿Qué día es hoy / mañana / etc.? **¿Qué día era ayer / anteayer / etc.?** **¿En qué cae / caerá / cayó + *fecha*?**[10]

En las respuestas, los días se nombran sin artículo:

[73] ● **¿En qué cae el 25?**
❍ **En jueves.**

[74] ● **¿Qué es mañana?**
❍ **Sábado.**

7.3. Los días de la semana y los artículos

Con artículo: el *día* que acaba de pasar, o el que viene (el contexto, el tiempo verbal, etc. permiten entenderlo):

[75] ● **El sábado fuimos a la playa.**

No se usa, normalmente **el + *nombre de un día de la semana*** para referirse a *todos* los días que llevan ese nombre, a no ser que se entienda muy claramente por el contexto que se trata de un *uso general del nombre* del día en cuestión:

[76] ● **Para mí, el domingo es un día aburridísimo.**

Para que esto sea posible, tiene que haber en el contexto algún *elemento universalizador* (**siempre**, **nunca**, **generalmente**, etc.) o tratarse de una *definición* o de algo próximo a una definición, como en el ejemplo anterior.

---

10 En los registros informales o familiares, se usa a veces, en lugar de **¿qué día es...?**

[72] ● **¿Qué es hoy?**
❍ **Martes.**

Para referirse con el nombre de un día de la semana a todos los días que llevan ese nombre se emplea:

los **todos** **cada**	+	***nombre del día***

➲ El artículo

[77] ● **Todos los martes come pescado; y los domingos, fruta.**

Para situar un suceso en relación con un día de la semana no se usa ninguna preposición. Basta con seguir las reglas de uso del artículo.

8. LOS MESES DEL AÑO

8.1. Los nombres de los meses del año

enero, febrero, marzo, abril, mayo, junio, julio, agosto, septiembre (setiembre), octubre, noviembre, diciembre

son masculinos.

8.2. Los meses del año y el artículo

Normalmente, los meses del año se emplean siempre sin artículo.

[78] ● **Y en mayo de 1968, cuando empezó la protesta estudiantil, yo ya no estaba en París.**

8.3. Los meses del año y las preposiciones

Para situar un acontecimiento en un mes, se emplea la preposición **en**:

[79] ● **Aquí, en septiembre ya empieza a refrescar por las noches.**

En las fechas, los nombres de los meses van introducidos por la preposición **de**:

[80] ● **Nació el 14 de julio de 1988.**

➲ Fechas

9. LAS ESTACIONES

9.1. Los nombres de las estaciones del año son:

primavera, verano (uso literario: **estío**), **otoño, invierno**

Sólo **la primavera** es femenino.

9.2. Las estaciones y las preposiciones

Para situar un suceso en una de las estaciones del año, se emplea la preposición **en** seguida del nombre de la estación sin artículo:

[81] ● **En primavera, me voy a pasar todos los fines de semana al campo.**

9.3. Las estaciones y el artículo

Los nombres de las estaciones suelen ir introducidos por el artículo —contrariamente a lo que sucede en muchos idiomas, en los que los nombres de las estaciones no se emplean nunca con artículo:

[82a] Inglés:
● **Spring is the season I prefer.**

[82b] Español:
● **La primavera es la estación que prefiero.**

10. LAS FECHAS

10.1. Las fechas se expresan de manera absoluta de la siguiente manera:

(día de la semana +) número cardinal + **de** + *mes* + **de** + *año*

[83] ● **Hoy es domingo 24 de abril de 1989.**

La forma abreviada de la fecha —utilizada en la lengua escrita; por ejemplo: en cartas formales / comerciales, en los documentos legales, etc.— es idéntica, pero no se expresa el día de la semana. En estos contextos, la fecha suele ir introducida por la preposición **a**:

[84] **En Madrid, a 24 de enero de 1993.**

10.2. Para situar un acontecimiento en el tiempo dando sus coordenadas temporales, cuando se utiliza una fecha como referencia temporal, ésta va introducida por el artículo **el**:

[85] ● **Se casó el 9 de abril.**

Para expresar la fecha del día —es decir: para *identificar* un día diciendo a qué fecha corresponde—, no se emplea artículo, a no ser que ya se haya mencionado la fecha en cuestión:

[86] ● **Hoy es martes 25 de junio de 1992.**

Sin embargo, para identificar una fecha ya mencionada anteriormente en el contexto, sí se usa el artículo:

[87] ● **Pero ¿no tenías hoy un examen?**
❍ **¡Qué va! El examen es el 15 de junio.**
● **Sí..., ¡pero el 15 de junio es hoy!**

A veces, para referirse a una fecha cuando está claro en el contexto de qué mes se trata, se usa:

el (+ *nombre del día*) (+ día) + *número cardinal correspondiente*

[88] ● **¿Cuándo te vas?**
❍ **El cinco.**

[89] ● **¿Y cuándo me has dicho que se casaron?**
❍ **El domingo, día 25.**

La omisión de la palabra **día** es frecuente en los registros informales.

➲ Los numerales

10.3. Es importante notar que en las fechas en español se usan números cardinales —y no ordinales, excepto **primero,** que alterna con **uno**:

[90] ● **Nació el primero / 1 (uno) de enero.**

10.4. Para preguntar por la fecha —y para contestar— se usa la expresión con el verbo **estar**:

● **¿A qué / cuántos estamos hoy?**
❍ **A 27 de agosto / A lunes 27 de agosto**

➲ El artículo

10.5. Para situar un suceso en relación con una fecha de manera aproximada se usa:

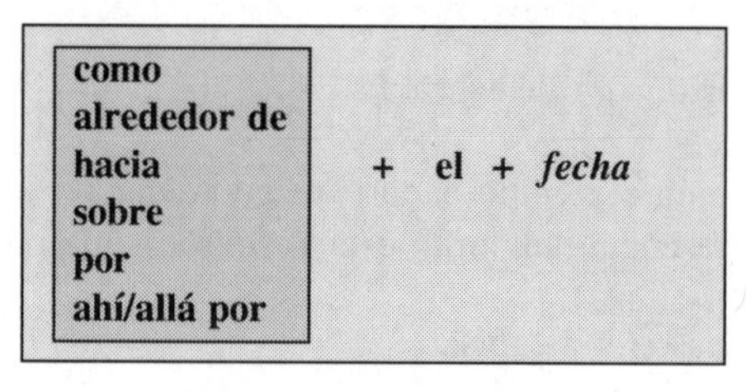

[91] ● **Yo creo que estará terminado alrededor del quince de julio.**

El uso de **como** es característico sobre todo del español americano y, en el español peninsular, del lenguaje juvenil.

10.6. EL ARTÍCULO Y LOS AÑOS

Para referirse a un año no se emplea ningún artículo:

[92] ● **En 1960 estaba viviendo en Portugal.**

Sin embargo, cuando se utiliza una forma abreviada, tiene que ir introducida por el artículo:

[93] ● **Vive aquí desde el 45.**

[94] ● **Se casaron en el 78.**

Para situar un suceso o acontecimiento en relación con un año, se utiliza la preposición **en** (ejemplos [92] y [93]).

10.7. LOS SIGLOS

Los siglos se expresan en español con números cardinales —y no con números ordinales, como en otros idiomas (inglés, francés, italiano, alemán, etc.). En la escritura se usan siempre números romanos[11]:

[95] **El siglo XVII** (*oralmente*: **diecisiete**)

11. LA HORA

11.1. PREGUNTAR Y DECIR LA HORA

Para expresar la hora se emplea:

ser + la/las + *hora*

Para preguntar la hora se emplea:

¿Qué hora es? **¿Tiene(s) hora?**

[96] ● **¿Qué hora es?**
❍ **(Es) la una y media.**

Al decir la hora, se usa a veces la expresión **en punto** para indicar que se trata exactamente de la hora indicada —y no de una hora aproximada:

Es la una en punto.
Son las cinco y cuarto en punto.

Los minutos de 1 a 29 deben ir introducidos por **y**, pero también se encuentran limitados usos sin **y**:

---

11 En las fechas de textos históricos y al referirse a siglos, se encuentran con frecuencia las abreviaturas **A.C.**(= antes de Cristo) y **D.C.** (=después de Cristo).

Las tres (y) cinco (minutos)
Las nueve (y) veinticinco

Cuarto y **media** van necesariamente introducidos por **y**:

Las cinco y cuarto
Las diez y media

Para los minutos que van de 31 a 59 se calcula cuántos minutos faltan para la hora siguiente y se expresa:

(es/son +) la/las + *hora siguiente* + menos + *cardinal* (+ minutos)

En América también se dice:

falta(n) + *cardinal* + (minutos) para la(s) + *hora siguiente*

Es la una menos cuarto
Falta un cuarto para la una

Son las nueve menos diez (minutos)
Faltan/son diez (minutos) para las nueve

En la segunda construcción, **faltar** y **ser** concuerdan con los minutos (**cinco, diez, cuarto...**) y no con la hora.

En la lengua hablada corrientemente, el día se divide en dos períodos de doce horas y se habla, por lo tanto, de:

las dos de la madrugada (de la mañana) / de la tarde
las seis de la mañana / de la tarde
las nueve de la mañana / de la noche
las doce del mediodía / de la noche...

Existe en la lengua hablada cierta tendencia a evitar el empleo de los términos **mediodía** y **medianoche** —y a sustituirlos por **las doce (del mediodía)** y **las doce de la noche**.

El término **mediodía** se usa más a menudo para referirse a un período de tiempo que va aproximadamente de las 12 del mediodía hasta la hora de almorzar.

En el lenguaje formal escrito y en el registro burocrático, se considera el día como un solo periodo de 24 horas y se habla, por lo tanto, de:

Las 16 (dieciséis) horas
Las 19 (diecinueve) horas
Las 23 (veintitrés) horas...

En estos registros, los minutos no suelen ir introducidos por **y**, y se considera la hora como un único periodo de 60 minutos:

[97] ● **¿Y a qué hora sale el Talgo a Ginebra?**
○ **A las diecisiete cuarenta.**

Oralmente, estos usos se dan casi exclusivamente en relación con medios de comunicación o de transporte. En estos registros, además, se evita el empleo de las palabras **cuarto** y **media**, que se sustituyen por **quince** y **treinta** respectivamente. El empleo de **quince** y **treinta** en lugar de **cuarto** y **media** confiere siempre a la expresión un tono más formal:

[98] ● **Señoras y señores, bienvenidos a Madrid. Son las dieciocho treinta hora local, y la temperatura es de 22°C.**

11.2. SITUAR UN SUCESO CON RESPECTO A UNA HORA

- Para preguntar por la hora en que se produce algo se utiliza:

¿a qué hora (+ *verbo*)?

[99] ● **Bueno, ¿a qué hora nos vemos?**
○ **¿Por qué no quedamos a las cuatro en la cafetería? La conferencia es a las cuatro y media. Así nos podemos ir antes a tomar un café.**

- Para situar un acto o acontecimiento en relación con una hora se utiliza la preposición **a**:

[100] ● **¿A qué hora nos vemos?**
○ **A las cuatro y media en punto.**

- Como siempre, cuando ya sabemos de qué suceso se trata no se repite el verbo:

[101] ● **Oye, acuérdate de que mañana tenemos una reunión.**
○ **¿A qué hora?**
● **A las tres y media.**

11.3. Para situar de manera aproximada en relación con una hora se emplea coloquialmente:

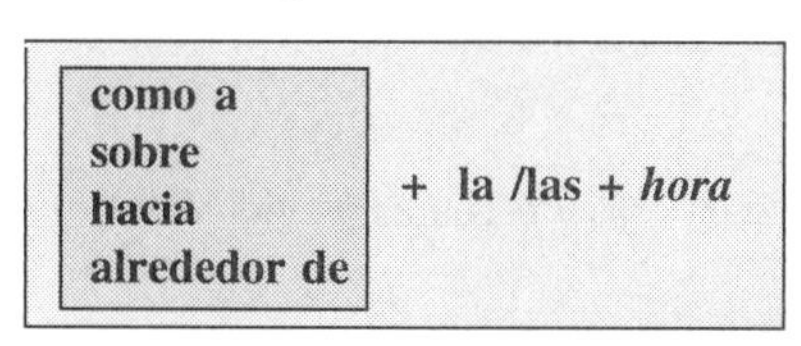

[102] ● **¿A qué hora piensas acabar?**
○ **Pues... como a las siete y media, ocho.**
● **Vale... Entonces te llamo sobre las ocho.**

En los registros formales es menos frecuente que se sitúe algo con respecto a una hora de manera aproximada; pero, cuando sucede, se prefieren **hacia** y **alrededor de**.

En los registros informales o familiares, se emplea la expresión **las tantas** en **a / hacia / hasta las tantas**, etc., para referirse a una hora *muy tardía* de la noche (madrugada):

[103] ● **Si no te hubieras acostado a las tantas, no estarías de tan mal humor.**

12. LOS MOMENTOS DEL DÍA

En español, el día se subdivide en tres grandes momentos:

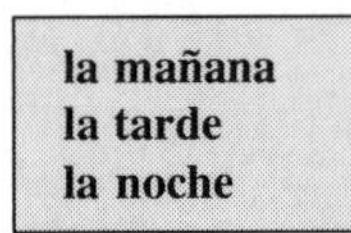
la mañana
la tarde
la noche

12.1. Para situar un suceso o acontecimiento en relación con uno de estos momentos, se utiliza la preposición **por**:

[104] ● **¿Cuándo nos vemos?**
❍ **Mañana por la tarde, ¿te va bien?**

También se emplea **a/al mediodía** para referirse a un momento del día comprendido entre las 12 y la hora de almorzar. En ocasiones, se confunde con la misma hora del almuerzo.

12.2. Para situar un suceso o acontecimiento en ***el día*** en oposición a ***la noche***, y viceversa, usa la preposición **de**:

[105] ● **¿Tenemos que llevar mucha ropa?**
❍ **Pues, no sé... De día, todavía hace mucho calor. Sin embargo de noche, refresca bastante.**

CON MÁS DETALLE

Además, para referirse *al final de la tarde*, poco antes de la noche, se usa **el atardecer**. Para referirse al momento en el que *está empezando la noche*, se usa **el anochecer**.

Para referirse a la segunda mitad de la noche, poco antes de la mañana, se usa **la madrugada**. Para referirse al momento en el que empieza la mañana, se usa **el amanecer**, que es posterior a **la madrugada**.

Para situar un suceso o acontecimiento en relación con estos momentos más puntuales, se usa:

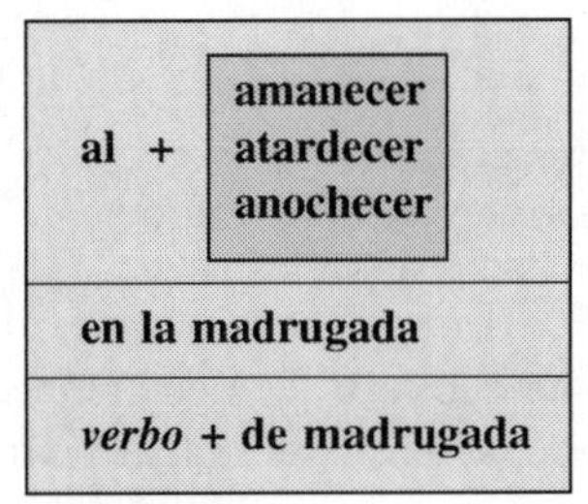
al + **amanecer** / **atardecer** / **anochecer**

en la madrugada

verbo **+ de madrugada**

Se observa, por otra parte, cierta tendencia a emplear **de la mañana** en lugar de **de la madrugada**, especialmente al especificar una hora. Se prefiere **madrugada** sólo para marcar de modo impreciso que algo ha sucedido *muy avanzada la noche*.

13. LA EDAD

13.1. Para expresar la edad, el español emplea el verbo **tener** —al contrario de idiomas como el inglés o el alemán, que emplean el equivalente del verbo **ser** en español:

[106] ● **¿Qué edad tiene?**
❍ **Treinta y cuatro años.**

➲ Los números

13.2. Para situar un acontecimiento en relación con la edad de algo o de alguien, se emplea:

cuando + tener ***en imperfecto + edad***[12]
al / a los + ***edad***

[107] ● **A los nueve meses, ya andaba; a los diez, ya sabía decir varias palabras.**

14. RECONSTITUIR UNA FECHA

Cuando el enunciador quiere referirse a una fecha y no la tiene —porque no la recuerda o no la sabe con exactitud— pero posee una idea del tiempo que ha pasado, puede reconstituirla dando un salto atrás en el tiempo mediante el operador:

hace + ***cantidad de tiempo***

[108] ● **Me casé hace cinco años.**

Naturalmente, en estos casos el enunciador podría hacer cuentas y llegar a reconstituir la fecha de manera más o menos precisa; pero no le interesa tanto la fecha de manera absoluta, y por lo tanto no hace el esfuerzo de calcularla.

Hace + ***cantidad de tiempo*** permite *dar un salto atrás y reconstituir* una fecha en el pasado sólo a partir del momento de la enunciación. Para dar un salto atrás en el pasado con

---

12 Es importante notar que, para situar un suceso en relación con la edad de algo o de alguien, entre la preposición **a** y la edad propiamente dicha se pone el artículo, al contrario de lo que ocurre en muchos otros idiomas (inglés, francés, italiano, etc.).

La expresión **al / a los +** ***cantidad de tiempo,*** además de remitir a la edad de algo o de alguien, puede significar simplemente **después de +** ***cantidad de tiempo.***

respecto a otro momento del pasado se emplea el imperfecto **hacía** + ***cantidad de tiempo***, o ***cantidad de tiempo*** + **antes**[13]:

[109] ● **¿Y cuando lo vio esa vez, ya lo conocía?**
❍ **Lo había visto otra vez, hacía dos años.**

15. TOMAR UN PUNTO DE REFERENCIA EN EL PASADO

15.1. Para informar sobre el *punto de partida (principio)* de algo o para tomar en el pasado un punto de referencia a partir del cual se produce un determinado suceso o una determinada situación, y hablar así de lo que sucede después, se emplea:

desde + ***fecha (real o reconstituida)***

[110] ● **Vivo aquí desde 1945.**

[111] ● **No la veo desde hace dos años.**

CON MÁS DETALLE

En un ejemplo como [111], el enunciador efectúa una doble operación:

a) da un salto atrás en el tiempo para reconstituir una fecha: **hace dos años**;
b) inmediatamente después, toma dicha *fecha reconstituida* como punto de referencia para hablar de la situación que surge después: **no la veo**, y especificar, mediante esta compleja operación, dónde empieza dicha situación.

Es importante notar que **desde** va siempre seguido por una fecha, ya sea ésta real o reconstituida mediante el operador **hace** + ***cantidad de tiempo***. **Desde** no va nunca seguido directamente por una expresión de *cantidad de tiempo*.

En la construcción **desde** + ***fecha real o reconstituida*** pueden funcionar como fecha todos los elementos que se refieren a un momento que puede constituir un *punto de referencia* en sí: es posible emplear **desde**, pues, seguido de expresiones como **la guerra**, **las elecciones**, **la llegada al poder de...**, **la caída del gobierno**, **el nacimiento de...**, **su nacimiento**, **su boda**, **la fiesta**, etc. o cualquier palabra o expresión que se refiere a un acto o acontecimiento:

[112] ● **Desde la boda, no lo he vuelto a ver.**

15.2. A veces se toma como punto de referencia un *suceso* expresado por un *verbo en una forma conjugada*. En este caso la construcción es:

desde que + ***verbo conjugado***

13 La expresión **hace tiempo** significa en español lo mismo que **hace mucho tiempo.** Para expresar lo que en un idioma como el italiano se expresa mediante el operador **tempo fa,** el español utilizará **hace algún tiempo** o **hace un tiempo:** con estas expresiones, se da un salto atrás en el tiempo y se reconstituye una fecha sin precisar demasiado claramente cuánto tiempo ha pasado -aunque declarando que no ha pasado mucho.

[113] ● **Desde que nació el niño, no hemos vuelto a salir por la noche.**

[114] ● **Es impresionante lo que ha engordado desde que se casó.**

➧ En el caso de que se tome lo expresado por un verbo en una forma conjugada como punto de referencia, es importante notar que el verbo va introducido por **que** —y no por **cuando**. El uso de **desde cuándo +** ***verbo*** queda reservado exclusivamente para las oraciones interrogativas, directas o indirectas:

[115] ● **¿Desde cuándo vives aquí?**
○ **Desde que me casé hace tres años.**

➲ 17. Hablar del límite final de algo
➲ 18. Contraste **desde - hasta /de - a**

16. CONTAR EL TIEMPO QUE HA TRANSCURRIDO DESDE UN SUCESO

Para contar el tiempo que ha pasado desde un suceso se emplea:

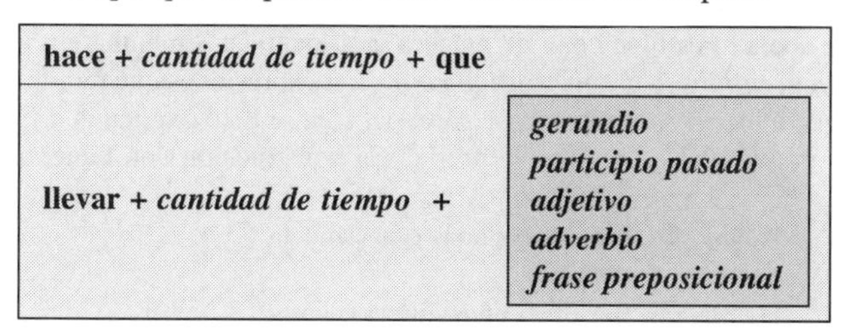

hace + ***cantidad de tiempo*** **+ que**	
llevar + ***cantidad de tiempo*** **+**	***gerundio*** ***participio pasado*** ***adjetivo*** ***adverbio*** ***frase preposicional***

➲ Las perífrasis verbales: **llevar**

[116] ● **¿Y qué tal le van las cosas a Gloria?**
○ **No sé. Hace más de seis meses que no la veo.**

Es importante recordar que, en este caso también, como en todos los demás, los elementos que ya han aparecido en el contexto no se suelen repetir:

[117] ● **¿Hace mucho que la conoces?**
○ **(Hace) cuatro años, creo.**

Para contar el tiempo *con respecto al presente* (tiempo que ha pasado hasta el momento de la enunciación), se emplean **hace** y **llevar** *en presente.*

Para contar el tiempo que ha pasado *hasta un momento del pasado* (en relación con él), se emplean **hacía** y **llevar** *en imperfecto*:

[118] ● **¿Estás mejor?**
○ **Sí, mucho mejor... Es que llevaba dos días sin dormir.**

Sintácticamente, **hace/hacía** se emplea siempre *en tercera persona*: se trata de un impersonal que se refiere a la situación —por lo tanto, no concuerda con ningún sujeto. **Llevar**, por el contrario, concuerda con el sujeto al que se refiere el verbo o la expresión con la que se emplea.

CON MÁS DETALLE

- La única diferencia entre **hace** + ***cantidad de tiempo*** empleado para reconstituir una fecha y **hace** + ***cantidad de tiempo*** + **que** + ***verbo*** está en la presencia del operador **que**, cuya función es proyectar lo expresado por el verbo en el universo de lo que ya está contextualizado (temático), y poner dicha tematización en una relación muy estrecha con **hace** + ***cantidad de tiempo***, impidiéndole así funcionar autónomamente para reconstituir una fecha. Esto lleva a interpretarlo necesariamente como algo dicho en relación con el elemento ya tematizado: se está *contando el tiempo* de existencia de dicho elemento. Al contrario, **hace** + ***cantidad de tiempo*** —sin **que**— para reconstituir una fecha funciona con un elemento de información nueva inmediatamente después (elemento remático) —**Hace dos años, me caí**—, o con un elemento tematizado tan sólo de manera bastante débil, mediante el orden de las palabras —**Me caí hace dos años**—: ha aparecido antes, y la fecha viene a ser un elemento remático con respecto a él, elemento que viene a situarlo en el tiempo.

- Contraste **hace** + ***cantidad de tiempo*** + **que / llevar** + ***cantidad de tiempo***
Estos dos operadores funcionan de manera casi idéntica. Sin embargo, la construcción **llevar** + ***verbo en gerundio*** se usa más difícilmente con expresiones que remiten más a una *situación estática* que a un *proceso activo* por parte del sujeto. Esto explica la dificultad que se plantea en usos como [119a], a los que se prefiere la construcción con **hace**, como en [119b]:

[119a] ● ***Llevo tres años conociéndolo.**[14]

[119b] ● **Hace tres años que lo conozco.**

El mismo tipo de problemas se plantea con verbos que tienen un funcionamiento parecido, como **saber**.

17. PARA HABLAR DEL LÍMITE FINAL DE UNA ACCIÓN

17.1. Para referirse al límite último de duración de una acción se emplea:

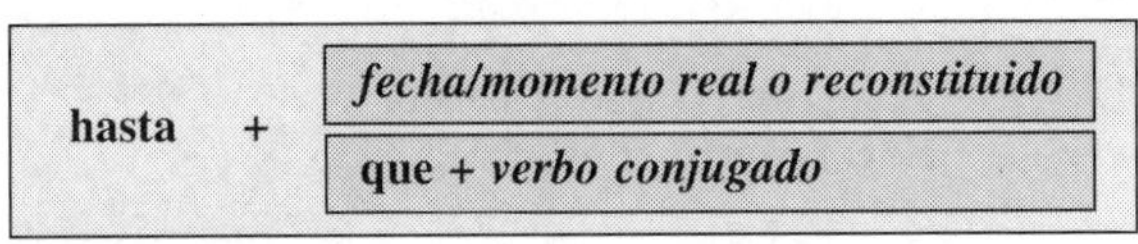

[120] ● **¿Hasta cuándo te quedas?**
❍ **Hasta el martes por la noche.**

Hasta constituye un límite final de lo expresado con el verbo y representa un punto de

14 Aunque es bastante improbable, [119a] no es totalmente imposible. Sin embargo, ante un enunciado como éste se tiende a pensar más en una *repetición de episodios* en los que el enunciador "*conoce por primera vez*" a la persona de la que está hablando, como en una sucesión de etapas activas de descubrimiento del otro -y no tanto en una situación ya establecida, como en [119b]. En estos casos, el uso de **llevar** + ***verbo en gerundio*** implica, por lo tanto, una interpretación distinta de **conocer**.

contacto entre dos situaciones distintas: es un límite entre un *antes* y un *después*, marcado por algún suceso tomado como punto de referencia, o por la fecha o por el momento mismo.

17.2. Para poner un límite a la duración de algo en el futuro con respecto al momento en el que se produce la comunicación o del que se está hablando, el verbo que sigue a **hasta que** tiene que estar

- en presente de subjuntivo si se trata de poner un límite en el futuro con respecto al momento de la enunciación;
- en imperfecto de subjuntivo, si se trata de poner un límite en el futuro con respecto a un momento pasado, o que depende de una situación hipotética:

[121] ● **¿Te vas a acostar pronto hoy?**
❍ **No sé... pero te espero hasta que vuelvas.**

[122] ● **...y me dijeron que esperara hasta que llegara el médico, que llegó media hora después.**

➲ El subjuntivo

CON MÁS DETALLE

Es importante notar que si el límite escogido es lo expresado por un *verbo conjugado,* dicho verbo va introducido por **hasta que** —y no por **hasta cuando**. El uso de **hasta cuándo** queda reservado exclusivamente a las oraciones interrogativas, directas e indirectas.

➲ Tomar un punto de referencia en el pasado

Sólo en algunas zonas de Hispanoamérica se encuentran usos de **hasta / desde + cuando** en lugar de **hasta / desde + que** para tomar un suceso o acontecimiento como punto de referencia.

18. Con frecuencia se usa **desde... hasta...** en correlación para hablar del principio y del final de algo. Generalmente, esta estructura correlativa se encuentra en contextos en los que se quiere dar una indicación sobre la duración de una actividad —por ejemplo, en respuestas a preguntas sobre la duración o al informar sobre actividades poniendo mucho énfasis en la duración:

[123] ● **¿Y qué has hecho?**
❍ **He trabajado desde las 8 de esta mañana hasta ahora mismo.**

A veces, en contextos muy parecidos se usa **de... a...** en lugar de **desde... hasta...**:

[124] ● **¿Y tú qué has hecho?**
❍ **Pues mira, de nueve a una, he trabajado; luego, de dos a tres y media, he estado comiendo con un amigo. Luego, por la tarde, he trabajado de nuevo, de cuatro a siete. O sea que ya ves, nada especial.**

A diferencia de lo que ocurre con **desde... hasta...**, con **de... a...** las horas, las fechas, etc., van sin artículo. Esto se debe a que no se trata de verdaderas *fechas* consideradas *desde el interior de la cronología*, sino de puntos de referencia más abstractos; estas dos estructuras, aun siendo muy parecidas, implican intenciones comunicativas ligeramente distintas:

- Con **de... a...** se dan informaciones generales sobre las actividades, sin hacer demasiado hincapié en el principio y en el final. **De... a...** no se usa tanto para hablar de la duración, como para hablar de distintos momentos e informar luego *sobre actividades*. Al usar **de... a...**, el enunciador se sitúa fuera del tiempo cronológico, como un observador externo que lo dominara todo a la vez.

- Con **desde... hasta...**, por el contrario, se insiste más en el *principio* y el *final*, poniendo así de relieve el *tiempo que transcurre entre los dos*, es decir la duración.

Desde/hasta y **de/a** también tienen usos espaciales muy parecidos a sus usos temporales.

➲ El espacio

19. EXPRESAR EL PLAZO ÚLTIMO PARA QUE SE PRODUZCA UN SUCESO O UN ACONTECIMIENTO

Para expresar el plazo último para que se produzca algo se emplea:

para + ***fecha real o reconstituida***
antes de + ***fecha***
de aquí a + ***fecha o momento real***[15]

[125] ● Lo necesito para el lunes.

20. RECONSTITUIR UNA FECHA EN EL FUTURO

20.1. Para reconstituir una fecha en el futuro, dando un salto en el tiempo, se utiliza

dentro de + ***cantidad de tiempo***

15 Con esta intención comunicativa, no funciona el operador **dentro + de +** ***cantidad de tiempo.*** El uso de este operador queda reservado a la reconstitución de fechas o momentos en el futuro con respecto al momento de la enunciación.

Tampoco funciona el operador **entre** para introducir el plazo último para la realización de algo. Como en todos sus empleos, en sus usos temporales **entre** requiere dos puntos de referencia entre los que se encuentra el elemento aludido.

[126a] ● **¿Y cuándo vuelves?**
○ **Dentro de quince días.**

➲ El discurso referido
➲ Las perspectivas de futuro

20.2. Se encuentran también usos de **en** + ***cantidad de tiempo*** para remitir al porvenir de manera bastante próxima a la reconstitución de una fecha mediante el operador **dentro de**. Estos empleos son frecuentes en América.

En + ***cantidad de tiempo*** puede funcionar tanto con respecto al momento de la enunciación, como con respecto a otros momentos, del pasado o del futuro. A veces se encuentra también la variante **en** + ***cantidad de tiempo*** + **más** , que funciona sobre todo en relación con el momento de la enunciación.

[126b] ● **¿Y cuándo vuelves?**
○ **En quince días más.**

Sin embargo, hay una ligera diferencia entre **en** + ***cantidad de tiempo*** y **dentro de** + ***cantidad de tiempo*** o **después de** + ***cantidad de tiempo***:

- **en** + ***cantidad de tiempo*** puede representar tanto un salto en el tiempo, como una referencia a una duración de algo, el tiempo que se va a tardar en realizar algo: esta ambigüedad hace que con **en** se tengan en consideración incluso los momentos entre el punto de partida y el punto de llegada (obtenido dando un salto en el tiempo hacia el futuro): el resultado es una sensación de menor precisión de **en** + ***cantidad de tiempo***:

[127] ● **¿Me lo puede tener en un par de horas?**

➲ Relacionar conceptos:
establecer relaciones desde un punto de vista temporal

21. HABLAR DE LAS DISTINTAS ETAPAS DEL DESARROLLO TEMPORAL DE ALGO

Para hablar de las distintas etapas del desarrollo temporal de algo se usa:

al comienzo **al principio** **a mitad** **al final**
en un primer momento **en un segundo momento** **en un tercer momento...** **en el último momento**
primero **luego** **después...**

[128] ● **En un primer momento, pensaba que no se resolvería, pero luego me di cuenta de que se trataba de un problema menor.**

Para dar una idea más aproximada, se emplea, además, **a comienzos de, a principios de, a mediados de, a finales de**. Estas expresiones sólo funcionan con las palabras **semana, mes, año** y **las estaciones**. Con **día**, se usa **a primera hora (del), a última hora (del)**.

22. HABLAR DEL DESARROLLO PROGRESIVO

Para presentar un suceso / actividad como algo que se desarrolla progresivamente en el tiempo se usa:

poco a poco
ir + ***gerundio***

[129] ● **No es difícil. Si lo haces así, verás que poco a poco lo irás aprendiendo sin mayores esfuerzos.**

➲ Las perífrasis verbales: perífrasis con **ir**

23. HABLAR DE LA DURACIÓN

Para hablar de la duración de una determinada situación (que se define con respecto a una relación *sujeto - predicado*) se usa:

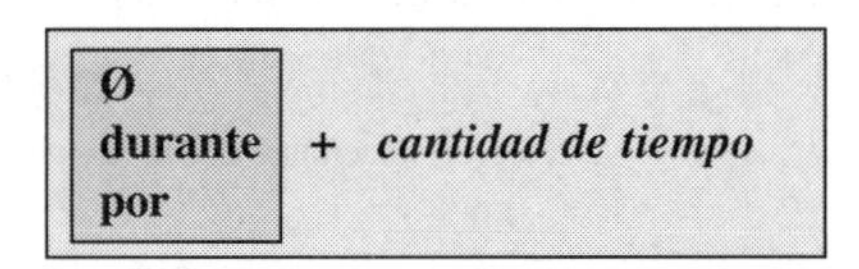

[130a] ● **¿Y cómo es que hablas tan bien español?**
○ **Es que he vivido cuatro años en Argentina.**

CON MÁS DETALLE

➧ Contraste **durante / Ø / por**

Para expresar la duración, la elección entre estos tres operadores implica ligeros cambios de actitud de la persona que habla con respecto a lo que dice: con **por**, introduce la duración de algo que quiere presentar como provisional, como un paréntesis en el transcurso del tiempo — a diferencia de lo que ocurre con **durante** y con **Ø**, operadores con los que se limita a insistir en la duración, sin dar a lo dicho ningún matiz de *provisionalidad*.

Los operadores **durante** y **Ø** se parecen mucho en lo que respecta a su significado y a las intenciones comunicativas que con ellos expresa el hablante. Sin embargo, con **durante** el enunciador hace más hincapié en la duración que con **Ø**, operador que usa preferentemente cuando está más interesado en informar sobre *otras cosas* dando, tan sólo de paso, información sobre la duración: así, por ejemplo en [130a], el enunciador está más interesado por el elemento **vivir en Argentina** que por su duración, a pesar de que ésta también le interesa y por eso la menciona, aunque tan sólo como dato secundario. Por el contrario en [130b], hace ligeramente más hincapié en el elemento duración:

[130b] ● **He vivido durante cuatro años en Argentina.**

Además, **durante** tiene posibilidades más amplias de utilización, ya que funciona, con ligeros cambios de matiz, en todos los casos en los que funciona **Ø** —pero no ocurre lo contrario. Son numerosos los contextos en los que no es posible el uso de este último operador. Para entender el funcionamiento de **Ø** y de **durante** en lo tocante a los contextos en los que es posible su uso, es necesario distinguir entre verbos *intransitivos* y verbos *transitivos*, y tener en cuenta, además, la *posición* en la que aparece el elemento de duración dentro de la frase.

- Distribución sintáctica

a) Con verbos intransitivos

Las estructuras posibles son las siguientes:

verbo* + Ø / durante + *cantidad de tiempo* + *complementos
verbo* + *complementos* + durante / Ø + *cantidad de tiempo
durante / Ø + *cantidad de tiempo* + *verbo* + *complementos*

Se observa en el uso, no obstante, una clara preferencia por **durante** en el segundo y, sobre todo, en el tercer caso; y por **Ø** en el primero —es decir cuando el elemento de duración va entre el verbo y los complementos. En el caso de la segunda estructura, se encuentran normalmente usos de **Ø**, aunque menos frecuentes que con la primera. Con la tercera, el uso de **Ø** sólo responde a una voluntad específica de poner el elemento de duración en una posición de relieve (efecto expresivo que se logra gracias al hecho de que esta anteposición rompe la cohesión discursiva con lo dicho inmediatamente antes):

[131a] ● **He vivido cuatro años en Argentina.**

[131b] ● **He vivido durante cuatro años en Argentina.**

[132] ● **¡Que si nos conocemos! Hemos trabajado juntos durante diez años.**

[133] ● **Durante veinte años me levanté a las ocho todos los días.**

➲ El orden de las palabras

Al contrario de lo que ocurre con **Ø**, el empleo de **durante** en todos estos casos es perfectamente normal e implica una mayor atención por el elemento duración.

b) Con verbos transitivos

Las estructuras posibles son:

Ø / durante + *cantidad de tiempo* + *verbo* + *complemento directo*
verbo* + *complemento directo* + Ø / durante + *cantidad de tiempo
verbo* + Ø / durante + *cantidad de tiempo* + *complemento directo

Se observa, no obstante, una clara tendencia a usar menos el operador **Ø** que con los verbos intransitivos. Parece preferirse **durante** en el segundo y, sobre todo, en el tercer caso. Sólo con la primera estructura es ligeramente más frecuente el uso de **Ø**. Se trata de los casos en los que el elemento de duración va antes del verbo. Con la segunda estructura se encuentran normalmente usos de **Ø**, aunque menos frecuentes que con la primera. La tercera estructura parece tener usos claramente menos frecuentes:

[140a] ● **Durante dos años estuve comiendo manzanas al horno.**

[140b] ● **Dos años estuve comiendo manzanas al horno.**

[140c] ● **Estuve comiendo manzanas al horno durante dos años.**

Sin embargo, si se añade algún elemento que matice el elemento *cantidad de tiempo / duración* o el complemento directo, parecen cambiar ligeramente las preferencias, con una mayor tolerancia por el elemento **Ø**:

[141a] ● **Una semana entera bebí sólo agua.**

[141b] ● **Bebí sólo agua una semana entera.**

[141c] ● **Bebí una semana entera sólo agua.**

Estos tres últimos enunciados parecen más normales y tienen buenas posibilidades de uso.

23.2. PARA HABLAR DEL TIEMPO QUE SE TARDA EN HACER ALGO:

en + *cantidad de tiempo*

[142] ● **Es bastante fácil. En un mes como mucho estará listo.**

[143] ● **Está buenísimo.**
❍ **Pues se hace en cinco minutos.**

➧ Contraste **en / durante - por - Ø**
Con **en** se habla del tiempo que se emplea en realizar un acto extralingüístico y en llegar a un resultado. Por el contrario, con **durante**, **por** y **Ø** se hace más hincapié en la duración de una situación en la que existe cierta relación *sujeto — predicado,* independientemente de los posibles actos extralingüísticos o del número de actos extralingüísticos que en tal situación se producen.

24. PARA HABLAR DE ALGO ESPERADO

Al hablar de algo esperado con impaciencia, señalando al propio tiempo con cierto alivio que se ha producido / llegado se usa:

por fin

[144] ● **Por fin te encuentro. Llevo horas buscándote.**

25. PARA PRESENTAR EL ÚLTIMO ELEMENTO DE UNA ENUMERACIÓN

Para referirse al último elemento de una enumeración o de una sucesión de hechos se usa:

por último

[145] ● **No lograba entrar en contacto con ella... Le escribí varias cartas, la llamé por teléfono sin lograr encontrarla nunca y, por último, cogí un tren y la fui a ver.**

HABLAR DEL PRESENTE

1. Para dar informaciones sobre el momento mismo de la enunciación o sobre un presente más general del que el momento de la enunciación es el centro, se usa generalmente el ***presente de indicativo***:

[1] ● **¿Quién es el presidente del Gobierno?**

Las informaciones presentadas en presente de indicativo tienen, generalmente, un valor más amplio, que supera el límite de la situación concreta.

2. Cuando el enunciador quiere referirse más específicamente a la situación concreta en la que se encuentra, usa con frecuencia:

estar + *gerundio*[1]

[2] ● **¿Está José Luis?**
❍ **Sí, pero se está duchando. ¿Le digo que te llame?**

CON MÁS DETALLE

Estar + *gerundio* sirve para informar sobre el presente en el plano de cosas que se dicen, pero sin remitir directamente a lo extralingüístico —por eso se usa en ejemplos como:

---

1 El análisis que presentamos a continuación de esta estructura se basa en el análisis de Henri Adamczewski de la estructura análoga en inglés: véase Henri Adamczewski, *Be + -ing dans la grammaire de l'anglais contemporain,* París, Honoré Champion, 1978, y Henri Adamczewski, *Grammaire linguistique de l'anglais,* París, Armand Colin, 1982.- Debido a los fuertes parecidos que hay entre la estructura inglesa y la española, los trabajos de Adamczewski fueron un punto de partida para un análisis de las diferencias que existen entre los dos sistemas que nos llevó a entender el funcionamiento del sistema español.

[3] ● **Me muero.**
❍ **Tú siempre te estás muriendo.**

Es evidente que el ejemplo no puede interpretarse al pie de la letra: es lo que señala el uso de **estar +** ***gerundio***. Se trata de un operador que sirve para expresar la negación de la relación entre lo que decimos y lo extralingüístico.

Es significativo a este respecto el hecho de que no se use nunca **estar +** ***gerundio*** para dar una demostración de cómo se hace algo, ya que todo lo dicho remite directamente a lo extralingüístico:

[4] ● **Mira bien: cojo una hoja blanca, la doblo... así... Ahora la corto en dos...**

Con frecuencia, el uso de esta forma implica una fuerte *toma de posición emotiva* por parte de quien habla, que puede expresar con ella irritación, impaciencia, etc.:

[5] ● **¡Ya estás fumando otra vez!**

Igual que en sus usos para hablar del pasado, el uso de esta forma implica en el enunciador una voluntad de *presentarse como único punto de origen de lo dicho*, sean cuales sean los motivos: puede estar comparando distintos momentos (pensando en un momento anterior o en uno futuro), presentando lo dicho como algo basado en una constatación suya o en un elemento situacional presupuesto del que quiere hablar o que quiere aclarar, etc.

El enunciador elige **estar +** ***gerundio*** cuando no le importa tanto lo que sucede realmente en lo extralingüístico: en [2], el hablante dice **se está duchando** porque es la información que tiene, pero no le importa saber si el sujeto *realmente* se está duchando, se está cambiando o, simplemente, se ha quedado en su habitación leyendo después de decir que se iba a duchar.

➲ Hablar del pasado

3. Para hablar de cosas habituales en el presente se usa:

presente de **soler +** ***infinitivo***
generalmente / habitualmente + ***presente de indicativo***

[6] ● **No suele usarse esta construcción para expresar lo que el enunciador considera probable.**

➲ El tiempo: la frecuencia

4. Para expresar hipótesis sobre el presente:

➲ Expresar hipótesis

5. Para subrayar el hecho de que algo se produzca en el presente o que nos hallemos ante una determinada situación, poniendo así de relieve que antes era distinto o que no se había logrado llegar a la situación actual (que era la deseada), se usa:

ahora que

[7] ● **¿Y te va bien ahí?**
❍ **Pues, ahora que ya conozco a bastante gente, sí.**

6. Para expresar, en general, la dificultad de hacer algo, cualquiera que sea el motivo extralingüístico, se usa:

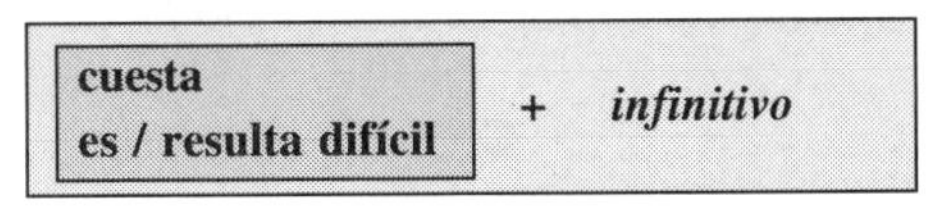

[8] ● **Cuesta creer que pueda ser verdad.**

A veces, el verbo **costar** lleva un complemento nominal o está modificado por alguno de los operadores que sirven para matizar los usos de un verbo.

Con esta estructura se presentan las cosas de manera impersonal, refiriéndolas a todo el mundo. Cuando se pretende referirlas a un sujeto específico, se añade un pronombre indirecto justo antes:

[9] ● **Siempre me resulta difícil salir sin dejar propina.**

➲ Pronombres personales

7. Al informar sobre sucesos presentes, para excluir una posibilidad que podría parecer evidente o algo que se produce como consecuencia lógica de lo dicho anteriormente, se usa a veces:

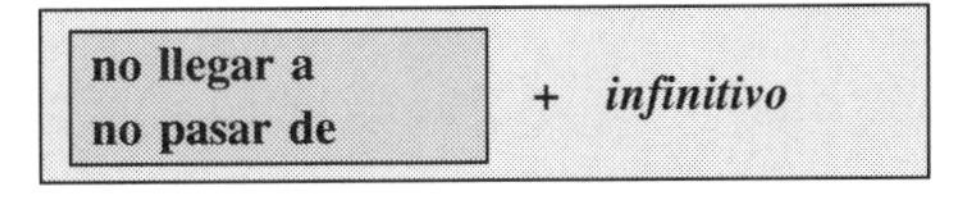

- Con **no llegar a**, el infinitivo se refiere a la acción que no se produce.
- Con **no pasar de**, el infinitivo se refiere a la acción que se produce, más allá de la cual no se produce nada:

[10] ● **No le tengas miedo... No pasa de dar unas voces.**

Cuando la acción a la que se refiere el infinitivo ya ha sido planteada en el contexto justo anterior, se usa a veces **no llegar a tanto**:

[11] ● **¿Y no hablan de separarse?**
❍ **No, no, nunca llegan a tanto: no pasan de discutir un poco.**

8. Al informar sobre sucesos presentes, para presentar una información que el hablante percibe como la última etapa de un recorrido figurado por las distintas posibilidades que se pueden producir / concebir, se usa a veces:

llegar hasta a + *infinitivo*

[12] ● **Cuando se enfada, es insoportable... Ha llegado a amenazarnos con dejarnos plantados en mitad del proyecto.**

Al usar esta expresión, el enunciador señala que la información que está dando le parece estar en el límite de lo concebible y previsible —de manera análoga a lo que ocurre con **hasta** usado para introducir nuevos elementos de información:

➲ Coordinar, introducir nuevos elementos: **hasta**

PARA HABLAR DEL PASADO

Para hablar del pasado, el enunciador dispone de distintos recursos, entre los que desempeñan un papel fundamental los tiempos verbales: *pretérito perfecto*, *pretérito indefinido* e *imperfecto*.

La elección entre las distintas posibilidades depende esencialmente de la perspectiva que quiera dar a lo que dice la persona que habla.

1. Cuando contamos sucesos pasados que nos interesan en su relación con el presente:

pretérito perfecto

[1] ● **¿Y cómo es que hablas tan bien español?**
❍ **Es que he vivido diez años en España.**

Para aprender a usar bien este tiempo, es importante entender que la relación con el presente puede ser de distintos tipos y que, en la mayoría de los casos, no se trata de una mera relación de proximidad.

Hay que tomar conciencia de que la distancia cronológica tiene muy poco que ver con los usos de este tiempo. Se puede afirmar que el pretérito perfecto es un tiempo que se utiliza para informar sobre la *posesión en el presente,* por parte del sujeto gramatical, de las experiencias pasadas a las que se refiere el participio pasado. El pretérito perfecto es, pues, un *pasado en el presente*.

1.1. Generalmente, cuando se usa este tiempo, los acontecimientos relatados se sitúan con marcadores de tiempo que se refieren a períodos no acabados o que se definen en relación con el momento de la enunciación, incluyéndolo.

El uso del pretérito perfecto es incompatible con marcadores temporales que remiten a un período acabado de tiempo.

➲ Los tiempos compuestos: el pasado en los distintos tiempos
➲ El tiempo: marcadores temporales
➲ La posesión

1.2. Cuando el enunciador no está tan interesado por el acto concreto en sí como por el hecho (que le parece relevante para el presente) de que *haya habido relación* entre el sujeto y cierto verbo en el pasado, usará preferentemente:

pretérito perfecto de **estar** *+ gerundio*[1]

[2a] ● **¿Y tú qué has hecho?**
❍ **He estado escribiendo cartas toda la tarde.**

CON MÁS DETALLE

Al hablante que usa **estar +** ***gerundio*** en [2a] no le interesa tanto hablar de lo que ha sucedido efectivamente en lo extralingüístico, como del hecho de que el sujeto haya estado *en contacto* con el predicado. En [2a] el sujeto puede haber escrito diez cartas o ninguna. Puede incluso haberse sentado con la intención de escribir cartas, y haber escrito sólo tres líneas, haberse levantado para tomar café, haber hablado por teléfono etc. Al hablante no le interesa informar sobre lo que ha ocurrido realmente: **estar +** ***gerundio*** es, pues, una forma para informar sin remitir a lo extralingüístico. Esto explica el hecho de que, cuando hay un énfasis mayor en el resultado, sea difícil el uso de esta forma:

[2b] ● ***He estado escribiendo tres cartas.**

Con **estar +** ***gerundio*** el hablante se presenta como *centro y único responsable de lo que dice*: por eso también hay una tendencia a usar esta forma cuando el enunciador dice algo basándose en *elementos situacionales* que le permiten hacer una suposición:

[3] ● **¡Tú has estado fumando!**

Estar + ***gerundio*** se sitúa en el plano de las *cosas que se dicen*, sin querer remitir a lo extralingüístico: el enunciador no está tan interesado en dar informaciones puntuales sobre la realidad extralingüística, como en *comentar*, *explicar*, *hablar de* ciertos datos, basándose en informaciones que ha podido constatar personalmente, que presupone, etc.

2. Cuando contamos sucesos pasados que nos interesa contar en sí:

pretérito indefinido

[4] ● **Nos conocimos en Málaga.**

➲ El pretérito indefinido

2.1. Cuando el hablante quiere informar sobre algo un poco más amplio que el suceso en sí, usa preferentemente:

pretérito indefinido de **estar** + ***gerundio***[1]

[5] ● **El sábado por la noche fui al cine.**
❍ **Yo, el sábado por la noche, estuve cenando en casa de unos amigos.**

Al decir **estuve cenando**, el hablante está más interesado por toda la *situación* (cena, música, conversaciones, chistes, etc.) —y no sólo por la *cena* en sí. Si sólo quisiera informar sobre la *cena* usaría el pretérito indefinido simple y no con **estar** + ***gerundio***.

3. Cuando queremos describir o evocar una situación del pasado:

imperfecto

[6] ● **En aquella época, trabajaba en un banco.**

➲ El imperfecto

Es importante notar que el imperfecto tiene muy pocas posibilidades de aparecer solo en un contexto, debido a que se trata de un tiempo utilizado para describir situaciones: generalmente, se describen situaciones como marco contextual para otra información que se quiere dar.

A veces, sin embargo, se encuentran frases que parecen aisladas en imperfecto: se trata de describir o evocar situaciones del pasado —y no de contar sucesos pasados.

3.1. Cuando se quiere insistir sobre el hecho de que nos hallamos ante un *proceso en desarrollo*, se usa:

imperfecto de **estar** + ***gerundio***[1]

[7] ● **Estaba trabajando cuando me llamaste.**

CON MÁS DETALLE

En todos sus usos, **estar** + ***gerundio*** presenta al enunciador como único *centro y punto de origen* de lo que dice, ya sea porque asume explícitamente toda la responsabilidad de lo que dice, ya sea porque quiere presentar lo que dice como *cosas que se dicen* sin ninguna relación con lo extralingüístico, ya sea porque está comparando distintas situaciones, etc.: así pues, si el enunciador quiere hablar de una única situación, usará por lo general más bien el imperfecto (como en [6]), mientras que si está pensando en un momento anterior o posterior, distinto, es probable que use **estar** + ***gerundio*** (como en [7]).

➲ Hablar del presente

1 Véase nota 1, capítulo HABLAR DEL PRESENTE.

4. Cuando hablamos de cosas habituales del pasado:

imperfecto

[8] ● **En aquella época, siempre me levantaba pronto.**

CON MÁS DETALLE

El imperfecto es un tiempo que se usa todas las veces que no interesa tanto contar un suceso en sí, como en la medida en que constituye una característica de una situación que el hablante está intentando evocar o describir.

El concepto de *habitualidad* cabe perfectamente dentro de este marco: se trata no ya de informar sobre un suceso en sí, sino como rasgo que ayuda a caracterizar una determinada situación. Nuestro conocimiento del mundo, el hecho de que se trate de cosas que se repiten, etc. nos ayudan a descodificar el uso del imperfecto.

Como en 3., en este caso también se puede usar **estar** + ***gerundio***:

[9] ● **Es una pena porque en los últimos tiempos las cosas iban mejor: estábamos saliendo más a menudo, etc.**

5. Cuando hablamos de un suceso anterior a otro suceso (o situación) del que estamos hablando:

pluscuamperfecto

[10] ● **Aquel día estaba muy cansado porque no había dormido en toda la noche.**

➲ Los tiempos compuestos: el pasado en los distintos tiempos

6. Para hablar de un momento del pasado posterior a otro momento del que se está hablando:

➲ Hablar de un momento posterior a otro: las perspectivas de futuro

7. Marcadores de tiempo que sirven para hablar del pasado

➲ El tiempo

8. Para hablar de cosas sucedidas en el pasado y que han supuesto dificultades o esfuerzo para el sujeto gramatical, se suele usar:

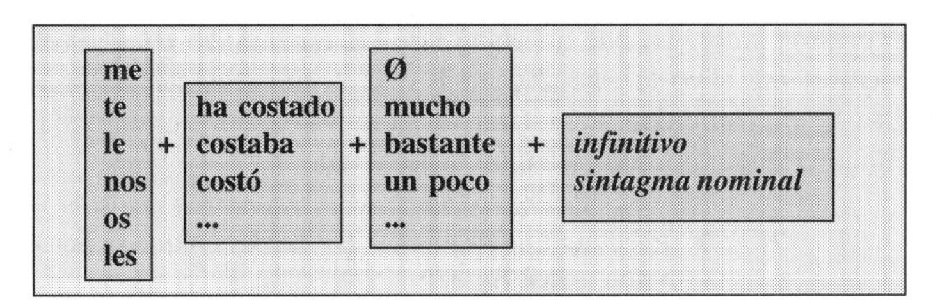

[11] ● **En esas circunstancias, me costó una auténtica enfermedad separarme de ella.**

[12] ● **Ya sé que es así, pero me ha costado mucho acostumbrarme a la idea.**

En lugar de **mucho, bastante,** etc. se puede usar cualquiera de los operadores que sirven para matizar la intensidad con la que se usa un verbo. A veces, como en el ejemplo [11], en lugar de estos operadores se usa un sustantivo o todo un sintagma nominal. En estos casos también se usa con frecuencia el verbo **suponer** en tercera persona, en lugar del verbo **costar**:

[13] ● **Ten en cuenta que a él esta decisión le ha supuesto un gran esfuerzo.**

Cuando ya se sabe de qué verbo se trata, se omite el infinitivo:

[14] ● **Se lo dejé, aunque me costó bastante.**

9. Para hablar de algo que el sujeto intentó / quiso hacer pero no lo consiguió, se usa a veces:

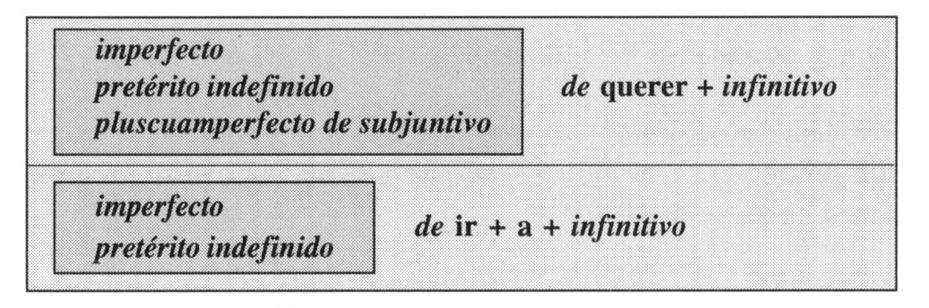

[15] ● **¿Y ella lo sabe?**
○ **No, desgraciadamente, no. Iba a decírselo pero llegó gente y no pude.**

[16] ● **Lo siento, hubiera querido llamarte antes, pero no pude.**

En estos usos, como siempre, se usan
- el imperfecto para hablar de una situación en la que el sujeto habría querido hacer algo;
- el indefinido para dar informaciones más globales sobre lo sucedido, en sí.

Con frecuencia, lo que sigue al uso de estas expresiones es una explicación / información sobre lo que impidió la realización de la acción.

A veces en estos casos, también se encuentran usos de **ser difícil**. Sin embargo, se trata de una expresión ambigua, que no deja claro si la acción en cuestión llegó a realizarse o no. Generalmente, si no se especifica nada más, se tiende a interpretar como una manera de expresar la imposibilidad de realizar la acción — aunque en la mayoría de los casos no hay ninguna duda, porque el contexto lo aclara:

[17] ● **Perdona que lleguemos tan tarde. Es que se nos estropeó el coche y fue difícil llamar.**

[18] ● **¿Y habéis firmado el contrato?**
❍ **Sí... ¡Pero mira que fue difícil!**

10. Para hablar de algo que estuvo a punto de producirse en el pasado, pero no llegó a suceder se usa:

por poco (+ no) + ***presente de indicativo / pretérito indefinido***
faltó poco para que + ***imperfecto de subjuntivo***

[19] ● **En ese momento, me picó una abeja; y me asusté tanto que por poco no tenemos un accidente.**

11. Al informar sobre sucesos pasados, para excluir una posibilidad que podría parecer evidente o algo que se produce como consecuencia lógica de lo dicho anteriormente, se usa a veces:

no llegar a + ***infinitivo***
no pasar de + ***infinitivo***

- Con **no llegar a**, el infinitivo se refiere a la acción que no se produce.
- Con **no pasar de**, el infinitivo se refiere a la acción que se produce, más allá de la cual no se produce nada:

[20] ● **Habría podido suceder cualquier cosa. Por suerte no pasó de dar voces y de insultarnos a todos.**

Cuando la acción a la que se refiere el infinitivo ya ha sido planteada en el contexto justo anterior se usa a veces **no llegar a tanto**:

[21] ● **Estaba tan enfadado que creí que le iba a pegar... Afortunadamente, no llegó a tanto.**

12. Al informar sobre sucesos pasados, para presentar una información que el hablante percibe como la última etapa de un recorrido figurado por las distintas posibilidades que se podían producir, se usa a veces **llegar hasta a +** ***infinitivo***:

[22] ● **En más de una ocasión ha llegado hasta a amenazarnos con dejarnos plantados en la mitad del proyecto.**

Al usar esta expresión, el enunciador señala que la información que está dando le parece estar en el límite de lo concebible y previsible —de manera análoga a lo que ocurre con **hasta** usado para introducir nuevos elementos de información:

➲ Coordinar, introducir nuevos elementos: **hasta**

HABLAR DE UN MOMENTO POSTERIOR A OTRO: LAS PERSPECTIVAS DE FUTURO

Al contrario de una creencia bastante generalizada, cuando hablamos del futuro no siempre utilizamos el *futuro gramatical*. Hay muchas maneras de referirse al futuro, según el contexto y las intenciones comunicativas de los hablantes. La elección entre una u otra forma implica decisiones nítidas por parte del hablante.

Es importante, además, establecer una distinción clara entre hablar del futuro con respecto al momento en el que se produce la comunicación y hablar del futuro con respecto a un momento del pasado.

1. HABLAR DEL FUTURO CON RESPECTO AL MOMENTO DE LA ENUNCIACIÓN

1.1. Para expresar una intención

Cuando expresa una intención, lo que hace el hablante es informar a su interlocutor sobre planes futuros del sujeto gramatical del que está hablando, y usa:

presente de* ir + a + *infinitivo
presente o imperfecto de* pensar + *infinitivo

[1] ● **¿Qué vas a hacer en las próximas vacaciones?**
❍ **Voy a quedarme en casa estudiando.**

➧ Con **ir a** + ***infinitivo***, el hablante presenta las cosas como ya decididas y no se muestra, por tanto, dispuesto a negociar sobre el contenido de la información dada.

➧ Con **pensar** + ***infinitivo*** hace más hincapié en la intención. El uso del imperfecto en este tipo de construcción añade un matiz de mayor disponibilidad por parte del hablante para negociar sobre la intención. Al contrario, con **pensar** en presente, el hablante se muestra más decidido —por lo que deja menos espacio a su interlocutor para que formule preguntas, propuestas, etc.

➲ El imperfecto de indicativo

1.2. Para expresar la voluntad de hacer algo

Para expresar la voluntad del sujeto de hacer algo, se usa:

presente o imperfecto de* querer + *infinitivo
me/te/le... + apetece/apetecía + *infinitivo*

[2] ● **¿Qué haces esta noche?**
○ **Me apetecía ir al cine. Hace mucho que no voy.**

En Hispanoamérica no suele utilizarse el verbo **apetecer**, pero sí otros verbos de significación y usos parecidos, como **provocar**.

me/te/le...+ gustaría + *infinitivo*

[3] ● **Y tú ¿qué planes tienes para las próximas vacaciones?**
○ **Pues... No sé... Me gustaría ir a México.**

CON MÁS DETALLE

A diferencia de los casos en los que expresa una intención, cuando el hablante expresa la voluntad, no habla de ningún plan o proyecto, sino que tan sólo se limita a informar sobre una aspiración que tiene el sujeto para el futuro. Así, pues, en estos casos no se dice nada sobre la plausibilidad de que se realice el objeto de la voluntad.

1.2.1. La elección de **me gustaría** o de **querer** o **apetecer** en imperfecto implica una actitud más tímida o de mayor abertura / disponibilidad hacia el oyente.

➲ El imperfecto de indicativo
➲ El condicional

1.3. Para anunciar algo que ya está previsto o programado, suele usarse:

presente de indicativo

[4] ● **Mañana nos vamos de excursión. ¿Vienes con nosotros?**

[5] ● **¿Nos vemos el miércoles próximo?**
❍ **Es que estoy en París.**

CON MÁS DETALLE

En los registros formales —y sólo en el caso de cosas previstas por programas, horarios, etc.—, se encuentran con estos valores algunos usos del futuro de indicativo.

[6] ● **Señoras y señores, dentro de pocos minutos tomaremos tierra en el aeropuerto de Madrid.**

➲ Presente de indicativo
➲ Futuro de indicativo

1.4. Para informar sobre algo establecido que no depende de la voluntad ni de la decisión de nadie se usa generalmente:

presente de indicativo

[7] ● **Pasado mañana es mi cumpleaños.**

➲ Presente de indicativo
➲ Futuro de indicativo

1.5. Para predecir algo, subrayando que se trata tan sólo de una predicción nuestra, sobre la que no tenemos ninguna seguridad:

futuro de indicativo

[8] ● **¿Qué haces este fin de semana?**
❍ **Todavía no sé. Iré al campo a ver a mis padres.**

➲ El futuro de indicativo

1.6. Para expresar duda, indecisión o ignorancia de algún elemento futuro con respecto al presente se usa generalmente:

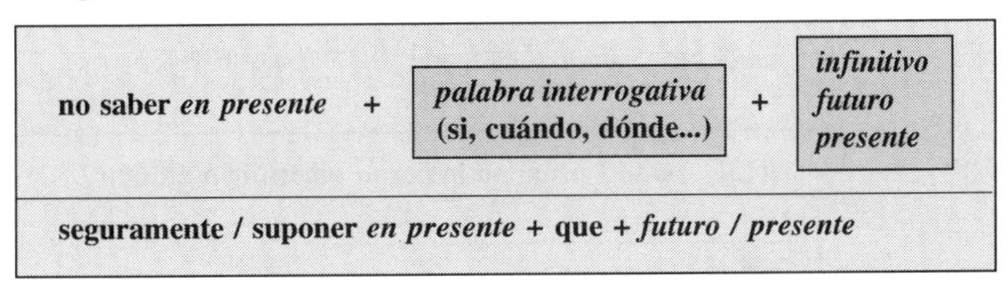

[9] ● **¿Qué haces? ¿Te quedas?**
❍ **Es que no sé si volverme a casa o quedarme para terminar esto.**

1.7. Para aplazar algo de manera indefinida, se usa:

ya + *futuro / presente*

[10] ● **Bueno, hasta pronto. Ya nos veremos.**

[11] ● **¿Recojo la mesa?**
❍ **No déjalo, ya la recojo yo.**

El uso del futuro en esta estructura da una idea de poca concreción. Es, por lo tanto, una manera más indefinida de aplazar algo al futuro.

➲ El tiempo: 6. Remitir al porvenir

1.8. Referirse a momentos del futuro con respecto al momento en el que se habla

1.8.1. Para referirnos a una fecha del futuro de la que no disponemos

Cuando no disponemos de una fecha del futuro con respecto al momento en el que estamos hablando o cuando no queremos mencionarla explícitamente porque nos parece un exceso de precisión para el contexto en el que nos hallamos, para referirnos a ella y reconstituirla proyectándonos en el futuro con respecto al presente de la enunciación usamos:

dentro de + ***expresión de cantidad de tiempo***

[12] ● **¿Para cuándo puede estar?**
❍ **Llámeme dentro de una semana.**

➲ El tiempo: 20. Reconstruir una fecha en el futuro

1.8.2. Para referirnos a la unidad de tiempo que sigue inmediatamente a aquélla en la que nos hallamos en el momento en que hablamos, usamos:

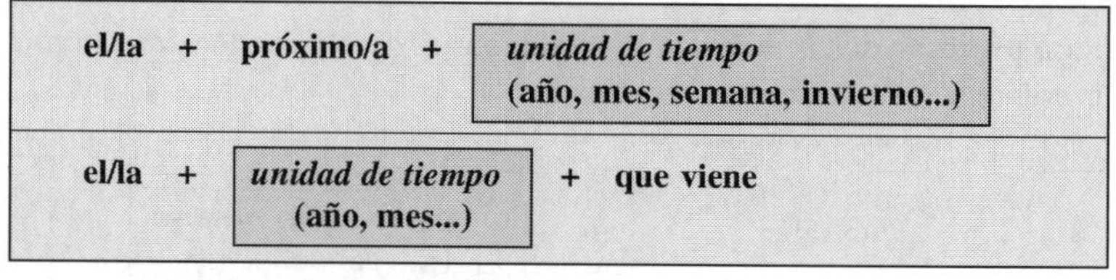

el/la	+	**próximo/a**	+	***unidad de tiempo*** **(año, mes, semana, invierno...)**
el/la	+	***unidad de tiempo*** **(año, mes...)**	+	**que viene**

[13] ● **El próximo invierno quiero ir a esquiar.**

el día que viene *el próximo día*	=	**mañana**

➲ El tiempo

2. HABLAR DEL FUTURO CON RESPECTO A UN MOMENTO DEL PASADO

2.1. Para expresar intenciones o cosas planeadas o ya establecidas con respecto a un momento del pasado:

imperfecto de indicativo

[14] ● **Y nos tuvimos que ir bastante pronto, porque al día siguiente salíamos de viaje.**

imperfecto de **ir a / pensar** + *infinitivo*

[15] ● **Yo había entendido que me ibas a llamar tú a mí, por eso no te llamé.**

➲ El tiempo
➲ Perífrasis verbales: **ir a** + *infinitivo*

2.2. Para expresar la voluntad de hacer algo:

imperfecto de **querer** + *infinitivo*
me/te/le... + apetecía + *infinitivo*

[16] ● **Sí, quería ir, pero al final no pude.**

➲ El imperfecto de indicativo

2.3. Para referirse a predicciones con respecto a un momento del pasado cuando se subraya el propio carácter de predicción:

condicional simple

[17] ● **¡Qué raro que no haya llegado todavía! Anoche me aseguró que estaría aquí antes de las dos.**

➲ El condicional

2.4. Para expresar duda, indecisión o ignorancia de algún elemento futuro con respecto a un momento del pasado:

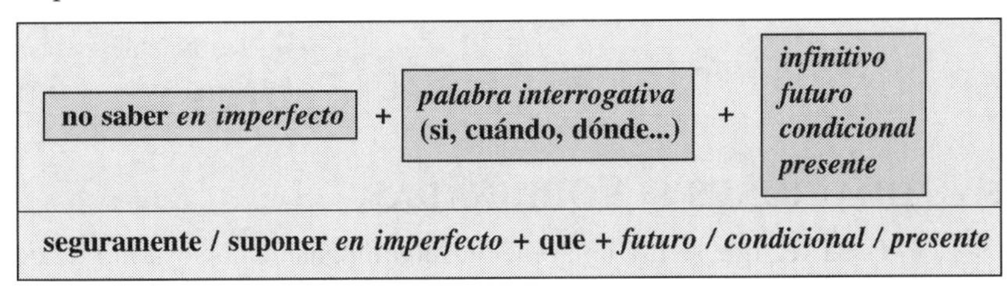

[18] ● **En ese momento no sabía qué hacer... Suponía que me llamarían, pero no sabía cuándo.**

2.5. Para referirnos a momentos del pasado posteriores a otro momento o situación del que estamos hablando:

➲ El tiempo

2.5.1. Cuando no queremos mencionarla o no disponemos de una *fecha* posterior a un momento o una situación del pasado de la que estamos hablando, para referirnos a ella proyectándonos en el futuro con respecto al momento del pasado en cuestión, usamos:

***expresión de cantidad de tiempo* + después**
al cabo de + *expresión de cantidad de tiempo*

[19] ● **Nos conocimos en un congreso. Y al cabo de un año ya estábamos viviendo juntos.**

2.5.2. Para referirnos a una *unidad de tiempo* del pasado que sigue inmediatamente a otra unidad de tiempo del pasado de la que estamos hablando:

al/a la +	***unidad de tiempo* (año, semana...)**	**+ siguiente**

[20] ● **Ese día no pudimos hacer nada, y nos tuvimos que quedar allí. Al día siguiente, afortunadamente, encontramos un taller abierto.**

3. MARCADORES TEMPORALES PARA HABLAR DEL FUTURO

➲ El tiempo

4. ANUNCIAR LA INMINENCIA DE ALGO

Para anunciar la inminencia de algo, se usa con frecuencia las expresiones:

estar al / a punto de + *infinitivo*

➲ Las perífrasis verbales: Perífrasis con **estar**
➲ Esencia y existencia: Expresiones con **ser/estar**

5. ORACIONES SUBORDINADAS

➧ Cada vez que se usa una oración subordinada como sustituto de un elemento que se autodefine con respecto al futuro mediante la misma oración, el verbo de dicha oración va en subjuntivo.

- Si se trata de definir algo en el futuro con respecto al presente de la enunciación, va en presente de subjuntivo.
- Si se está definiendo algo en el futuro con respecto a un momento del pasado va en imperfecto.

Las expresiones más utilizadas para esto son **cuando, donde, como**, etc.:

[21] ● **Cuando empiece el buen tiempo, nos pondrán jornada intensiva.**

➲ El subjuntivo
➲ Establecer relaciones desde un punto de vista temporal

EL ESPACIO

1. REFERIRSE AL ESPACIO EN RELACIÓN CON EL LUGAR EN EL QUE SE PRODUCE LA ENUNCIACIÓN

1.1. Para referirse al lugar en el que se encuentra el enunciador se usa:

aquí

[1] ● **¿Nos vemos aquí mañana por la tarde?**

[2] ● **¿Y dónde os conocisteis?**
○ **Aquí mismo, en este restaurante.**

El hablante usa este operador cada vez que considera el lugar del que está hablando como próximo a sí mismo, ya sea porque se encuentra en él, porque lo considera muy cercano o, al mirar un plano, porque forma parte de un área que le parece controlar:

[3] Mirando un plano:

● **Y ahora ¿dónde estamos?**
○ **Aquí, mira... Y aquí es donde estuvimos esta mañana... Mañana vamos al rastro... Aquí, mira, en esta zona...**

Cuando se trata de un movimiento hacia el lugar en el que se encuentra la persona que habla, se usa a veces el operador **acá** en lugar de **aquí**:

[4] ● **Ven acá, no te me vayas, que no hemos terminado.**

Además, en algunos países de Hispanoamérica —especialmente en los registros informales / familiares—, se usa con frecuencia **acá** en lugar de **aquí** aun cuando no se trata de movimiento.

1.2. Para referirse a un lugar distinto del lugar en el que se encuentra la persona que habla, o que la persona que habla considera lejano o fuera de su control, se usa:

ahí **allí (allá)**

[5] ● **¿Estás en casa?**
❍ **Sí.**
● **Pues espérame ahí. Salgo ahora mismo.**

Se percibe **ahí** como ligeramente más cercano al universo del hablante y/o de su interlocutor.

Se prefiere el operador **allá** para hablar de lugares que la persona que habla considera muy alejados de donde se encuentra, pertenecientes al ámbito del **él/ella** (es decir de la *tercera persona)* más que al del interlocutor:

[6] ● **¿Y está de vacaciones, o vive allá?**
❍ **No, no, ahora está viviendo allá. Se ha ido con toda la familia.**

En algunos países de Hispanoamérica se usa más a menudo **allá** que **allí**.

2. SITUAR UN ELEMENTO EN EL ESPACIO CON RESPECTO A OTRO(S) PUNTO(S) DE REFERENCIA

2.1. Para situar un elemento en el espacio con respecto a otro(s) punto(s) de referencia se usan:

dentro de	**en frente de**
fuera de	**detrás de**
encima de	**junto a**
sobre	**cerca de**
debajo de	**lejos de**
bajo	**al lado de**
en	**por**
ante	**hacia**
delante de	**entre... y...**
frente a	

Estos operadores van seguidos directamente de la frase nominal (***determinante + sustantivo***, ***nombre propio***, etc.) tomada como punto de referencia espacial:

[7] ● **¿Dónde están las llaves?**
❍ **En el bolsillo de la chaqueta.**

[8] ● **¿Me dejas un diccionario?**
❍ **Sí, mira, están allí, encima de la mesa.**

[9] ● **¿Dónde vives?**
❍ **Por la Plaza Mayor.**
● **¡No me digas! Yo también vivo al lado de la Plaza Mayor.**

[10] ● **Las Navas del Marqués es un pueblo que está cerca de Ávila.**

Cuando ya está claro el punto de referencia, no se repite; en tales casos, sólo se pueden usar:

dentro	**en frente**
fuera	**detrás**
encima	**cerca**
debajo	**lejos**
delante	**al lado**

[11] ● **¿Sabes dónde hay un banco por aquí?**
❍ **Sí, mira, ¿conoces esa tienda de juguetes que está en la plaza del mercado?**
● **Sí...**
❍ **Pues el banco está al lado.**

2.1.1. Encima de / sobre

Encima de y **sobre** se usan casi exclusivamente cuando el hablante quiere dejar muy explícita la superposición de un elemento con respecto a otro. De lo contrario, se prefiere **en**. Así pues, para situar un elemento en una superficie, normalmente se utiliza **en**:

[12] ● **¿Has visto mis gafas?**
❍ **Me parece que están en la mesa de la cocina.**

Sin embargo, si se están oponiendo dos posiciones distintas con respecto al mismo punto de referencia se usan **sobre** y **encima**:

[13] ● **¿Has visto mis gafas?**
❍ **Me parece que están en la mesa de la cocina.**
● **Ya he vaciado el cajón, pero no las encuentro.**
❍ **Yo no decía en el cajón, creo que las vi encima de la mesa.**

Contraste **encima de / sobre**

Para referirse a la superposición de un elemento con respecto a otro que el hablante considera o quiere presentar como más bien alto se usa **encima de**:

[14] ● **¿Dónde están mis botas de esquiar?**
○ **En una caja, encima del armario.**

➲ Las preposiciones: **sobre**

2.1.2. En

En es el *localizador espacial* más general del que dispone el español; puede emplearse tanto para referirse a una superposición, como para situar un elemento en el interior de otro.

➲ Las preposiciones: **en**

2.1.2.1. Contraste en / a

Para expresar el *estado en* un lugar se usa normalmente la preposición **en**. El uso de **a** se limita a casos bastante específicos.

➲ Las preposiciones: **a**

Por otra parte, para expresar el *lugar hacia el que* se produce un movimiento no se usa la preposición **en** —excepto cuando se trata de un movimiento hacia el interior de un lugar.

➲ 4. Movimientos espaciales
➲ Las preposiciones

2.1.3. Contraste ante / delante y bajo / debajo

Ante y **bajo** tienen usos más amplios que **delante** y **debajo** —que sirven únicamente para hablar de la posición física con respecto a una persona o cosa. **Ante** y **bajo**, por el contrario, tienen muchos empleos figurados:

[15] ● **¿Has visto al gato?**
○ **Sí, mira, está ahí, debajo de la mesa.**

[16] ● **Estuvimos un día trabajando bajo la lluvia y, ya lo ves, ahora todos en cama.**

[17] ● **La catedral está delante del museo.**

[18] ● **Ante una belleza como ésta te conmueves... Te das cuenta de lo insignificantes que somos.**

➲ Las preposiciones

2.1.4. Contraste **delante (de) / frente a / en frente (de)**

Con **frente a** y **en frente (de)** se presentan los dos elementos más como si tuvieran el mismo estatuto o peso, o como si fueran del mismo tipo, de un tamaño análogo, etc. Con **delante (de)**, por el contrario, con frecuencia el elemento situado es menos importante, más pequeño, etc. que el elemento con respecto al cual se sitúa:

[19] ● **En frente de mi casa hay un banco.**

[20] ● **Delante de mi casa hay un semáforo.**

Además, con **en frente (de)** se establece una contraposición más nítida entre los dos elementos que, por lo general, se encuentran *cara a cara*, más alejados uno del otro o *a ambos lados de* una calle, carretera, río, etc. que los separa.

2.1.5. Contraste **junto a / cerca (de) / al lado (de)**

Con **junto a** y **cerca (de)** se insiste en la *proximidad*, sin especificar una posición clara. Con **al lado (de)**, por el contrario, se hace referencia a la *contigüidad* entre los dos elementos:

[21] ● **¿El señor Gómez?**
❍ **Es ese señor que está en el fondo, junto a la ventana.**

[22] ● **Quedémonos por aquí, cerca de la puerta.**

[23] ● **¿Sabes dónde hay un estanco por aquí?**
❍ **Sí, mira, en la plaza, al lado del restaurante.**

2.1.5.1. Contraste **junto a / junto con**

Con **junto a** se hace referencia a la proximidad entre los dos elementos aludidos. Con **junto con**, por el contrario, no se está hablando de la posición espacial, sino más bien de *compañía*, es decir, del hecho de que los dos elementos hagan algo *el uno con el otro*:

[24] ● **¿Y lo hiciste solo?**
❍ **No, junto con dos amigos.**

2.1.6. Usos de **hacia** y **por** en la localización espacial

Se usan **hacia** y **por** para localizar de manera imprecisa, en una zona o en las inmediaciones de algo más que en un lugar preciso:

[25] ● **¿Dónde está el Banco Central?**
❍ **Por la Plaza de Armas.**

Hacia y **por** también se emplean al hablar de movimientos espaciales.

➲ Las preposiciones
➲ 4. Movimientos espaciales

2.1.7. El operador **entre... y...**

Se usa **entre... y...** para situar algo dentro de los límites espaciales (o temporales) constituidos por los dos elementos introducidos:

[26] ● **¿Y dónde vais a poner la tele?**
❍ **Allí, entre el sofá y la estantería. Tenemos que comprar una mesita que quepa.**

2.2. Para referirse a los distintos ámbitos de un espacio se usan:

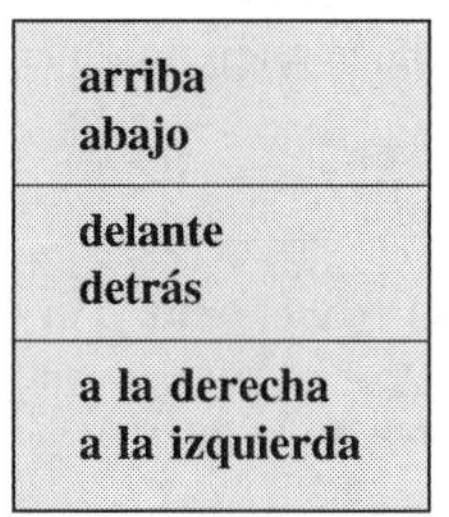

arriba **abajo**
delante **detrás**
a la derecha **a la izquierda**

Estos marcadores espaciales se pueden usar para localizar algo con respecto a otro elemento o para referirse a las distintas *zonas* de un espacio/ambiente bien definido.

Como ya se ha visto en 2.1., cuando se usan estos operadores para expresar la posición de algo con respecto a otro elemento contenido en el mismo espacio considerado, dicho elemento *punto de referencia* va introducido por la preposición **de**:

[27] ● **Detrás de la escuela, hay un jardín.**

[28] ● **¿La farmacia, por favor?**
❍ **Ahí, mire, a la derecha del Banco.**

Cuando se usan para remitir a las *distintas partes* de un espacio bien definido no suele introducirse ningún elemento de referencia porque en estos contextos los interlocutores ya saben de qué están hablando. Sin embargo, en este caso también, si el hablante siente la necesidad de especificar bien de qué está hablando, introduce el *espacio de referencia* con la preposición **de**:

[29] ● **Entonces, yo os voy a describir una imagen y vosotros vais dibujando lo que entendéis... Abajo a la derecha hay un pequeño árbol. En el centro de la imagen hay un niño...**

[30] ● **¿Quién era?**
❍ **El vecino de arriba.**

3. VERBOS QUE SE UTILIZAN PARA SITUAR EN EL ESPACIO

➲ La esencia, la existencia y la localización

4. MOVIMIENTOS ESPACIALES

4.1. PARA INDICAR LA DIRECCIÓN DE UN MOVIMIENTO

hacia	**atrás**
para	**afuera**
a	**adentro**
hasta	**aquí/acá**
adelante	**allí/allá**

[31] ● **En cuanto me vio, se vino corriendo hacia mí.**

[32] ● **Creo que nos hemos equivocado. Será mejor volver para atrás y preguntar en el pueblo.**

[33] ● **¿Ya os vais?**
❍ **No, nos vamos adentro... Aquí hay demasiado viento.**

[34] ● **La semana que viene me voy a Madrid a pasar unos días.**

A éstos cabe añadir los operadores **arriba** y **abajo**, que también se pueden utilizar, en algunos contextos, para expresar la dirección de un movimiento. En estos usos, **arriba** y **abajo** van a veces después del sustantivo a cuyo espacio se refieren:

[35] ● **Cuando le dije eso, se levantó, abrió la puerta y se escapó escaleras abajo sin dejarme tiempo de explicarle nada.**

[36] ● **Cada mañana se iba en barca río abajo, hasta el pueblo más cercano.**

También son frecuentes los usos de **adentro** y **afuera** en construcciones análogas, después de un sustantivo:

[37] ● **El agua estaba tan agradable, que nos fuimos nadando mar adentro, sin darnos cuenta de que nos arrastraba la corriente.**

Los operadores **adelante, atrás, afuera, adentro, aquí/acá, allí/allá, arriba** y **abajo** tienen usos frecuentes en combinación con **hacia** y **para**. En tales casos, más que de especificar el destino final, se trata de dar una *idea de la dirección* en la que se produce el movimiento, sin querer hacer hincapié en el final:

[38] ● **Sigue todo recto hacia adelante hasta que veas un puente. Allí, pregunta.**

[39] ● **¿Por qué no andamos un poco? Ven, vamos para arriba.**

➲ Las preposiciones: **hacia, para, a**

➧ Contraste **a / hasta / para / hacia**

Con **hasta**, se hace hincapié en el punto en el que termina el movimiento aludido. Sin embargo, dicho punto no es necesariamente el destino previsto del movimiento en cuestión. Con **para** y **hacia**, por el contrario, se habla de la dirección como tendencia general, sin querer considerar el destino final. Con **a**, se habla del destino de manera muy general, sin hacer hincapié ni el punto final alcanzado, ni en el hecho de que se trate de una dirección más que del destino final. El operador **a** es el único que sirve para presentar de manera neutra el destino previsto de un movimiento, sin focalizar ni el movimiento mismo ni el punto en el que termina.

➲ Las preposiciones

Para indicar la dirección, no se suele usar la preposición **en**, excepto en los casos en los que se trata de un movimiento hacia el interior de un lugar:

[40] ● **Echó a correr y se metió en un agujero.**

➲ Las preposiciones: **en**

4.2. Para presentar el sitio dentro de cuyos límites se produce un movimiento se usa

por

[41] ● **Cada mañana doy un paseo por el parque.**

[42] ● **Como no había nadie, nos metieron la carta por debajo de la puerta.**

4.3. Para presentar el punto de partida de un movimiento espacial, se usan los operadores

de **desde**

[43] ● **¿Nos vemos mañana? Perdona, pero es que acabo de llegar de París y estoy bastante cansado.**

[44] ● **Nos hemos tenido que venir en autocar desde Berlín.**

Con **de** se informa de manera más general sobre el punto de origen de un movimiento, mientras que con **desde** se hace más hincapié en la identidad de dicho punto de origen.

➲ Las preposiciones: contraste **de / desde**
➲ El tiempo: 18. **Desde / hasta - de / a**

4.4. Para presentar el medio de transporte en el que se produce un movimiento espacial, se usa la preposición

en

[45] ● **¿Y cómo habéis venido?**
● **En tren.**

Cabe señalar además las siguientes expresiones:

a pie **a caballo**

4.5. VERBOS DE MOVIMIENTO

Sin llegar a la complejidad del sistema de los verbos de movimiento en otros idiomas (como el ruso, por ejemplo), en español también se plantean algunos problemas para los estudiantes extranjeros.

4.5.1. Ir / venir

Los verbos **ir** y **venir** no funcionan en español de la misma manera que en la mayoría de los demás idiomas europeos.

El funcionamiento de estos verbos en español es bastante rígido: el hablante no tiene la posibilidad de proyectarse fuera de sí mismo a otra situación, a diferencia de lo que ocurre en otros idiomas:

Hablando por teléfono:

[46a] Francés:
● **Tu veux que je vienne chez toi ou tu viens chez moi?**

[46b] Inglés:
● **Shall I come/go to your place or will you come over to mine?**

[46c] Italiano:
● **Vengo io da te o vieni tu da me?**

[46d] Español:
● **¿Voy yo a tu casa o vienes tú a la mía?**

En todos los usos de **venir**, se trata de un movimiento de aproximación hacia el lugar en el que se encuentra la persona que habla. Para todos los demás movimientos se usa **ir**:

[47] ● **Ayer me llamó desde Barcelona y me dijo que se iba primero a Málaga, y que después vendría para acá.**

[48a] ● **¿Vas a ir a la fiesta de Paula esta noche?**
❍ **Yo, sí, ¿y tú?**
● **Yo también. ¿Por qué no vamos juntos?**

[49] ● **¿Dónde estás?**
❍ **En casa.**
● **Bueno, pues, espérame. Voy para allá inmediatamente.**

El único caso en el que el hablante puede usar **venir** para hablar de un movimiento hacia un lugar distinto de aquél en el que se encuentra en el momento de la enunciación es cuando quiere oponer su universo al de los demás, y especialmente al de su interlocutor —tal recurso es típico de las invitaciones:

[50] ● **¿Por qué no me vienes a ver mañana a mi oficina?**

En [50], también sería perfectamente posible el uso de **ir** en lugar de **venir**. Al usar **venir**, la persona que habla está invitando a su interlocutor a su universo. Si usa **ir**, sólo hace hincapié en el hecho de que en el momento de la enunciación no se encuentra en su oficina. Por eso parece más difícil utilizar **ir** en [51], puesto que se trata de manera evidente de una invitación:

[51] ● **¿Por qué no te vienes a cenar a casa esta noche o mañana, y así charlamos con más tranquilidad?**

Por otra parte, en [48a], si la persona que habla quiere subrayar que pertenece al universo de **Paula** y que la *fiesta de Paula* también es algo suyo, podría usar **venir** en lugar de **ir**:

[48b] ● **¿Vas a venir a la fiesta de Paula esta noche?**
❍ **Yo, sí, ¿y tú?**
● **Yo también. ¿Por qué no vamos juntos?**

4.5.2. Llevar / traer

El funcionamiento de estos dos verbos es paralelo al de **ir** y de **venir**: en el fondo, **llevar** significa ***ir con una cosa o persona a algún sitio*** y **traer**, ***venir con una cosa*** o persona. Así pues, se usa **llevar** en los mismos casos en los que se usaría **ir** si sólo se quisiera hablar del movimiento, sin añadir la idea de *transportar algo*. Por otra parte, en los casos en los que el verbo de movimiento sería **venir**, se usará **traer**:

[52] ● **Por favor, si vienes mañana ¿me puedes traer el libro que te dejé la semana pasada? Es que lo necesito.**

[53] ● **¿Quieres que te lleve algo?**
○ **No, gracias, de verdad, no hace falta... O mejor dicho, sí... Si puedes traerme una cajetilla de cigarrillos...**

4.5.3. Andar / caminar

El verbo **andar** significa más o menos lo mismo que el verbo **caminar**. Pero tienen además usos frecuentes como verbo que significa *desplazarse en un vehículo*:

andar en coche / en moto / en bicicleta / en tren...

A diferencia de otras lenguas, el español no dispone de verbos específicos para cada una de las maneras de desplazarse y, aun en los casos en los que existen verbos específicos, su uso es menos frecuente, o funciona de manera totalmente distinta a sus equivalentes en otros idiomas:

Inglés:	**Español:**
sail	**navegar** **andar en barco** **ir en barco**
drive	**andar en coche** **ir en coche**
fly	**volar** **andar en avión** **ir en avión / helicóptero**
ride	**andar en bicicleta / en moto** **montar a caballo** **ir en bicicleta/en moto / a caballo**
...	**...**
Alemán:	
fahren	**andar en coche/etc.** **ir en coche/etc.**

[54] ● **Me gusta mucho andar en avión. Me da una sensación de... miedo y de gusto a la vez...**

Los verbos españoles **navegar** y **volar** y estos usos del verbo **andar** se refieren siempre al hecho de *desplazarse en un vehículo* de manera abstracta, sin referirse a ninguna situación concreta.

CON MÁS DETALLE

Los verbos **andar**, **caminar** y **navegar**[1] se refieren al movimiento en sí (es decir al hecho de que haya desplazamiento) y no pueden servir para introducir el destino de un movimiento: se trata, pues, de verbos que no se pueden referir a un movimiento único, ni a un movimiento *unidireccional*. Son verbos *adireccionales*. De ahí su incompatibilidad con el concepto de *destino final del movimiento*:

[55] ● ***Caminó al parque...**

La única manera de introducir el elemento *destino* con estos verbos es mediante las preposiciones **hacia** y **hasta**: en efecto, **hacia** sólo puede servir para hablar de una *tendencia* de un movimiento —y no de su verdadero destino— y, por tanto, no es incompatible con estos verbos; y **hasta** sirve para hablar del punto en el que termina un movimiento, sin implicar que se trataba de un movimiento que tenía una meta preestablecida.

Sin embargo, estos verbos pueden servir, en gerundio, para hablar del modo como se produce un desplazamiento. En estos casos, siempre funcionan en combinación con otro verbo de movimiento y, cuando se trata de **andar,** mantienen su sentido propio de ***caminar, moverse a pie***:

[56] ● **¿Vamos andando, o prefieres que cojamos un taxi?**

4.5.4. Algunos de los operadores utilizados para expresar la dirección o el destino no suelen usarse a menudo con el verbo **ir** porque existe un verbo que expresa exactamente el movimiento en cuestión y que tiene un uso más amplio:

ir/venir abajo	**bajar**
ir/venir arriba	**subir**
ir/venir adentro	**entrar**
ir/venir afuera	**salir**
ir/venir al otro lado de	**cruzar / atravesar**
ir/venir cerca	**acercarse**
ir/venir lejos	**alejarse**
...	...

4.5.5. En algunos idiomas —como, por ejemplo, el inglés— para expresar un movimiento se utiliza un verbo que indica el modo como se efectúa el movimiento seguido de una preposición o un adverbio que expresa el movimiento mismo:

1 Por influencia del inglés, se está generalizando el empleo de **volar** con el sentido de ***ir volando.***

Inglés:

swim across the river
drive through a city
run downstairs
drive past someone / somewhere
sail across the sea
sail down the river
ride up the mountain
ride away (from someone/somewhere)
drive off...

En español, se suele expresar el movimiento mismo mediante un verbo; y el modo, mediante una expresión de modo (gerundio, locución preposicional, locución adverbial, etc.):

atravesar el río nadando
atravesar una ciudad en coche
bajar la escalera corriendo
pasar por delante de alguien / algún sitio en coche
atravesar el mar en barco
bajar el río en barco
subir a la montaña a caballo
alejarse a caballo / en moto/ etc.
marcharse / irse en coche...

5. REFERIRSE A LA CASA DE ALGUIEN

Para referirse a la casa de alguien, se usan en español las expresiones:

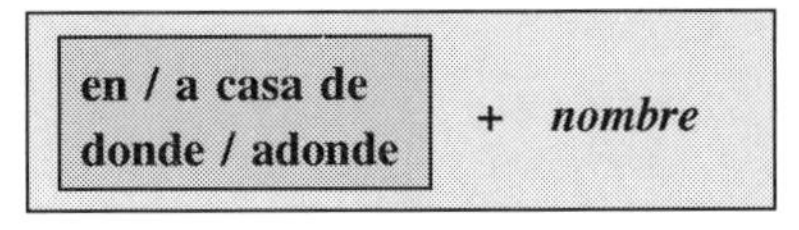

[57] ● **¿Qué haces esta noche?**
○ **Voy a casa de Alberto. ¿Y tú?**
● **Yo voy adonde mis padres.**

A diferencia de otras lenguas, el español no dispone de una única expresión que traduzca lo que en francés se expresa con **chez quelqu'un** o en italiano con **da qualcuno**. En español, esta idea se expresa con las estructuras indicadas. Cuando se trata de otro lugar, se usa, por ejemplo, **a / en la oficina de +** ***nombre*** y **donde / adonde +** ***nombre***. Si con esta expresión se quiere hablar de la persona misma más que de un lugar, entonces se expresa con **ir a ver a / hablar con / estar con**:

[58a] Francés:
● **Je vais aller chez Paul pour lui en parler.**

[58b] Italiano:
● **Andrò da Paolo per parlargliene.**

[58c] Español:
● **Voy a ir a ver a Pablo para contárselo.**

6. LA TEMATIZACIÓN DEL COMPLEMENTO DE LUGAR

Cuando un complemento de lugar ya ha aparecido en el contexto o está claro de qué lugar se trata, no se repite si no es indispensable para evitar confusiones:

[59] ● **Y tú ¿qué has hecho?**
❍ **He estado en Canarias.**
● **Yo estuve el año pasado.**

7. REFERIRSE AL LUGAR EN EL QUE SE PRODUCE ALGO

Para referirse al lugar en el que se produce algo se usa:

donde + *frase*

[60] ● **¿Nos vemos donde nos encontramos ayer?**

ESTABLECER RELACIONES DESDE UN PUNTO DE VISTA TEMPORAL

Además de todos los elementos presentados para situar acontecimientos en el tiempo, existen una serie de operadores gramaticales que permiten *poner en relación* dos acontecimientos desde un punto de vista temporal.

➲ El tiempo

1. PRESENTAR UN SUCESO COMO CONTEMPORÁNEO DE OTRO

Para presentar un suceso como contemporáneo de otro, la forma más neutra de la que dispone el enunciador en español es **cuando**:

[1] ● **Cuando vivía en París, siempre iba en metro, porque era mucho más cómodo. Pero aquí...**

[2] ● **Te llamo esta noche, cuando termine.**

[3] ● **Cuando niño, los domingos siempre salía con mis padres. Ahora, en cambio...**

Cuando puede introducir tanto un verbo, como un sustantivo o un adjetivo que se refiere a un período: **niño**, **grande**, **pequeño**, **joven**, **viejo**, **la guerra**, **las vacaciones**, etc.:

[4] ● **Yo, cuando la guerra, era muy pequeño.**

En los casos en los que **cuando** introduce un verbo, si éste se refiere al futuro con respecto al momento en el que se habla, va en presente de subjuntivo. Si se refiere al futuro con respecto a un momento del pasado del que se está hablando, va en imperfecto de subjuntivo:

➲ El subjuntivo

[5] ● **¿Y qué te dijeron?**
❍ **Nada, que cuando estuviera, me llamarían.**

[6] ● **Por favor, cuando llegues, llámame.**

2. PRESENTAR DOS SUCESOS COMO PARALELOS

Para presentar dos sucesos como paralelos se usa también:

al + ***suceso A en infinitivo*** + ***suceso B***

[7] ● **Sólo al marcar el número me di cuenta de que ya era demasiado tarde.**

[8] ● **Al empezar a correr sentí un tirón en la pierna y me caí al suelo.**

La construcción **al** + ***infinitivo*** tiene también, como otras expresiones que sirven para relacionar informaciones desde un punto de vista temporal, usos causales.

➲ Expresar la causa

3. SITUAR UN ACONTECIMIENTO CON RESPECTO A UN PERÍODO

Para situar un acontecimiento con respecto a un período se usa además:

de + ***sustantivo/adjetivo (que se refieren a etapas de la vida de una persona*** **niño, adulto, pequeño,** ***etc.)***

[9] ● **De niño, siempre pasaba las vacaciones con mis abuelos.**

4. PRESENTAR UN SUCESO COMO CONTEMPORÁNEO DE OTRO

Para presentar un acontecimiento como contemporáneo a otro, se usa también las estructuras:

mientras + ***acontecimiento A,*** + ***acontecimiento B***
acontecimiento A + **mientras tanto,** + ***acontecimiento B***

[10] ● **Mientras estaba en el banco, me robaron el coche.**

[11] ● **Yo quito la mesa. Mientras tanto, tú preparas el café.**

➧ Contraste **mientras / mientras tanto**

Con **mientras tanto**, se presentan los dos acontecimientos contemporáneos como dos informaciones nuevas para nuestro interlocutor. Usamos **mientras**, por el contrario, cuando pensamos o sabemos que nuestro interlocutor ya dispone de una de las dos informaciones, para presentarle el segundo acontecimiento como información nueva. El acontecimiento introducido directamente por **mientras** no constituye, por tanto, información nueva.

A veces, en lugar de **mientras tanto** se usa **entretanto** con matices comunicativos parecidos.

Como en todos los casos en los que una oración subordinada *define* algo (un momento, un lugar, una persona, un modo, etc.) en el futuro, cuando el suceso introducido por **mientras** se refiere al futuro con respecto al momento en el que estamos hablando, el verbo va en presente de subjuntivo. Cuando se refiere al futuro con respecto a un momento del pasado del que estamos hablando, el verbo va en imperfecto de subjuntivo:

➲ El subjuntivo

[12] ● **Mientras tú termines de preparar las maletas, yo voy a comprar de beber.**

[13] ● **Sabía perfectamente que, mientras siguiéramos allí, no se resolverían nuestros problemas.**

En español, a diferencia de otros idiomas, en estos casos no se usa nunca **hasta que**. Los acontecimientos relacionados con **hasta que** no son nunca contemporáneos. **Hasta que** introduce un acontecimiento que constituye el límite final de otro.

5. PRESENTAR UN SUCESO COMO INMEDIATAMENTE POSTERIOR A OTRO

Para presentar un suceso como inmediatamente posterior a otro, se usa:

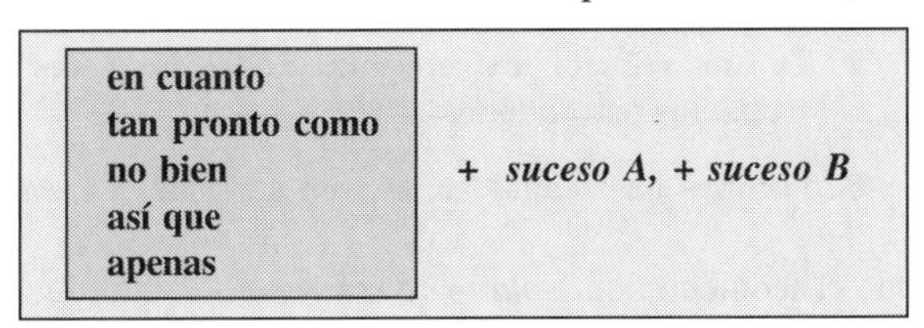

en cuanto
tan pronto como
no bien
así que
apenas
\+ *suceso A,* + *suceso B*

Con estos operadores, tanto el suceso A como el B se expresan con verbos en formas personales. También se emplea:

nada más + *suceso A en infinitivo* + *suceso B*

En estas construcciones, el suceso B siempre es inmediatamente posterior al suceso A:

[14] ● **Así que sepas algo, llámame, ¿de acuerdo?**

[15] ● **No bien la vio entrar, entendió lo que le iba a decir.**

[16] ● **Y en cuanto llegamos, nos lo contaron todo.**

[17] ● **Yo, con mi marido nunca tengo esos problemas. Cuando viaja, siempre me llama nada más llegar al hotel.**

Con las formas del primer grupo —que introducen un verbo conjugado—, se siguen las reglas normales de uso de los tiempos verbales. Así pues, cada vez que el primer suceso, introducido por **en cuanto, tan pronto como, no bien, así que** o **apenas**, se refiere al futuro, el verbo va en subjuntivo. Si se trata de un futuro con respecto al momento en el que estamos hablando, va en presente de subjuntivo. Si se trata de un futuro con respecto a un momento del pasado del que estamos hablando, en imperfecto.

➲ El subjuntivo

No bien se emplea en registros cuidados o cultos[1].

El operador **como** no tiene usos temporales en español actual. Se encuentran usos temporales bastante próximos a los de los demás operadores tratados en este apartado en textos del siglo pasado.

6. SUBRAYAR QUE UN SUCESO SE PRODUCE CADA VEZ QUE SE PRODUCE OTRO

Para subrayar que un acontecimiento se produce todas las veces que se produce otro, se usa:

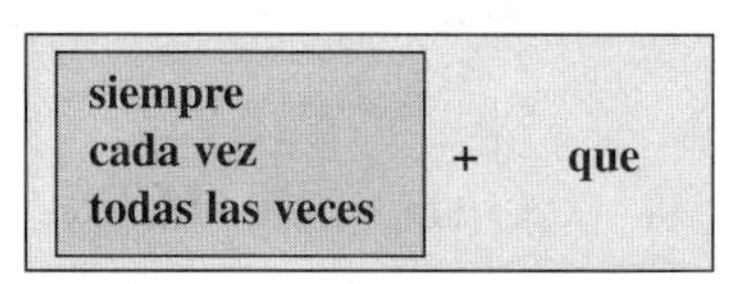
siempre
cada vez
todas las veces
\+ que

[18] ● **Cada vez que hay un temporal, Boby se asusta tanto que se esconde debajo de la cama y ya no vuelve a salir hasta el día siguiente.**

[19] ● **Es una relación extrañísima. Todas las veces que nos vemos acabamos peleándonos.**

[20] ● **Siempre que tengas ganas, ven a verme. Yo, encantado.**

En este caso también, cuando el acontecimiento *punto de referencia* —introducido por **siempre que, todas las veces que** o **cada vez que**— se refiere al futuro, el verbo va en subjuntivo. Si se trata de un futuro con respecto al momento en el que estamos hablando, va en presente de

---

1 En español americano se usa además la expresión **a lo que**:

[14b] ● **A lo que sepas algo, llámame, ¿de acuerdo?**

subjuntivo. Si se trata de un futuro con respecto a un momento del pasado del que estamos hablando, en imperfecto de subjuntivo.

➲ El subjuntivo

7. PRESENTAR DOS SUCESOS PROGRESIVOS Y PARALELOS

Para presentar dos acontecimientos como progresivos y paralelos el uno con respecto al otro, se usa:

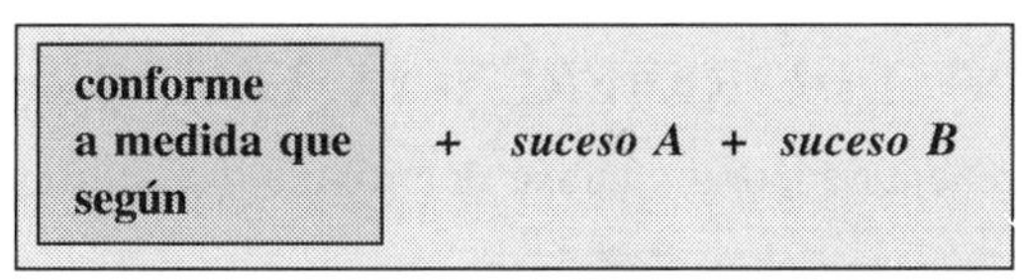

[21] ● **Son plantas bastante delicadas. Según vayan creciendo, las vas transplantando a otras macetas.**

[22] ● **Empezamos solos nosotros dos. Y conforme ha ido aumentando el trabajo hemos ido cogiendo nuevos colaboradores.**

En este caso también, cuando el acontecimiento *punto de referencia* —introducido por **a medida que, conforme** o **según**— se refiere al futuro, el verbo va en subjuntivo. Si se trata de un futuro con respecto al momento en el que estamos hablando, va en presente de subjuntivo. Si se trata de un futuro con respecto a un momento del pasado del que estamos hablando, en imperfecto de subjuntivo.

➲ El subjuntivo

8. PRESENTAR UN SUCESO COMO UNA ETAPA ALCANZADA

Para presentar un suceso como una etapa a la que se aspiraba llegar y que ya se ha alcanzado, para poder pasar a hablar de lo que viene después, se introduce con:

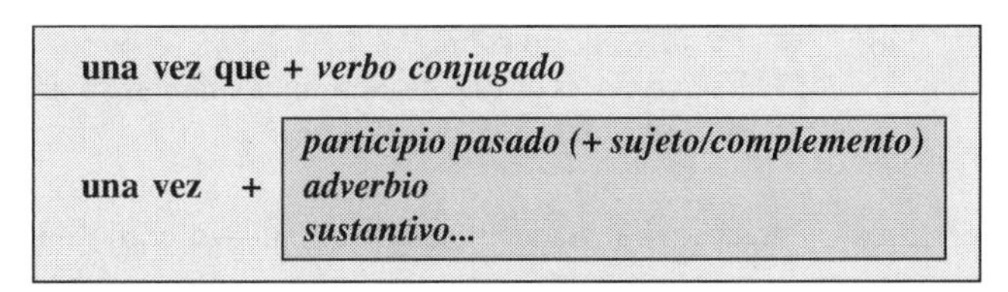

[23] ● **Una vez abierta otra ventana, a esta pared le llegará bastante luz.**

[24] ● **Un vez que se ha tomado un café, se pone de mejor humor.**

Como en los demás casos, cuando el acontecimiento que se presenta como etapa que se quería alcanzar y que ya se ha alcanzado se refiere al futuro, el verbo va en subjuntivo. Si se trata de un futuro con respecto al momento en el que estamos hablando, va en presente de subjuntivo.

Si se trata de un futuro con respecto a un momento del pasado del que estamos hablando, en imperfecto de subjuntivo.

➲ El subjuntivo

Como siempre, los elementos que ya han aparecido no se repiten —a no ser que sean necesarios. Esto hace que, con frecuencia en estas construcciones, el sujeto se omite por haber aparecido ya en el contexto.

9. TOMAR UN PUNTO DE REFERENCIA TEMPORAL

Para tomar un punto de referencia temporal y hablar del principio o del final de algo, se usan:

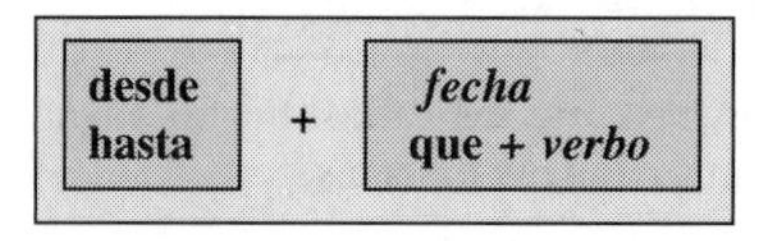

➲ El tiempo

[25] ● **Vive en Inglaterra desde junio, desde que terminó la carrera.**

10. REFERIRSE AL TIEMPO ANTERIOR A UN SUCESO

Para referirnos al tiempo anterior a un suceso, usamos:

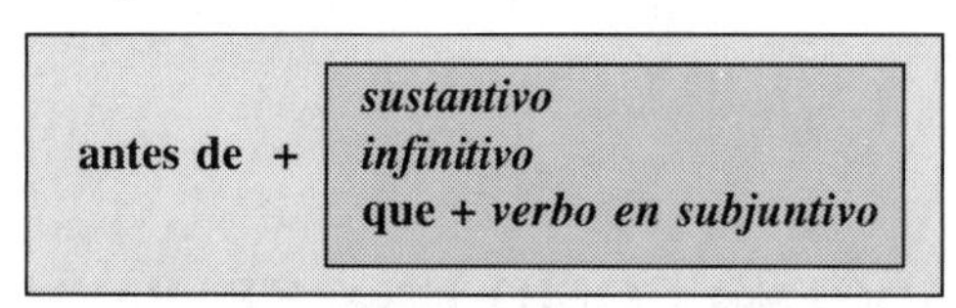

[26] ● **Antes de empezar a estudiar español, no sabía decir ni una palabra. Ahora, ya me las arreglo...**

[27] ● **Hoy, antes de la clase estuve paseando por El Retiro.**

[28] ● **¿Y tú como lo sabías?**
❍ **Es que, antes de que llegara, había llamado a su casa y me lo habían contado todo.**

Por lo general, se usa esta construcción para presentar un suceso como anterior a otro.

Los sustantivos que siguen a **antes de** se refieren generalmente a fechas, cantidades de tiempo (**año**, **mes**, **semana**, etc.) o a sucesos o acciones de algún tipo: **la boda**, **la conferencia**, **el principio**, **el final**, **el nacimiento**, **la muerte**, etc.

11. REFERIRSE AL TIEMPO POSTERIOR A UN SUCESO

Para referirnos al tiempo posterior a un suceso, acontecimiento o acción usamos generalmente:

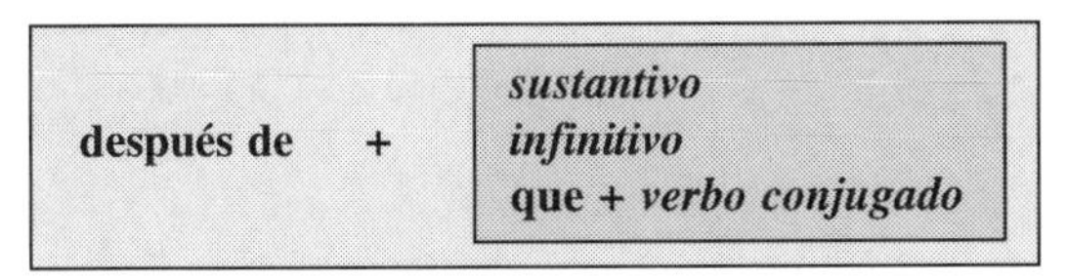

[29] ● **Después de la boda, habrá una fiesta.**

[30] ● **Después de hablar con ella, te llamo y te cuento, ¿vale?**

[31] ● **Sólo lo entendió después de que se lo hubiera explicado tres veces.**

➲ El tiempo

Los sustantivos que siguen a **después de** se refieren generalmente a fechas, cantidades de tiempo (**año, mes, semana,** etc.) o a sucesos o acciones de algún tipo: **la boda**, **la conferencia**, **el principio**, **el final**, **el nacimiento**, **la muerte**, etc.

Después de que + ***verbo conjugado*** se usa cuando los sujetos de los dos verbos son distintos.

El verbo puede ir en subjuntivo o en indicativo. En los registros más cultos, suele ir en subjuntivo —aunque también en estos registros se encuentran usos con el verbo en indicativo. Sin embargo, cuando el verbo se refiere al futuro siempre va en subjuntivo. Si se refiere al futuro con respecto al momento en el que se produce la comunicación, va en presente de subjuntivo. Si se refiere al futuro con respecto a un momento del pasado va en imperfecto de subjuntivo.

Con las expresiones que se refieren a una cantidad de tiempo, para informar sobre el lapso que media entre dos sucesos que pertenecen al presente, se usa:

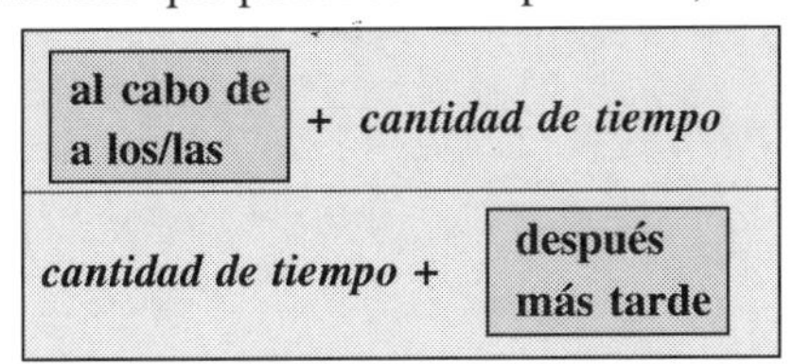

[32] ● **Nos conocimos en una fiesta en casa de un amigo y, al cabo de un año, nos casamos.**

[33] ● **Lo operaron en marzo y, unas semanas después, ya estaba perfectamente bien.**

En español americano —y en algunos registros peninsulares— se emplea también **después de** + ***cantidad de tiempo***.

EXPRESAR CONDICIONES

En español, el hablante dispone de varias maneras de expresar condiciones, según el tipo de condición de que se trate o la actitud con la que quiera plantearlas.

1. Operadores que se emplean para expresar condiciones y tipos de oraciones condicionales, en función de las actitudes de la persona que habla con respecto a lo que dice.

1.1. El operador más neutro del que dispone el hablante es **si**:

Las condiciones expresadas con **si** pueden ser de cualquier tipo. Con este operador, el hablante se limita a expresar una condición de la *manera más general posible*:

[1] ● **Si decides pasar esta semana, llama primero, que tengo mucho que hacer.**

1.1.1. Cuando se considera la condición introducida por **si** como algo que puede haberse realizado en el pasado o que puede realizarse o ser verdad en el presente o en el futuro, el verbo de la oración condicional introducida por **si** va en uno de los tiempos de indicativo:

[2] ● **Yo creo que estaban en casa.**
❍ **Pero si estaban en casa, ¿por qué no contestaron?**

Sin embargo, a diferencia de lo que ocurre en otras lenguas, el verbo de la oración condicional introducida por **si** nunca va en futuro. Cuando la oración condicional se refiere a algo futuro que el hablante considera posible, el verbo de la oración condicional va en presente de indicativo:

[3] ● **Ah, oye, si vienes por la tarde, acuérdate de traerte la llave, que igual no estoy.**

➲ El futuro

1.1.2. Cuando la condición introducida por **si** se refiere a algo que el hablante quiere presentar como irreal en el presente o que se considera de improbable realización en el futuro, el verbo va en imperfecto de subjuntivo:

[4] ● **Perdóname, pero de verdad no puedo. Si tuviera más tiempo, lo haría encantado; pero con el trabajo que tengo...**

[5] ● **Es muy sólida. Y tiene una garantía de diez años. O sea que si le pasara algo, aunque fuera dentro de cinco años, se la arreglaríamos gratis.**

➲ El imperfecto de subjuntivo

1.1.3. Cuando la condición introducida por **si** se refiere a algo que el hablante presenta como irreal en el pasado, el verbo va en pluscuamperfecto de subjuntivo:

[6] ● **Si lo hubiera sabido antes, no habría esperado inútilmente.**

[7] ● **¡Si me hubiera enterado!... No sabía nada.**

En estos casos, en los registros informales se encuentran usos del presente de indicativo, sobre todo en la construcción:

llegar a + *infinitivo*

[8] ● **Tuvo suerte de que no me enteré, porque si me llego a enterar...**

➲ Los tiempos compuestos o el pasado en los distintos tiempos
➲ El imperfecto de subjuntivo

1.2. Para expresar una condición que se refiere a algo que el hablante considera como un mínimo imprescindible para que se produzca otra cosa, se utilizan:

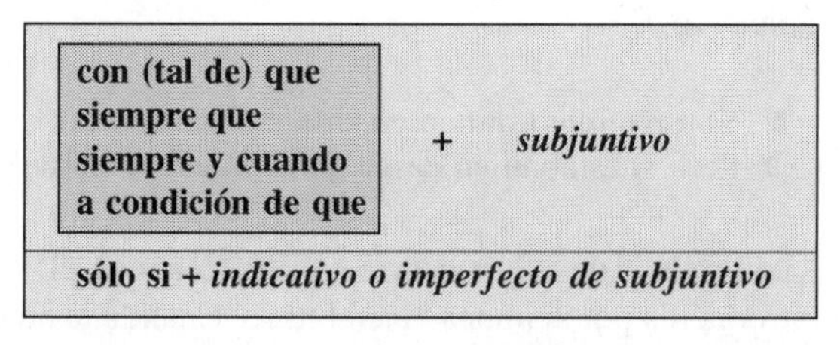

con (tal de) que **siempre que** **siempre y cuando** **a condición de que**	+ *subjuntivo*
sólo si + *indicativo o imperfecto de subjuntivo*	

[9] ● **Te lo presto con tal de que me lo traigas antes de las cinco, que luego tengo que salir.**

[10] ● **Les firmaré el contrato siempre y cuando acepten la cláusula XII.**

1.2.1. Todos estos operadores se usan generalmente en la respuesta a algún tipo de petición por parte de otro, que quiere, espera o pretende que se produzca lo que acaba de expresar —es decir: lo que depende de la oración condicional planteada en la respuesta de su interlocutor. Con este tipo de oración, el hablante impone sus condiciones para la realización de lo que depende de la oración condicional, que ya ha sido expresado anteriormente, generalmente por otra persona, o como resultado de una negociación entre interlocutores[1].

Puede ocurrir que la petición de otro no haya sido expresada explícitamente, sino tan sólo interpretada por el hablante que, en estos casos, suele expresar la apódosis también:

[11] ● **Yo me puedo quedar con el niño, pero sólo si no volvéis demasiado tarde...**

Generalmente, las oraciones condicionales introducidas por **con tal de que, siempre que, siempre y cuando, a condición de que** o **sólo si** se encuentran solas —y no al lado de la apódosis— debido a que ésta ya ha sido expresada por otro, puesto que estas oraciones suelen ser una respuesta a algo dicho por un interlocutor.

1.2.2. En lo que se refiere al uso de los distintos tiempos verbales, el operador **sólo si** funciona exactamente igual que **si**.

1.2.3. Con los demás, cuando se considera la condición introducida por estos operadores como algo posible en el presente o en el futuro, el verbo de la oración condicional va en presente de subjuntivo.

Cuando la condición se refiere a algo que se considera improbable en el presente o en el futuro, el verbo va en imperfecto de subjuntivo.

➲ El imperfecto de subjuntivo

[12] ● **Te lo prestaría a condición de que me lo trataras bien.**

1.2.4. Cuando se trata de una condición que se refiere a un futuro con respecto a un momento del pasado, el verbo va en imperfecto de subjuntivo.

[13] ● **¡Es increíble! Yo se lo presté a condición de que lo tratara bien. ¡Y mira tú cómo me lo devuelve!**

1.2.5. A veces, la condición introducida por estos operadores se refiere a algo que tiene que ocurrir/haber ocurrido antes de otro momento/situación del que se está hablando.

1 Con **con tal de que** la condición que impone el hablante parece referirse a algo que su interlocutor puede controlar. Con los demás operadores se trata de condiciones que el interlocutor puede no controlar.

En tales casos, el verbo va en un tiempo compuesto de subjuntivo, obedeciendo a las tres reglas enunciadas en 1.2.2., 1.2.3. y 1.2.4.: si se considera la cosa como posible irá en pretérito perfecto de subjuntivo (es decir en el tiempo compuesto correspondiente al presente de subjuntivo); si se considera lo expresado por la oración condicional como improbable o se trata de algo que habría debido realizarse antes de otro momento del pasado, el verbo irá en pluscuamperfecto de subjuntivo (es decir en el tiempo compuesto correspondiente al imperfecto de subjuntivo):

[14] ● **En octubre habrá dos profesores más, con que se haya matriculado el mismo número de alumnos, claro.**

[15] ● **Le prometieron renovarle el contrato, siempre que hubiera hecho un buen trabajo. Y lo despidieron.**

➲ Los tiempos compuestos

1.3. Para expresar condiciones que se refieren a lo que el hablante considera que es la única eventualidad para que no se produzca algo, se utilizan:

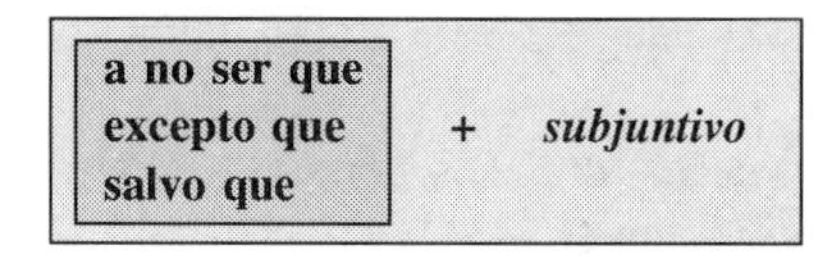

[16] ● **Esta noche vuelvo un poco tarde... A no ser que me cancelen la cita que tengo... Pero en ese caso te aviso.**

[17] ● **Bueno, pues, nos vemos mañana a las once y media en la playa... Excepto que esté lloviendo. En ese caso nos llamamos y nos vemos por la noche.**

Al introducir la única condición para que no se realice algo, estos operadores se utilizan generalmente en contextos en los que se anuncian planes, proyectos o cosas que ya están más o menos establecidas o decididas.

1.3.1. En lo que se refiere al uso de los tiempos verbales, los operadores presentados en este apartado son idénticos a los del grupo anterior. Cuando se considera la condición introducida por estos operadores como posible en el presente o en el futuro, el verbo de la oración condicional va en presente de subjuntivo (ejemplos [16] y [17]). Cuando la condición se refiere a algo que se considera improbable en el presente o en el futuro, el verbo va en imperfecto de subjuntivo:

[18] ● **Salgo mañana con el vuelo de las ocho... A no ser que estuviera lleno.**

➲ El imperfecto de subjuntivo

1.3.2. Cuando la condición se refiere a un futuro con respecto a un momento del pasado, el verbo va en imperfecto de subjuntivo.

1.3.3. A veces la condición introducida por estos operadores se refiere a algo que tiene que ocurrir/haber ocurrido antes de otro momento/situación del que se está hablando. En estos casos, el verbo va en un tiempo compuesto de subjuntivo, obedeciendo siempre a las tres reglas enunciadas en los apartados anteriores. Si se considera lo expresado en la oración condicional como posible, irá en pretérito perfecto de subjuntivo (es decir en el tiempo compuesto correspondiente al presente de subjuntivo); si se considera lo expresado por la oración condicional como improbable o se trata de algo que se hubiera debido realizar antes de otro momento del pasado, el verbo irá en pluscuamperfecto de subjuntivo (es decir en el tiempo compuesto correspondiente al imperfecto de subjuntivo):

[19] ● **Mañana os llamo e intento ir. Así os ayudo. A no ser que ya lo hayáis resuelto.**

➲ Los tiempos compuestos: el pasado en los distintos tiempos

1.4. Para evocar una eventualidad presentándola como algo más bien remoto, se emplea:

(en) caso de que + ***subjuntivo***

[20] ● **Oye, yo salgo. Vuelvo esta noche. En caso de que llame mi hermano, dile que pasaré por su oficina.**

[21] ● **¿Por qué no vamos a verlos?**
❍ **Yo creo que no van a estar.**
● **Bueno, vamos. En caso de que no estuvieran, nos vamos a cenar, o al cine... Ya veremos...**

1.4.1. Para el uso de los distintos tiempos verbales, estos operadores siguen las mismas reglas que los anteriores: cuando se considera lo expresado por la oración condicional como posible, se usa el presente de subjuntivo; cuando se considera como improbable, el verbo va en imperfecto de subjuntivo.

➲ 1.2.
➲ 1.3.
➲ El subjuntivo

1.5. Para presentar una condición que se refiere a algo que el hablante considera improbable y temido, suele usarse:

como + ***subjuntivo***

[22] ● **Como se caiga y se rompa, no sé qué vamos a hacer...**

[23] ● **Como se entere mi hermano, ya nos podemos estar inventando algo...**

En muy pocas ocasiones se encuentran usos de este operador referidos tan sólo a cosas que el enunciador considera improbables, sin ningún matiz de indeseabilidad.

1.5.1. Con frecuencia, se encuentran oraciones condicionales introducidas por **como** en frases interrumpidas —en las que, consiguientemente, no aparece la apódosis, es decir la *consecuencia posible* de la condición (en este caso, temida, indeseada y considerada de improbable realización). Al tratarse de cosas indeseadas, que el enunciador prefiere considerar como improbables, se deja a la imaginación del interlocutor la interpretación de lo que ocurriría en caso de que se realice lo expresado por la oración condicional:

[24] ● **Vale, puedes salir; pero vuelves antes de las doce. Y como llegues tarde...**

1.5.2. Para el uso de los distintos tiempos verbales en las oraciones condicionales introducidas por **como** se aplican las mismas reglas enunciadas en 1.2, 1.3. y 1.4.: se usa el presente de subjuntivo para señalar que se considera ligeramente menos improbable lo expresado por la oración condicional, y el imperfecto de subjuntivo para presentarlo como más improbable.

➲ El subjuntivo

1.6. Para expresar condiciones de manera bastante general, sin ninguna toma de posición enérgica y clara por parte del hablante, se utiliza a veces, además de **si**, la construcción:

de + *infinitivo*

[25] ● **De saberlo, te aseguro que te lo diría.**

[26] ● **De haberme enterado, no se lo hubiera dicho.**

Para expresar condiciones que se refieren a cosas irreales del pasado, se usa **de + *infinitivo compuesto***. Para expresar condiciones que se refieren a cosas irreales del presente o posibles en el futuro se usa **de + *infinitivo simple***.

En esta construcción, el infinitivo funciona como en todos sus usos: cuando no se especifica ningún sujeto distinto, suele referirse al mismo sujeto que el verbo conjugado de la apódosis.

➲ El infinitivo: sujetos del infinitivo

1.7. Además de las expresiones presentadas hasta aquí, se expresan con frecuencia oraciones con valor condicional mediante el uso del ***gerundio*** o del ***imperativo***:

[27] ● **Hablando con él, lo arreglas inmediatamente.**

[28] ● **Viajando en coche verás muchas más cosas.**

[29] ● **Abre la ventana y verás qué frío.**

[30] ● **Díselo y te mato.**

Además, el gerundio puede tener matices modales y/o temporales. El imperativo puede referirse a consejos.

Cuando se usa un imperativo para expresar algo análogo a una condición, la consecuencia de la condición (es decir la apódosis) va siempre introducida por el operador **y**.

1.8. Muy próximos a un matiz condicional, ciertos usos de **cuando**:

[31] ● **Cuando él lo quiere así, por algo será.**

En estos casos se trata, por lo general, de cosas que existen y son reales, que el sujeto no puede sino limitarse a constatar.

2. LOS TIEMPOS VERBALES EN LA ORACIÓN PRINCIPAL (APÓDOSIS)

El uso de los distintos tiempos verbales en las oraciones principales de las que dependen oraciones condicionales obedece a las reglas generales de uso de los tiempos verbales en español.

2.1. Cuando la oración condicional se refiere a cosas que el hablante considera posibles en el pasado, el presente, o el futuro, en la oración principal que depende de ella se usan los tiempos que se utilizan habitualmente para hablar del pasado (imperfecto, pretérito indefinido, pretérito perfecto), del presente y del futuro (presente, futuro, imperativo, etc.):

[32] ● **Si puedes venir, llámame.**

➲ El sistema verbal

2.2. Cuando la oración condicional se refiere a cosas irreales del presente, o que el hablante considera improbables en el futuro, la oración principal que depende de ella suele ir en condicional simple, pero también puede hallarse en uno de los tiempos habituales para hablar del presente o del futuro (presente, futuro, imperativo, etc.):

[33] ● **Si llamara, le dices que me vuelva a llamar mañana.**

[34] ● **Si hubiera cualquier problema, te llamo.**

[35] ● **Si ganara más, ahora no estaría aquí.**

[36] ● **Si tuviéramos necesidad de hablar con usted por algún motivo, nosotros lo llamaríamos.**

2.2.1. El uso del condicional indica que el hablante considera la cosa como menos probable en el futuro, o irreal en el presente.

2.3. Cuando la oración condicional se refiere a algo que el hablante considera irreal en el pasado, si la oración principal se refiere al presente o al futuro suele estar en condicional simple. Si se refiere a algo que no se ha podido realizar en el pasado, suele estar en condicional compuesto:

[37] ● **Si me lo hubieras dicho antes, ahora lo tendrías aquí.**

[38] ● **De haberme enterado, habría hecho algo.**

[39] ● **Si no le hubieras dicho nada, no se habría ofendido.**

2.3.1. CON MÁS DETALLE

Son frecuentes las oraciones que expresan algo que no se ha podido realizar en el pasado, que dependen de una oración condicional irreal del pasado no expresada explícitamente en el contexto: en tales casos, en lugar del condicional compuesto se usa a veces el pluscuamperfecto de subjuntivo:

[40a] ● **Hubiera querido avisarte, pero no pude.**

Estas oraciones presuponen una condición no expresada del tipo:

[40b] ● **Si hubiera podido / Si de mí hubiera dependido...**

3. RECAPITULACIÓN GENERAL: DISTINTOS TIPOS DE CONDICIONES

3.1. Condiciones que se refieren al presente o al futuro

3.1.1. Si consideramos lo que expresa la oración condicional como algo posible en el presente o en el futuro:

- Oración condicional

(sólo) si + ***presente de indicativo***

con tal (de) que
siempre que
siempre y cuando
a condición de que + ***presente de subjuntivo***
excepto que
a no ser que
salvo que
(en) caso de que

imperativo
gerundio

de + ***infinitivo simple***

- Oración principal

Una de las formas / tiempos normales para hablar del presente o del futuro

➲ Hablar del futuro
➲ El subjuntivo

3.1.2. Si consideramos lo que expresa la oración condicional como irreal o improbable en el presente o en el futuro:

- Oración condicional

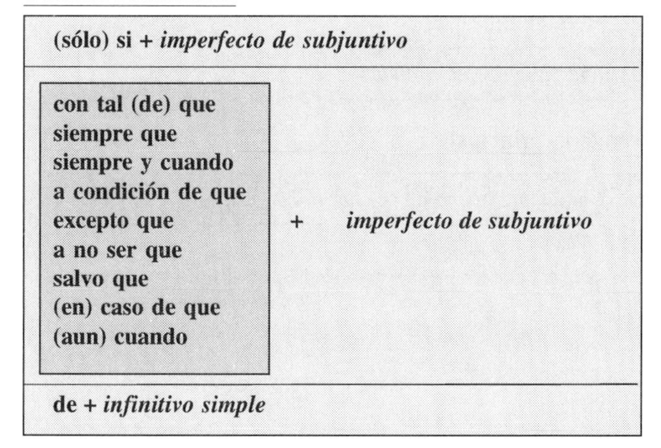
(sólo) si + ***imperfecto de subjuntivo***

con tal (de) que
siempre que
siempre y cuando
a condición de que
excepto que + ***imperfecto de subjuntivo***
a no ser que
salvo que
(en) caso de que
(aun) cuando

de + ***infinitivo simple***

- Oración principal

Una de las formas / tiempos normales para hablar de cosas que nos parecen improbables o irreales, o para hablar del futuro.

3.2. Condiciones que se refieren al pasado.

3.2.1. Si lo que expresa la oración condicional es algo irreal en el pasado:

Oración condicional

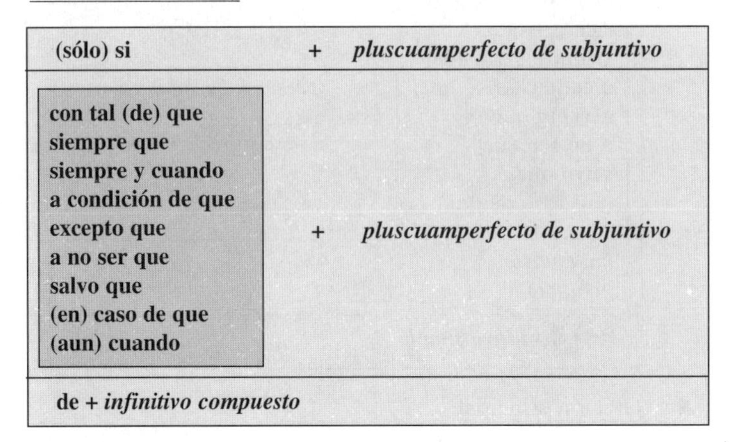

(sólo) si	+	*pluscuamperfecto de subjuntivo*
con tal (de) que siempre que siempre y cuando a condición de que excepto que a no ser que salvo que (en) caso de que (aun) cuando	+	*pluscuamperfecto de subjuntivo*
de + *infinitivo compuesto*		

Oración principal

Condicional simple o condicional compuesto *Imperfecto de subjuntivo en -ra*

3.2.2. Si lo que expresa la oración condicional se refiere a un futuro con respecto a un momento del pasado:

Oración condicional

Imperfecto de subjuntivo

Oración principal

Condicional simple (= *futuro con respecto a un momento del pasado*)

LA CONCESIÓN Y LAS FRASES ADVERSATIVAS

Los enunciados con oraciones concesivas y aquéllos que incluyen una oración adversativa son enunciados en los que el hablante menciona dos elementos de información que contrastan fuertemente entre ellos —hasta tal punto que, según el hablante, *uno de los dos no debería ser posible a la luz de lo expresado por el otro*. En este capítulo, llamaremos *elemento A* el elemento a la luz del cual no debería ser posible el otro elemento, que llamaremos *elemento B*.

En estos dos tipos de enunciados, lo que hace el enunciador es manifestar explícitamente que al informar / mencionar uno de los dos elementos no ha perdido de vista el otro. La única diferencia entre estos dos tipos de enunciados está en la perspectiva desde la que se plantea el contraste entre el *elemento A* y el *elemento B*.

En los enunciados con oración concesiva, el enunciador menciona el *elemento A* sólo de paso, ya que su atención se concentra esencialmente en el *elemento B*, sobre el que quiere informar. El enunciador señala que está teniendo en cuenta el *elemento A* —es decir que no se ha olvidado del impędimento que debería suponer— y que, sin embargo, puede / tiene que afirmar el *elemento B*. Se trata pues de enunciados en los que el hablante pone de manifiesto la inutilidad del *elemento A* para impedir el *elemento B*, su fracaso o su impotencia ante el *elemento B*.

El *elemento A* es información nueva para el destinatario del mensaje (o presentada como tal por el enunciador), o puede tratarse de información que ya se ha dado. A veces también puede tener carácter hipotético.

Por el contrario, en los enunciados con oración adversativa, el enunciador presenta los dos elementos como informaciones que tienen el mismo peso. Primero informa sobre el *elemento A* (oración principal), para introducir luego un *elemento B* que no debiera ser posible, o que parece inesperado a la luz del *elemento A*.

La oración concesiva es la oración mediante la cual el enunciador menciona de paso el *elemento A*. La oración adversativa es aquélla con la que presenta el *elemento B*, que constituye en cierta medida una excepción al *elemento A*, presentado previamente como información plena.

El *elemento A* y el *elemento B* pueden ser tanto afirmativos como negativos. Por evidentes motivos, esto tiene consecuencias importantísimas para la comprensión del enunciado. Sin embargo, para entender el funcionamiento de las oraciones concesivas y el de las adversativas es importante considerar cada uno de los dos elementos como un bloque que incluye la negación (si la hay), y no fijarse únicamente en los verbos.

1. El operador más neutro del que dispone el enunciador en español para introducir una oración concesiva es:

aunque + *elemento A*, *elemento B*

[1] ● **Aunque se lo he pedido varias veces, todavía no me ha llamado.**

[2] ● **Pero ¡cómo vas a salir con esta lluvia!**
❍ **No importa, aunque esté lloviendo, tengo que marcharme.**

El *elemento A* presentado en la oración concesiva introducida por **aunque** es el motivo por el que el hablante considera que no debería poder / tener que plantear el *elemento B*. Al formar una oración concesiva, lo que hace el hablante es decir explícitamente que está teniendo en cuenta dicho *elemento A* y que, a pesar de todo, puede / tiene que *decir* el *elemento B*[1].

Cuando la información presentada en la oración concesiva introducida por **aunque** es nueva para el interlocutor, o cuando se la presentamos como información nueva, el verbo de la oración concesiva introducida por **aunque** va en indicativo, aunque también se encuentran usos de **aunque** seguidos de un tiempo virtual (futuro o condicional).

➲ El indicativo
➲ Los tiempos virtuales
➲ El subjuntivo

Por otra parte, cuando la información mencionada en la oración concesiva introducida por **aunque** no constituye información nueva (porque se trata de algo que los dos

---

1 El obstáculo representado por el *elemento A* puede tocar tanto al referente extralingüístico del *elemento B* como al hecho mismo de *decir* ciertas cosas (*elemento B*)

[3] ● **Bueno, pues, aunque estés enfadado conmigo, hasta luego y, de nuevo, ¡feliz cumpleaños!**

Así pues, en [3], según el hablante, el *elemento A* (**estás enfadado conmigo**) debería ser un obstáculo para poder *decir* **hasta luego** y **¡feliz cumpleaños!** Al plantear la oración concesiva, lo que hace el enunciador es señalar que está teniendo en cuenta dicho *elemento A* que podría constituir un obstáculo y que, pese a todo, quiere *decir* **¡feliz cumpleaños!** y **hasta luego.**

interlocutores ya saben y aceptan o porque el enunciador no dispone de elementos que le permitan informar o no quiere informar), el verbo va en subjuntivo. También va en subjuntivo cuando la información tiene carácter hipotético (ya que formular una hipótesis es evocar la relación *sujeto — predicado*, sin presentarla como información).

➲ El subjuntivo

La oración concesiva introducida por **aunque** puede ir antes o después de la oración principal.

2. Con un significado bastante próximo al de **aunque**, pero con un mayor énfasis en el contraste entre la información principal y la información / los elementos mencionados en la oración concesiva se usa:

a pesar de que + *verbo conjugado*
a pesar de + *frase nominal / infinitivo*

[4] ◗ **A pesar de todos los problemas que ha tenido para adaptarse al país, ahora se encuentra bastante bien.**

[5] ◗ **¿Y qué tal su inglés?**
❍ **Pues mire, a pesar de que he seguido varios cursos, todavía tengo dificultades.**

En este caso también, el *elemento A* podría constituir, según el enunciador, un motivo para no decir/ tener que decir/ poder decir nada sobre el *elemento B*.

Igual que en el caso de **aunque** cuando la información introducida por **a pesar de que** es nueva para el interlocutor, o se presenta como nueva, el verbo va en un tiempo que informa (indicativo o virtual):

[6] ◗ **Yo, en la misma situación, tendría una actitud muy distinta y, en todo caso, a pesar de que me enfadaría igual o más que tú, trataría de buscar un acuerdo.**

Si se trata de información presupuesta, el verbo va en subjuntivo.

Cuando el verbo del *elemento A* introducido por **a pesar de** y el del *elemento B* se refieren al mismo sujeto, el verbo que sigue a **a pesar de** va con frecuencia en infinitivo:

[7] ◗ **A pesar de estar agotado, he decidido ir.**

La oración concesiva introducida por **a pesar de que + *verbo conjugado*** y **a pesar de + *frase nominal / infinitivo*** puede ir antes o después de la oración principal.

3. Después de dar una información con connotaciones —más bien— negativas, para introducir una nueva información a la luz de la que la información que se acaba de dar debería parecer menos importante o grave, se usa con frecuencia:

y eso que + *verbo conjugado*

[8] ● **Es un curso carísimo... Y eso que aquí, por lo menos, te dan los libros.**

En estos casos, la información introducida con **y eso que** constituye generalmente un elemento que, en cierto sentido, viene a "salvar/agravar la situación", como un elemento de consolación/agravamiento frente a la información que se acaba de dar. Dicho elemento de consolación/agravamiento tiene un valor muy próximo al del *elemento A* introducido con **aunque** o con **a pesar de que**: se trata de un dato previo que llega *a posteriori* para ayudar a entender la situación. En [8], el *elemento A* (**aquí, por lo menos, te dan los libros**) introducido por **y eso que** es el elemento de consolación/agravamiento por el *elemento B* (**es carísimo**), que se acaba de proferir y, a la vez, constituye el único argumento que habría podido / debido impedir la afirmación **es carísimo** (es decir que debería haber impedido, a nivel metalingüístico, la existencia del *elemento B*).

La oración introducida por **y eso que** va en un tiempo que informa, al tratarse de informaciones nuevas para el oyente.

La información introducida por **y eso que** va siempre después de la información principal.

4. Además de los operadores presentados hasta aquí, a veces se usan las siguientes expresiones con un sentido paralelo al de **aunque**, para introducir el *elemento A* que, para el enunciador, debería constituir un obstáculo para el *elemento B*:

si bien (es cierto que) + *información nueva*
aun + *gerundio*

Además, se encuentran usos de **bien que**[2].

[9] ● **¿Y qué tal estáis en la nueva casa?**
❍ **Bien, muy bien. Si bien la casa es mucho más pequeña que la vieja, todo está mejor estudiado, y el espacio está más aprovechado.**

[10] ● **Aun teniendo la posibilidad, yo no iría. Me parece demasiado peligroso.**

Si bien y **si bien es cierto que** siempre introducen una información nueva o que se presenta como nueva; por lo tanto, el verbo va en un tiempo que informa (futuro o condicional).

Aun + *gerundio* puede introducir tanto informaciones nuevas como informaciones presupuestas o hipotéticas.

2 De todos los operadores que se usan para introducir la concesión, es el que tiene usos menos frecuentes.

5. Para introducir un *elemento A* que según el enunciador debería impedir un *elemento B* generalmente negativo, se usa a veces:

con + *infinitivo*

[11] ● **A mí me parece inútil. Con aprendérselo todo de memoria no va a aprobar el examen.**

En estos casos, el *elemento B* está generalmente en la forma negativa y se refiere a algo buscado o deseado. Así, por ejemplo, en [11] lo contrario del *elemento B* (**no va a aprobar el examen**) es algo deseado / buscado: lo que se quiere es precisamente resolver algo ***(aprobar el examen).***

El uso de **con + *infinitivo*** con este valor concesivo es frecuente sobre todo en las predicciones para el futuro con respecto al momento de la enunciación o con respecto a un momento del pasado del que se está hablando.

6. Para presentar el *elemento A* que debería impedir el *elemento B*, señalando a la vez que cualquiera que sea la intensidad con la que se haga/aplique lo expresado por un verbo, un adverbio o un adjetivo, o cualquiera que sea el número de lo expresado por un sustantivo, dicho *elemento A* no logra/logrará impedir el *elemento B*, se usan las construcciones:

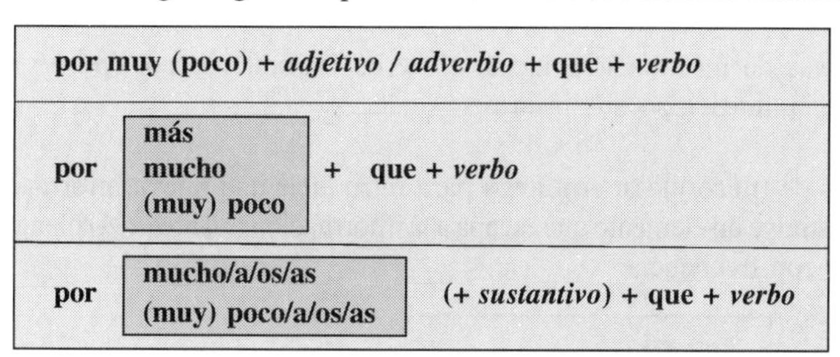

por muy (poco) + *adjetivo / adverbio* + que + *verbo*		
por	**más mucho (muy) poco**	**+ que + *verbo***
por	**mucho/a/os/as (muy) poco/a/os/as**	**(+ *sustantivo*) + que + *verbo***

El verbo en estos casos suele ir en subjuntivo, aunque también se encuentran usos del indicativo:

[12] ● **Por muy barato que sea, no lo necesito.**

[13] ● **Por muy amable que parezca, no te fíes: es un hipócrita.**

[14] ● **Por mucho que comas, será difícil que engordes.**

CON MÁS DETALLE

Estas construcciones se suelen usar cuando en el contexto previo ha aparecido explícita o implícitamente una alusión a un **muy/mucho** o a un **poco** como manera de/argumento para solucionar un problema, o conseguir lo contrario del *elemento B* —es decir: impedir que se produzca el *elemento B*. Así, por ejemplo, en [12], el interlocutor del hablante tiene que haber dicho explícitamente o insinuado en el contexto anterior que la cosa de la que están hablando es ***muy***

barata; en [13], el hablante o su interlocutor han dicho/sugerido que la persona de la que están hablando les parece/puede parecer muy amable; análogamente, en [14], se ha hablado de la posibilidad de que el **tú** comiera mucho o más.

En algunos casos, el *elemento A* presentado con **por muy/mucho que**, etc. tiene carácter hipotético —como en [14].

7. Después de dar una información, para introducir una nueva que contrasta total o parcialmente con la principal, que limita su alcance o que viene a ser una excepción a lo planteado anteriormente, se usa con frecuencia:

(pero/y) sin embargo + *verbo conjugado*

[15] ● **Sí, está nevando, pero sin embargo no hace nada de frío.**

[16] ● **El trabajo lo terminé hace dos meses; sin embargo, todavía no me lo han pagado.**

Al contrario de lo que ocurre con **aunque, a pesar de que** y **eso que** —operadores que introducen el *elemento A* que el hablante considera un (posible) obstáculo para el *elemento B*—, con **(pero/y) sin embargo** el hablante introduce un *elemento B* que viene a ser una *excepción* a la dificultad o imposibilidad planteada por el *elemento A* dado anteriormente.

Al tratarse de información nueva, el verbo introducido por **(pero/y) sin embargo** va siempre en un tiempo que informa.

Además de **(pero/y) sin embargo** para introducir una nueva información (*elemento B*) que constituye un elemento que escapa a la información (*elemento A*) planteada anteriormente se usan con frecuencia:

aun así **así y todo** **esto/ello no quita que** **eso sí**

Estas cuatro expresiones vienen siempre después de una primera información (*elemento A*) que, por sí sola, ya puede considerarse completa, e introducen nuevos elementos de información que se vienen a añadir *a posteriori*.

Con todos los operadores presentados en este apartado, la estructura es:

elemento A	**+**	**(pero/y) sin embargo** **aun así** **así y todo** **eso sí** **ello/esto/eso no quita que**	**+**	***elemento B***

[17] ● **He sacado de la maleta la mitad de la ropa que tenía pensado llevarme y los pocos libros que había metido y, aun así, sigue pesando demasiado.**

8. Después de dar una información principal que el hablante no consigue aceptar del todo, para introducir o recordar los argumentos por los que el hablante no logra aceptar dicha información, se usa con frecuencia, especialmente en registros informales, la expresión:

y mira que + *información*

[18] ● **Ha perdido el avión. Y mira que le había dicho un montón de veces que había que llegar por lo menos con una hora de antelación.**

La información introducida con **y mira que** siempre constituye información nueva (*elemento A*), por lo que el verbo va en un tiempo y modo que sirva para informar (indicativo, futuro o condicional).

Al tratarse de información (*elemento A*) que se añade *a posteriori* sobre la situación previa a un acontecimiento (*elemento B*), **y mira que + *información*** —igual que **y eso que**— se encuentra siempre después del *elemento B*.

A diferencia de lo que ocurre con la información introducida con **y eso que**, que el hablante presenta generalmente como un elemento de consolación con respecto a la información contenida en la oración principal, la información presentada con **y mira que** representa, generalmente, el/un punto por el que el hablante no logra resignarse o tranquilizarse, el elemento que provoca su rabia, su sorpresa, etc.

9. A veces, para subrayar el contraste entre el *elemento A* y el *elemento B*, el hablante decide combinar dos de los operadores presentados arriba: uno de los que sirven para introducir el *elemento A* con uno de los que sirven para introducir el *elemento B*. Se dan, pues, construcciones como las siguientes:

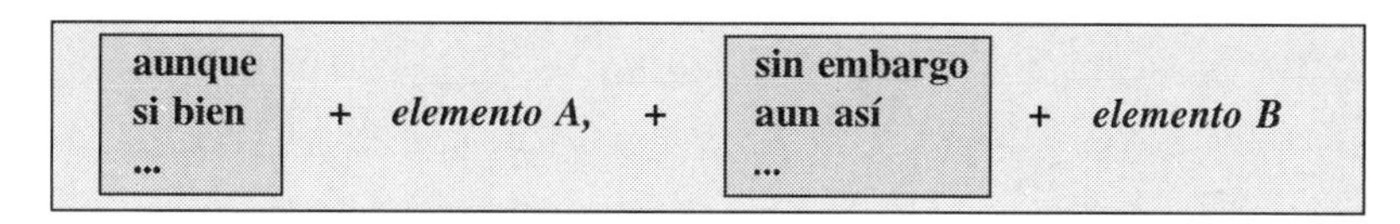

CON MÁS DETALLE

A diferencia de lo que sucede en otras lenguas, en español no se usa **también si** para introducir oraciones concesivas:

[19a] Francés:
● **Même s'il pleut, je dois sortir.**

[19b] Italiano:
● **Anche se piove devo uscire.**

[19c] Inglés:

- **Even though it is raining, I have to go out.**

[19d] Español:

- **Aunque está/esté lloviendo tengo que salir.**

Tampoco se usan las expresiones **por cuanto, tal vez** o **todavía** con valor concesivo ni adversativo:

[20a] Italiano:

- **Per quanto lavori non guadagna abbastanza per poter andare in vacanza.**

[20b] Español:

- **Por más que trabaje / por mucho que trabaje, no gana lo suficiente para poder irse de vacaciones.**

EXPLICAR LA CAUSA, LA CONSECUENCIA, LA FINALIDAD Y EL MODO

1. PREGUNTAR POR LA CAUSA DE ALGO

El español dispone de muchos recursos para hacer preguntas por la causa. Los dos más generales son:

¿por qué...?
¿cómo es que...?

[1] ● **Pero ¿por qué no me dijiste nada? Igual te podía ayudar.**

[2] ● **El miércoles lo hablamos.**
❍ **¿Por qué el miércoles? ¿Por qué no esta noche o mañana? No entiendo por qué lo quieres aplazar tanto...**

[3] ● **¿Cómo es que vives en Francia? Eres española, ¿no?**

Por qué también puede funcionar en las oraciones interrogativas indirectas, a diferencia de **cómo es que**, que sólo funciona en las preguntas directas.

Es importante tomar conciencia de que no en todos los usos de **por qué** se trata de preguntas por la causa de algo. **Por qué** se usa a menudo en otros contextos, con otras intenciones comunicativas, como por ejemplo al proponer actividades, al invitar, etc.:

[4] ● **¿Por qué no te vienes a cenar a casa esta noche?**

Con frecuencia, a una pregunta por el motivo de algo se contesta con la finalidad en lugar del motivo. En el fondo, la finalidad es un motivo:

[5] ● **Y tú ¿por qué estudias español?**
❍ **Para ir a Latinoamérica.**

1.1. Contraste **por qué / cómo es que**

Por qué es más explícito y más directo que **cómo es que**. Se usa **cómo es que** para intentar ser más amable y demostrar una actitud más delicada hacia el interlocutor.

Por otro lado, en muchos casos el uso de **cómo es que** implica un elemento de sorpresa por parte del hablante, que no logra encontrar una explicación. Al usar **por qué**, el enunciador presupone que su interlocutor pueda contestar. Véase la diferencia entre:

[6a] ● **¿Por qué lo han despedido?**

[6b] ● **¿Cómo es que lo han despedido?**

1.2. Además, hay muchas maneras indirectas de estimular al interlocutor para que explique la causa de algo. Una de las más frecuentes consiste en repetir lo que acaba de decirnos y que queremos que nos explique; o, también, en formular preguntas que implican una respuesta afirmativa o negativa sobre cosas compartidas por ambos interlocutores y que parecen evidentes, o en subrayarlas con una afirmación. La reacción más frecuente en estos casos es una explicación:

[7] (A una persona que tiene un cigarrillo encendido en la mano):
● **¿Estás fumando?**
❍ **Perdona, no me había dado cuenta... Si quieres, lo apago.**

[8] ● **¿No viniste a la fiesta?**
❍ **Es que estaba cansado y me sentía mal.**

2. PREGUNTAR POR LA FINALIDAD DE ALGO

Para preguntar explícitamente por la finalidad de algo se usa:

¿para qué...?

[9] ● **¿Para qué te llevas tantos libros, si no vas a tener ni un minuto para leer?**

Además, a menudo se responde con la finalidad a las preguntas por la causa, ya que la finalidad es un tipo de causa.

3. EXPLICAR EXPLÍCITAMENTE LA CAUSA DE ALGO

El operador más explícito y más general del que dispone el español para explicar la causa de algo es:

porque

[10] ● **Te quería avisar de que no voy a poder ir porque estoy enfermo.**

Cuando lo que hace el enunciador no es dar informaciones nuevas, sino retomar una explicación que acaba de formular otro o que se había formulado para sí mismo, ya sea para rechazarla y proponer otra explicación, ya sea para aceptarla y decir algo más, **porque** va seguido del subjuntivo en lugar del indicativo o del virtual (futuro o condicional):

[11] ● **Perdona, pero de verdad prefiero quedarme en casa. No porque no me apetezca estar con vosotros... Lo que pasa es que me siento fatal.**

A una pregunta formulada con **cómo es que** no se suele contestar con **porque**.

3.1. En los registros ligeramente más formales o en la lengua escrita formal, para presentar la causa de manera explícita se usa además, con un significado muy próximo al de **porque**:

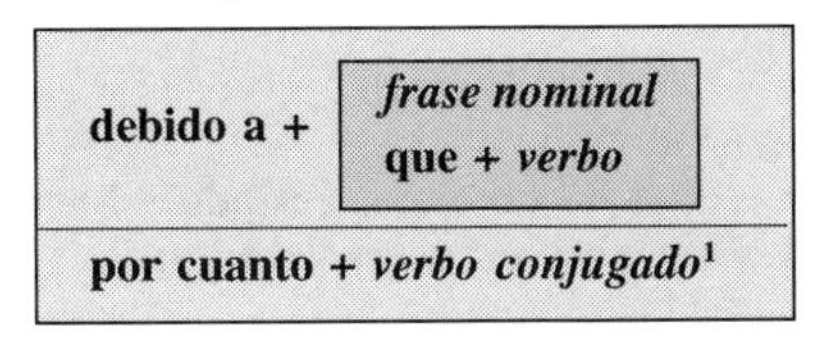

debido a + ***frase nominal*** / **que +** ***verbo***

por cuanto + ***verbo conjugado***[1]

Estas dos expresiones introducen informaciones nuevas, por lo que van seguidas de un verbo en un tiempo que informa.

[12] **En respuesta a su carta del 3 de octubre, sentimos tener que informarle de que todavía no hemos podido empezar el trabajo, debido a que no nos han entregado aún algunas de las piezas necesarias...**

4. PRESENTAR UNA EXPLICACIÓN COMO PRETEXTO

Para presentar una explicación más bien como un pretexto formulado espontáneamente que como una explicación solicitada, el operador más empleado es:

es que

[13] ● **Todavía no he terminado del todo. Es que he estado enfermo. Pero en cuanto lo tenga te lo mando.**

No siempre **es que** aparece en explicaciones espontáneas. A menudo se da en respuestas a preguntas por la causa de algo, en las que el enunciador siente la necesidad de justificarse por

1 En español, a diferencia de su equivalente en otros idiomas, **por cuanto** no se suele usar con valor concesivo.

algún motivo. También aparece en respuestas a otro tipo de preguntas porque el enunciador siente la necesidad de justificarse o porque quiere mostrarse amable con su interlocutor:

[14] ● **¿Me has traído ese libro?**
❍ **Perdona, pero es que no he dormido en casa y no he podido cogerlo. Mañana te lo traigo sin falta.**

[15] ● **¿Y cómo es que hablas tan bien español?**
● **Es que mi madre es española.**

Es característico el uso de **es que** para rechazar propuestas, invitaciones, ofertas, etc., sin tener que hacerlo explícitamente:

[16] ● **Toma, coge uno...**
❍ **Es que el chocolate me hace daño.**

Cuando el hablante intenta formular una explicación y no encuentra las palabras exactas para decir lo que quiere decir, con frecuencia usa **no es que** + ***subjuntivo*** para descartar una primera formulación que no le satisface totalmente:

[17] ● **¿Y te ha gustado?**
❍ **Mira, no es que no me haya gustado... Lo encuentro bastante bonito... Lo que pasa es que me recuerda...**

A diferencia de lo que ocurre en otras lenguas, en español no se suele usar **¿sabe(s)?** para introducir una justificación o un pretexto.

5. PRESENTAR LA CAUSA DE ALGO CON CONNOTACIONES NEGATIVAS

Para presentar la causa o el origen de algo con connotaciones negativas, se usa a menudo:

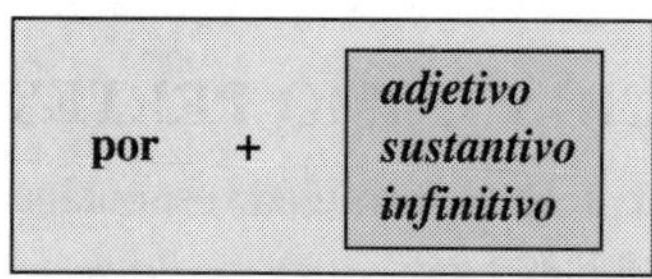

[18] ● **Te has puesto enfermo por trabajar demasiado.**

[19a] ● **Eso te pasa por confiado.**

Generalmente, la causa presentada con **por** se refiere a algo que tiene connotaciones negativas en el contexto considerado —aunque en otros contextos pueda tener connotaciones positivas. Se trata, por lo general, de algo presentado como una obsesión o manía del sujeto (no necesariamente del enunciador), o como algo que el sujeto sufre como víctima. A veces se trata de una crítica del enunciador al sujeto:

[19b] ● **Eso te pasa por (ser) bueno.**

Se encuentran además otros usos de **por** para presentar la causa de manera más vaga y general. Sin embargo, los señalados aquí son los más frecuentes y característicos de este operador.

6. PRESENTAR LA SITUACIÓN PREVIA

Para presentar la situación previa que constituye la explicación de la información que se va a dar después, se usa:

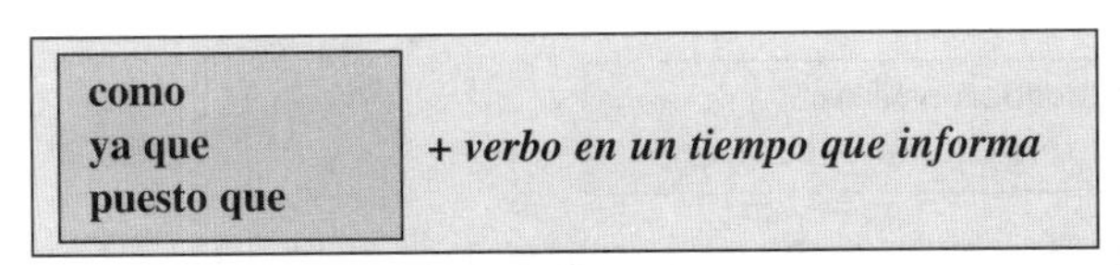

como ya que puesto que	+ *verbo en un tiempo que informa*

[20] ● **Como hacía mucho frío, decidimos quedarnos en casa.**

[21] ● **Voy a comprar el periódico. Vuelvo dentro de un rato.**
○ **Ya que vas a salir, ¿por qué no te llevas la basura?**

En estos contextos, a veces, en lugar de **como** se usa **como que** (español peninsular).

Las oraciones causales introducidas por **ya que** y **puesto que** pueden ir antes o después de la oración principal.

Las oraciones causales introducidas por **como** van siempre antes de la oración principal. A veces, aparecen después de la oración principal que contiene la información que explican: en estos casos se trata siempre de una frase interrumpida, que empieza por la oración causal introducida por **como**, a la que debería seguir una oración principal que el hablante no llega a decir. En la lengua hablada, esto va claramente marcado por una entonación de frase que se queda en suspenso:

[22] ● **Lo fuimos a ver. Como no sabíamos que estaba de viaje...**

Contraste **como / ya que - puesto que**

- Con **como**, el hablante presenta la situación previa que explica la información que da después como algo que sale de él mismo y sobre lo cual informa a su interlocutor. Las explicaciones presentadas con **como** pueden ser informaciones nuevas para el interlocutor o elementos ya compartidos. Sin embargo, siempre se trata de información *controlada sólo por* el hablante.
- Al contrario, la situación previa —que explica las informaciones que vienen después— presentada con **ya que** y con **puesto que** tiene el estatuto de constatación por parte del hablante de algo que no viene de él sino de la situación o de su interlocutor. El hablante plantea por primera vez / reconoce el estatuto de información que tienen los hechos presentados, aun tratándose de hechos y datos de los que el interlocutor ya dispone. Por eso en [21] no se puede usar **como** en lugar de **ya que**: el interlocutor acaba de informar al hablante de que va a salir. El hablante no puede sino *aceptar* dicha información como constatación de una situación que no depende de él.

A veces, en los razonamientos o al tratar de convencer a alguien de algo, se usa **ya que** o **puesto que** para presentar argumentos que explican las conclusiones a las que se quiere llegar:

[23] ● **En estos casos no se puede usar el subjuntivo, ya que el subjuntivo sirve para referirse, sin informar, a la relación sujeto predicado.**

Se trata de un recurso retórico utilizado con frecuencia para ser más convincente: consiste en presentar informaciones nuevas como algo evidente para todos, sabido por todos.

En las argumentaciones, para presentar la situación previa que constituye la explicación a los argumentos que se van a introducir después, se usa además:

considerando que
si se tiene en cuenta que

[24] ● **Actualmente, se observa una tendencia a un envejecimiento y, por consiguiente, a una disminución de la población; pero si se tiene en cuenta que va aumentado el fenómeno de la inmigración, se puede prever una estabilización de la situación dentro de diez años.**

7. RETOMAR UN ELEMENTO DE INFORMACIÓN

Para retomar un elemento de información que el destinatario del mensaje ya tiene y relacionarlo con una información nueva que se va a dar, presentándolo como un factor causal que permite entender la nueva información, se usa a veces:

al + *infinitivo*

[25a] ● **¿Y cómo aprendiste inglés?**
❍ **Pues al trabajar en una empresa inglesa, a fuerza de oír hablar inglés, he ido aprendiendo.**

CON MÁS DETALLE

Lo que hace el enunciador con **al + *infinitivo*** se parece mucho a lo que hace en las oraciones causales con **como**. La diferencia entre estos dos operadores depende del hecho de que con **al + *infinitivo*** siempre retoma un elemento de información que su interlocutor ya tiene, mientras que con **como** se trata, generalmente, de informaciones que presenta como nuevas. En ambos casos, el hablante se presenta a sí mismo como *punto de origen* de lo que dice —a diferencia de lo que ocurre con **ya que** y con **puesto que**, operadores con los que presenta lo dicho como una constatación frente a algo exterior, una aceptación de algo que le viene desde fuera[2].

En los casos en los que se usa **al + *infinitivo***, si el hablante quiere presentar el elemento que retoma a la vez como *causa* y como *modo*, puede usar el ***gerundio***:

[25b] ● **¿Y cómo aprendiste inglés?**
❍ **Pues, trabajando en una empresa inglesa, a fuerza de oír hablar inglés, he ido aprendiendo.**

---

2 Además de estos usos causales, **al + *infinitivo*** tiene frecuentes usos temporales: señala la correspondencia temporal entre lo expresado por el verbo en infinitivo al que introduce y lo expresado por la oración principal.

8. EN VISTA DE

A veces se usa la expresión:

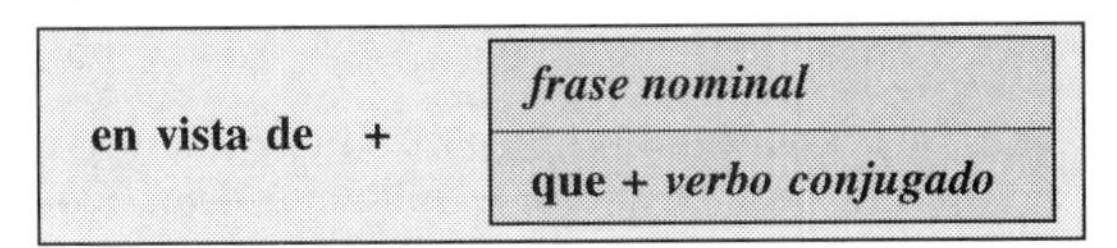

con un sentido bastante próximo al de **como**, aunque de un registro ligeramente más alto.

[26] ● **En vista de que la mayoría de los presentes todavía no tienen terminado su informe, propongo aplazar la reunión de mañana a la próxima semana.**

Con **en vista de que** el enunciador vuelve a presentar como información nueva (*constatación / reinterpretación de la situación*, etc.) unos datos que con frecuencia ya están en el contexto. Para el hablante, tienen estatuto de informaciones que quiere plantear de manera clara. Por tal motivo, el verbo que sigue va en un tiempo que informa.

9. PRESENTAR LA CAUSA DE ALGO BIEN ACEPTADO

Para presentar la causa o lo que ha hecho posible algo deseado / buscado o, en todo caso, algo bien aceptado por el hablante y/o por su interlocutor, se usa:

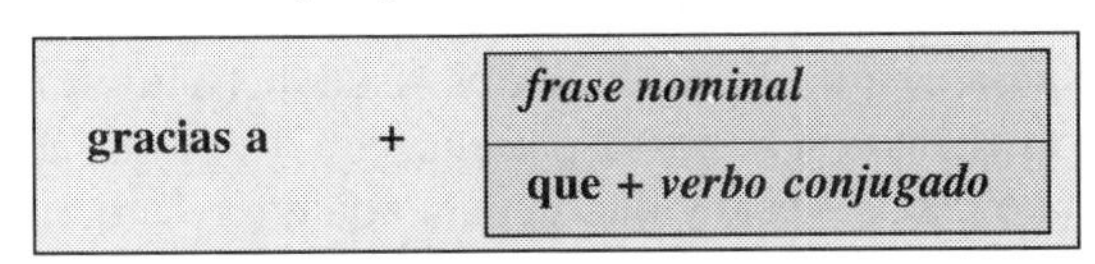

[27] ● **Gracias a la colaboración de un conocido, pudimos tener una entrevista con el director.**

Son más frecuentes los usos de **gracias a** con una frase nominal que con un verbo.

10. PRESENTAR LA CAUSA DE ALGO MAL ACEPTADO

Para presentar la causa o lo que ha hecho posible / provocado algo indeseado o mal acogido por el hablante y/o por su interlocutor, se usa:

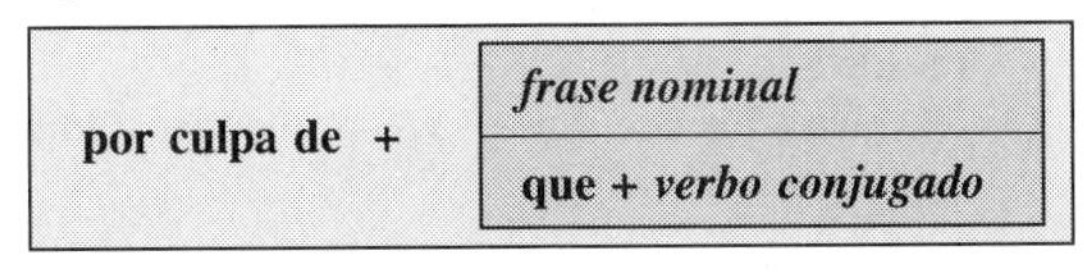

[28] ● **Por culpa de Paco, que nos tuvo un cuarto de hora en el teléfono, llegamos tarde y no nos dejaron entrar.**

Son más frecuentes los usos de **por culpa de** con una frase nominal que con un verbo.

11. PRESENTAR LA CAUSA DE ALGÚN PROBLEMA

Para presentar la causa de algo cuando se trata de algún problema, en los registros informales se usa con frecuencia:

lo que pasa es que

[29] ● **¿No nos podemos ver un poco antes, como a las cuatro, por ejemplo? Lo que pasa es que, si terminamos demasiado tarde, luego no sé cómo volver a casa.**

Generalmente, las informaciones presentadas con **lo que pasa es que** son nuevas para el interlocutor.

12. PRESENTAR UNA INFORMACIÓN PRESUMIBLEMENTE CONOCIDA

Para presentar una información que el hablante consideraba conocida para su interlocutor, como algo que le recuerda para ayudarle a entender un suceso o una situación, se usa con frecuencia:

si es que

[30] ● **Hay que ver cómo son todos. Ya son las diez y media y todavía falta más de la mitad de la gente.**
❍ **Si es que hay huelga de transporte público.**
● **¡No me digas! No sabía nada...**

La explicación presentada con **si es que**, como la información presentada con **lo que pasa es que**, se refiere generalmente a algún tipo de problema. La diferencia entre estos dos operadores consiste en que con **lo que pasa es que** el enunciador presenta dicha información como nueva para su interlocutor, mientras que con **si es que** la presenta como algo que él pensaba / suponía que su interlocutor ya sabía o debía saber, y que tan sólo quiere recordar.

13. PRESENTAR UNA INFORMACIÓN PRESUMIBLEMENTE NO CONOCIDA

Para presentar una explicación que se refiere a algún problema como información nueva, si el hablante ni siquiera supone que su interlocutor sepa que hay algún tipo de problema (aun sin saber cuál) y, por tanto, decide informarle de todo *ex novo,* sin presuponer nada, usa:

sucede que ocurre que

[31] ● **El señor López no está en este momento. ¿Quiere que le deje algún recado?**
❍ **Sí, mire... Sucede que no voy a poder ir a la reunión de mañana y quería avisárselo.**

14. JUSTIFICAR UNA PRECAUCIÓN

Para justificar algo dicho o hecho como una precaución por parte de un sujeto que está considerando la eventualidad hipotética de que la cosa sea necesaria, se usa:

por si acaso

En registros más informales / familiares se usa también **por si las moscas**.

[32] ● **No creo que llueva pero llevémonos un paraguas por si acaso.**

15. PRESENTAR LA CAUSA DE ALGO COMO RESULTADO DE UNA ACCIÓN

Para presentar la causa de algo como el resultado de una acción o comportamiento obstinado y persistente por parte de un sujeto, se usan las expresiones:

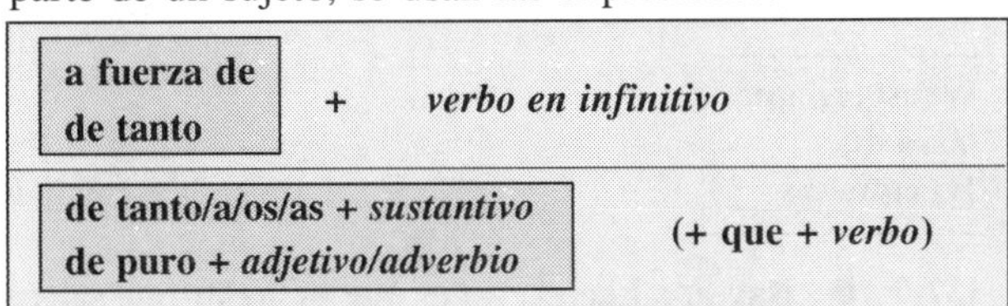

a fuerza de **de tanto**	+	***verbo en infinitivo***
de tanto/a/os/as + ***sustantivo*** **de puro +** ***adjetivo/adverbio***		**(+ que +** ***verbo*****)**

[33] ● **De tanto trabajar se está olvidando de que tiene una familia.**

[34] ● **No lo hizo de puro perezoso.**

[35] ● **De tanta cerveza te vas a poner como una foca. ¿Por qué no bebes otra cosa?**

Estas expresiones sirven para presentar a la vez la *causa* y el *modo* de obtener un determinado resultado.

16. PRESENTAR EL MODO DE OBTENER UN RESULTADO

Para presentar el modo de llegar a un resultado y, a la vez, lo que lo provoca, se usan las preposiciones **de** y **a**. He aquí algunas expresiones frecuentes:

morir(se), matar... + de + ***estado físico o emotivo o acto único*** **(un tiro, un disparo, una enfermedad, una hepatitis, pena, tristeza, rabia, hambre, sed, sueño...)**
morir(se), matar,... + a + ***acto repetido*** **(palos, gritos, empujones...)**

17. PRESENTAR COMO OBSESIÓN EL MODO DE LOGRAR ALGO

Para hablar del modo de llegar a algo presentándolo como una obsesión repetitiva del / para el sujeto, se usa:

imperativo afirmativo de **tú + que (+ te) +** ***misma forma verbal***

[36] ● **Me puse a llamar continuamente, sin parar, y, llama que te llama, al final me contestaron y hablé con él.**

De los usos de esta construcción, el más frecuente y característico es el de la expresión **dale que dale**, usada con frecuencia para referirse a una acción que se repite y resulta pesada por lo insistente.

18. PRESENTAR LA CONSECUENCIA DE LO QUE SE ACABA DE DECIR

Para presentar la consecuencia de algo que se acaba de decir, se usa:

(y) así (es) que o sea que (y) entonces

[37] ● **Hay una huelga, así es que es mejor que salgas un poco antes. Si no, vas a llegar tarde.**

[38] ● **Adiós, me voy...**
○ **Entonces ¿no vienes con nosotros?**

[39] ● **La reunión estaba convocada para las diez y media. Eran las once y media y no habíamos llegado más que tres. O sea que decidimos aplazarla.**

Con **así es que** se presentan consecuencias de cualquier tipo. Es uno de los operadores más usados en la lengua hablada.

Con **o sea que**, el hablante introduce una consecuencia que le parece implícita en lo que ya ha dicho. Supone o considera que su interlocutor la puede haber deducido solo y que por lo tanto, no es nueva para él.

Con **entonces**, el hablante presenta la consecuencia como una información nueva para su interlocutor. No le parece que se trate de nada implícito en lo que ya se ha dicho, ni imaginable por el otro.

19. Además de los tres operadores mencionados en el apartado anterior, para presentar la consecuencia haciendo más hincapié en la relación *causa — efecto*, se usa también:

(y) por (lo) tanto

[40] ● **Me suspendieron y, por lo tanto, tengo que pasarme el verano estudiando.**

20. Con un sentido muy próximo al de los operadores mencionados hasta aquí, para presentar —en registros muy cultos— una consecuencia como algo implicado automáticamente por lo que se acaba de decir, como si se tratara de dos cosas paralelas de las que no existe la una sin la otra, se usa además:

(y) por ende

[41] ● **De ahora en adelante, los alumnos podrán escoger algunas asignaturas y, por ende, se irán especializando en lo que más les guste.**

21. PRESENTAR LAS CONSECUENCIAS O CONCLUSIONES

Para presentar las consecuencias o las conclusiones finales de un razonamiento o de un relato, se usan generalmente:

de modo que **total que**

[42] ● **Estábamos en pleno campo. Nos quedamos sin gasolina. El pueblo más cercano estaba a unos diez kilómetros. Al poco rato, empezó a nevar. De modo que tuvimos que resignarnos a pasar la noche allí.**

Con **total que**, el enunciador señala que interrumpe un razonamiento, un relato o una exposición que puede parecer demasiado larga o complicada, para pasar directamente a las conclusiones o a un resumen de todo lo dicho.

22. PRESENTAR UNA DEDUCCIÓN LÓGICA

En los razonamientos lógicos, para introducir una deducción lógica de lo que se acaba de decir o considerar, se usa:

luego

[43] ● **Pienso luego existo.**

[44] ● **Gana mucho y no gasta nada... Luego tiene el dinero acumulado en algún sitio.**

23. PRESENTAR UNA INFORMACIÓN COMO ORIGEN DE OTRA

Después de dar una información para presentarla como el origen o la explicación de otra que ya se ha dado, se usa:

de ahí que +	*repetición del elemento ya consabido y que se quiere presentar como consecuencia del anterior*
de ahí +	*frase nominal que se refiere al elemento ya consabido*

[45] ● **Este tipo de industrias ha entrado en crisis. De ahí que hayan tenido que reducir personal y que se haya quedado sin trabajo.**

[46] ● **Pasó su infancia en varios países, de ahí su pasión por los idiomas.**

El verbo que sigue a **de ahí que** va siempre en subjuntivo ya que no se trata de informaciones nuevas, sino tan sólo de retomar algo que ya saben y comparten los interlocutores.

➲ El Subjuntivo

La consecuencia introducida por **de ahí que** siempre es algo que los dos interlocutores ya conocen y que el hablante se limita a *retomar* después de informar sobre lo que lo causa.

24. INTRODUCIR LA FINALIDAD

Para introducir la finalidad de algo, se usa:

para + *infinitivo/sustantivo*
para que + *verbo conjugado en subjuntivo*
con vistas a + *sustantivo/infinitivo*
con vistas a que + *verbo conjugado en subjuntivo*
con el objeto de que + *verbo conjugado en subjuntivo*
a fin/con el fin de + *sustantivo/infinitivo*
a fin/con el fin de que + *verbo conjugado en subjuntivo*

[47] ● **Y esta tabla ¿para qué sirve?**
○ **Para que el niño no pueda abrir el armario.**

[48] ● **Mira, he traído unas plantas para el acuario.**

[49] ● **Si se piensa en la gramática con vistas a la enseñanza de una lengua extranjera, tiene que cambiar radicalmente nuestra concepción de lo que es la gramática.**

Los verbos conjugados que siguen a estas expresiones van siempre en subjuntivo.

De todas estas expresiones, las de uso más común son las construidas con **para**. Las demás pertenecen a registros más elevados.

Además, en contextos muy específicos, se encuentran usos de **con tal de que +** ***subjuntivo*** muy próximos de la expresión de la finalidad:

[50] ● **Estoy dispuesto a todo con tal de que deje de llorar de una vez.**

25. REFERIRSE A UN MODO EXPLÍCITO O IMPLÍCITO

Para referirse a un modo que acaba de aparecer explícita o implícitamente en el contexto previo, se usa:

así
de este modo
de esta manera

[51] ● **No, mira, no se hace así. Se hace así...**

Además, **así** sirve para referirse a unas/las características de algo que ya han aparecido en el contexto previo implícita o explícitamente, o que van a aparecer inmediatamente después:

[52] ● **Ayer se comió una tarta así de grande, o sea que no me sorprende nada lo de ahora.**[3]

En español, a diferencia de lo que sucede en otras lenguas, al reprochar a alguien un comportamiento que acaba de tener, se usa con frecuencia **eso**, en lugar de **así**:

[53] ● **Eres un grosero, eso no se hace.**

Tampoco se usa **así** para referirse a una mención previa de un adjetivo o un adverbio o a una presuposición de un **muy / mucho**. En estos casos, se usan **tan** y **tanto**.

➲ Las exclamaciones y la intensidad: **tan / tanto**

[54a] Inglés:
● **I didn't expect it to be so expensive.**

[54b] Italiano:
● **Non mi aspettavo che fosse così caro.**

[54c] Español:
● **No me esperaba que fuera tan caro.**

3 Las expresiones de este tipo se acompañan de un gesto significativo.

CONOCIMIENTOS, IDEAS, DISPONIBILIDAD DE LA INFORMACIÓN

1. PARA HABLAR DE CONOCIMIENTOS: SABER / CONOCER

En español, para decir que algo le es familiar, el enunciador dispone de dos verbos: **saber** y **conocer**. Estos dos verbos expresan ideas distintas, que en otros idiomas se expresan con un único verbo.

- **Saber** se refiere a *datos o informaciones* obtenidos por experiencia directa o, en muchos casos, porque ha habido transmisión de información de una persona a otra, o adquisición por experiencia directa. **Saber algo** es haberlo *asimilado*, habérselo *apropiado*, y disponer de ese ***algo*** para poder actuar con él de cualquier manera: tomar decisiones, reaccionar, planear actos y comportamientos o, simplemente, transmitirlo a otro. Las **cosas sabidas** *pertenecen* a la persona que **las sabe**, *son suyas*. Esta pérdida de independencia de la cosa sabida con respecto a la persona que la sabe es lo que explica la imposibilidad de usar el verbo **saber** para hablar de lugares, personas, objetos, etc.:

  [1] ● **¿Cuántos habitantes tiene España?**
  ○ **No sé.**

  [2] ● **¿Sabes? Van a suprimir el IVA.**
  ○ **Ya lo sabía.**

  [3] ● **¡Qué desastre! En Navidad me regalaron un mono y durante dos días no sabía qué darle de comer. No sabía nada sobre los monos. Ahora me he leído un montón de libros y ya sé bastante.**

- **Conocer** se refiere a *cosas, personas o entidades concretas o abstractas* que tienen una existencia propia, *autónoma e independiente* de la persona que **las conoce**. **Conocer algo** es haber *estado en contacto* o haber *tenido experiencia* de ese ***algo*** sin que se haya convertido en una propiedad de quien lo conoce. La **cosa conocida** mantiene toda su autonomía con respecto a quien la conoce: no es algo suyo. Por este motivo sólo se puede "***hacer conocer***" un objeto o una persona a otro (es decir *presentárselo*), pero no transmitírselo ni actuar con la cosa conocida, sino tan sólo tenerla en cuenta a la hora de actuar:

[4] ● **¡Qué historia más alucinante! Pero no es la primera vez que me cuentan algo así. Conozco a una chica a la que le han pasado cosas peores.**

[5] ● **Es una persona interesantísima.**
❍ **Sí, sí, ya lo sé, si lo conozco...**

1.1. Además de estos usos, tanto **saber** como **conocer** se utilizan, en algunos contextos, para referirse al *momento mismo en el que surge la nueva situación* en la que el sujeto ***conoce*** o ***sabe*** algo —se trata del momento en el que *empieza* dicha situación en la que se ***conoce*** o se ***sabe***:

[6] ● **He sabido que te casas. ¡Enhorabuena!**

[7] ● **En un primer momento, cuando supe que se marchaban se me vino el mundo abajo. Pero luego...**

[8] ● **Anoche conocí a una chica que trabaja contigo.**

En estos usos, tanto **saber** como **conocer** se refieren a un acto instantáneo por el que empieza la situación posterior —situación que describen los verbos **saber** y **conocer** en los usos presentados más arriba.

2. HABLAR DE LA ADQUISICIÓN DE CONOCIMIENTOS: APRENDER

Para referirse a la *adquisición de conocimientos o de sabiduría* por parte de un sujeto, se usa el verbo **aprender**.

El verbo **aprender** se focaliza esencialmente en el *proceso progresivo* que vive la persona que aprende.

Aprender supone siempre un cambio de situación en el sujeto, que adquiere más competencias / capacidades:

[9] ● **Dicen que uno puede seguir aprendiendo toda su vida.**

[10] ● **¿Y cómo has aprendido a hablar español?**
❍ **Viviendo en España.**

Después de **aprender** una cosa, esa cosa pasa a formar parte del conjunto de las cosas que el sujeto ***sabe***.

Aprender supone siempre un enriquecimiento del que aprende, a diferencia de **saber** —los enunciados [11] y [12] implican una diferencia fundamental de planteamiento:

[11] ● **Ese día aprendí muchas cosas.**

[12] ● **Ese día supe muchas cosas.**

En [12], el hablante sólo hace hincapié en el hecho de que aumentan las informaciones / los datos que controla. En [11], por el contrario, subraya el hecho de que se ha enriquecido como persona.

3. PARA HABLAR DE LA COMPRENSIÓN DE INFORMACIONES Y DATOS: ENTENDER / COMPRENDER

Estos dos verbos sirven para referirse a la comprensión de fenómenos, datos, informaciones, etc. Sin embargo, tienen usos ligeramente distintos y no son totalmente intercambiables.

Entender tiene un uso más general y puede referirse tanto a cosas concretas como abstractas:

[13] ● **¿Y tú también hablas ruso?**
❍ **No, pero lo entiendo.**

[14] ● **Perdona, no he entendido bien la hora de la cita.**

[15] ● **¿Has entendido cómo funciona?**

[16] ● **De verdad, tú y yo no nos entendemos.**

Comprender se usa sobre todo en relación con cosas que implican cierta complejidad. No se refiere a una comprensión práctica, sino a algo mucho más global y profundo:

[17] ● **No comprendo su comportamiento. Cambia a cada rato.**

3.1. Con **entender** y **comprender** ocurre como con **saber** y **conocer**, que tienen usos en los que se refieren al momento / acto instantáneo en el que un sujeto entra en una nueva situación en la que *sabe* o *conoce* algo o alguien: a veces, en lugar de referirse a una situación en la que alguien ***entiende*** o ***comprende*** algo o a alguien, se refieren al momento en el que se da dicha ***comprensión***, momento en el que *empieza / llega*:

[18] **Un día comprendió cómo sus brazos eran sólo de nubes...**
(Luis Cernuda)

[19] ● **Al principio me parecía chino pero, después de leérmelo un par de veces, lo entendí.**

4. ENTERARSE

Existe un verbo que sirve indistintamente para hablar del momento en que un sujeto ***sabe*** (es decir *empieza a saber*) algo, y/o para referirse al momento en que lo ***entiende/ comprende*** (es decir lo *empieza a comprender/entender*): se trata del verbo **enterarse**.

Enterarse significa a la vez *llegar a saber* y *entender/comprender*:

[20] ● **¿Te has enterado de lo de la fiesta de mañana?**

[21] ● **Mira, te lo explico por última vez. A ver si te enteras[1].**

5. PRESENCIA/DISPONIBILIDAD DE LA INFORMACIÓN: ACORDARSE Y RECORDAR

Para hablar de la presencia/disponibilidad inmediata en la mente de un sujeto de información o conocimientos adquiridos anteriormente, se usan:

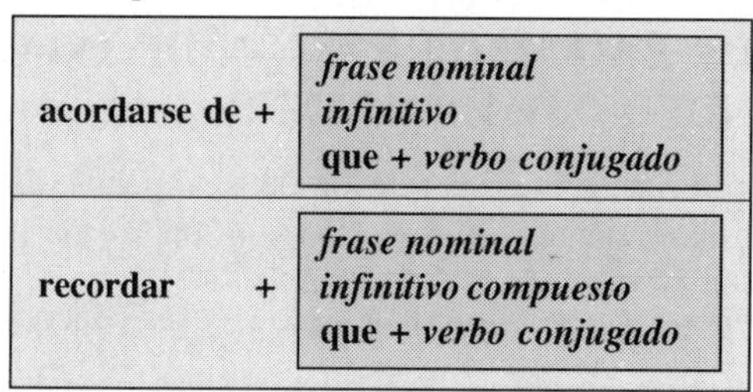

acordarse de +	***frase nominal*** ***infinitivo*** **que +** ***verbo conjugado***
recordar +	***frase nominal*** ***infinitivo compuesto*** **que +** ***verbo conjugado***

[22] ● **Por favor, mañana acuérdate de traerme las fotos.**

[23] ● **Recuerdo que ese día tenía que salir para Madrid por la tarde... Cuando supe lo que estaba pasando, estuve un buen rato dudando sobre si ir o no. Por suerte decidí quedarme en casa.**

[24] ● **¿Juan Moreno? Sí, recuerdo haberle conocido en algún sitio, pero no me acuerdo dónde.**

Con los interrogativos **dónde, cuándo, cómo, quién, qué**, etc. se omite generalmente la preposición **de** después de **acordarse**.

5.1. CONTRASTE RECORDAR / ACORDARSE DE

Acordarse de se usa para referirse a la disponibilidad inmediata en la mente de datos, informaciones o conocimientos concretos y/o puntuales. Puede usarse tanto para referirse a la disponibilidad en el presente o en el pasado de informaciones, datos, conocimientos, etc. adquiridos anteriormente, como a la disponibilidad en el futuro de conocimientos y datos adquiridos en el presente o en el pasado: se puede hablar de **acordarse ahora** de cosas pasadas, de **acordarse en el futuro** de cosas dichas o hechas ahora o en el pasado, etc.

Acordarse de siempre se refiere a un *proceso espontáneo* que vive el sujeto.

Recordar, por el contrario, se puede referir tanto al *proceso espontáneo* (como **acordarse de**) como al hecho de *provocar* dicho proceso:

[25] ● **Oye, si ves a Julia por favor recuérdale que me llame.**

Recordar es el único verbo que se usa para referirse al hecho de *provocar el recuerdo* en otro.

1. Este segundo uso pertenece, sobre todo, a los registros informales.

Para hablar del proceso espontáneo **recordar** se usa generalmente para referirse a cosas menos concretas que **acordarse. Recordar** tiene un sentido próximo de *evocar mentalmente*, mientras que **acordarse** significa más bien *tener presente ese dato* en la mente.

5.2. **Acordarse** y **recordar** —igual que **saber**, **conocer**, **entender** y **comprender**— pueden referirse tanto a la situación en la que un sujeto evoca algo mentalmente o tiene un dato o un conocimiento presente en la mente, como al momento en que ese dato o conocimiento le *vuelve* a la mente:

[26] ● **Sí, ya sé quién es, pero no me acuerdo de su nombre.**
❍ **Bueno, pues si te acuerdas llámame.**

[27] ● **Cuando me dijo aquellas palabras, recordé un momento análogo, diez años antes, y me di cuenta de que nada cambiaría nunca.**

6. PARA HABLAR DE LA APARICIÓN DE IDEAS REPENTINAS: OCURRIRSE

Para referirse a una idea nueva que aparece en la mente de un sujeto de manera más o menos repentina se usa la expresión:

ocurrírsele algo a alguien

[28] ● **No sé qué decir, no se me ocurre ninguna solución.**

[29] ● **¿Pero cómo se te puede ocurrir una idea como ésa?**

En forma afirmativa, este verbo sólo se usa para hablar de cosas nuevas, desconocidas por los interlocutores o no bien definidas en su mente:

[30] ● **¿Quién nos podrá ayudar? A ver si se os ocurre alguien...**
● **A mí se me ocurre que Juan podría hacer algo...**

Así pues, en [30] no sería posible **a mí se me ocurre Juan**, por ser **Juan** un personaje conocido por los dos interlocutores, con una identidad bien clara. Sí es posible **se me ocurre que Juan podría hacer algo**, porque la relación ***Juan — hacer algo*** es nueva para los interlocutores.

Para hablar de ocurrencias que se refieren a algo bien conocido por el sujeto, se usan otros verbos o expresiones: **acordarse de, volver/venir a la mente**, etc.:

[31] ● **Cuando dijo eso, me acordé de mi hermano, que en aquella época siempre usaba esa expresión.**

[32] ● **¿Y a ti qué te parece?**
❍ **Me vienen a la mente unas palabras de Cernuda...**

En forma negativa, precisamente porque se trata de negar la presencia en la mente, y por tanto de hacer caer, al menos parcialmente, el elemento en cuestión en el mundo de lo desconocido, es más fácil usar este verbo incluso para referirse a cosas precedentemente conocidas por el sujeto:

[33] ● **Sí, me gusta mucho el perro que me has regalado; pero no se me ocurre nadie a quien dejárselo cuando me vaya de viaje.**

Sin embargo, aquí también tiene que haber un margen de vaguedad o una falta de precisión. De lo contrario, no se puede usar este verbo.

PREGUNTAR Y RESPONDER

Las preguntas sirven para obtener información y, además, para hacer progresar la conversación, regularla, negociar sobre el sentido, mantener la comunicación o provocar algún tipo de reacción en el interlocutor.

1. Es frecuente contestar a una pregunta con otra pregunta:

[1] ● **¿Qué te pasa?**
○ **¿Por qué?**

Con frecuencia en estos casos, se trata de aclarar la pregunta misma, las intenciones de quien la ha formulado o lo que lo ha llevado a formularla.

2. Se pueden distinguir dos grandes grupos de preguntas:

- las que requieren una respuesta del tipo **sí/no**, en las que el enunciador pide confirmación o rechazo de una hipótesis suya,
- las que se usan para pedir algún elemento de información del que no dispone el hablante.

2.1. Preguntas que requieren una respuesta del tipo **sí/no**

2.1.1. Formación y usos

Este tipo de pregunta no impone ninguna estructura especial: se mantiene la misma estructura que en la frase afirmativa o negativa. Sólo cambia la entonación, que tiende a ascender de manera más o menos regular a lo largo de toda la frase:

[2] ● **¿Has terminado el trabajo?**

[3] ● **¿Has estado alguna vez en Madrid?**

[4] ● **¿Agustín también trabaja en la Universidad?**

[5a] ● **¿Tu hermano es profesor de español?**

Las preguntas de este tipo son muchísimo más frecuentes cuando los interlocutores ya comparten una serie de informaciones y el hablante sólo quiere controlar un elemento de información presupuesto.

Casos como [5b] también son perfectamente normales: la pregunta viene como respuesta a una información que acaba de dar el otro o a la que acaba de hacerse alguna alusión, y que al hablante le parece sorprendente, increíble, etc. En estos casos, la pregunta adquiere una entonación exclamativa de sorpresa o curiosidad[1]:

[5b] ● **Mi hermano me contó que el otro día, en un congreso de profesores de español, conoció a una chica que...**
● **¿Tu hermano es profesor de español?**

2.1.2. Repetir una pregunta que requiere una respuesta de tipo **sí/no**

Para repetir una pregunta que requiere una respuesta de tipo **sí/no** sin presentarla como una nueva pregunta, sino subrayando que se trata de una repetición, se usa **que si**:

[6] ● **¿Has comprado el periódico?**
❍ **¿Cómo dices?**
● **Que si has comprado el periódico.**

La entonación, en estos casos, deja de ser interrogativa, ya que la expresión **que si** por sí misma indica que se está repitiendo una pregunta.

➲ Sobre los actos de habla y la información: repetir una información
➲ 2.1.3.6.
➲ 2.1.3.7.

2.1.3. Respuestas

Las respuestas a este tipo de preguntas son afirmativas o negativas. Además, con frecuencia incluyen algún tipo de información suplementaria relativa a lo preguntado o algún comentario o valoración subjetiva: limitarse a contestar con una afirmación

1 Son ligeramente menos frecuentes cuando el hablante formula una hipótesis nueva para su interlocutor, que quiere controlar. Esto se debe a que los hablantes no suelen formular hipótesis a partir de la nada, sino que siempre se basan en algún dato, circunstancia o elemento que ya tienen a disposición: es más probable que se quiera comprobar un dato presupuesto o saber si un determinado sujeto pertenece a una categoría que ya se ha mencionado, si un determinado sujeto también ha vivido una experiencia a la que ya se ha hecho referencia en relación con otro sujeto, etc.

o una negación sin añadir nada más resulta, por lo general, seco y poco cooperativo con el interlocutor —se tiene la sensación de que el hablante esté molesto, no quiera hablar, etc.:

[2b] ● **¿Has terminado el trabajo?**
❍ **No, todavía no. Es que es más difícil de lo que creía.**

[3b] ● **¿Has estado alguna vez en Madrid?**
❍ **Sí, tres veces.**

[4b] ● **¿Agustín también trabaja en la Universidad?**
❍ **Sí, en el mismo departamento que yo.**

[5c] ● **¿Tu hermano es profesor de español?**
❍ **¿Por qué? ¿Te parece raro?**

Con frecuencia, además, se contesta con otra pregunta en la que se pide una aclaración sobre lo preguntado, como en [5c].

2.1.3.1. Respuestas afirmativas.

Las respuestas afirmativas más frecuentes son:

sí
claro
evidentemente
naturalmente
claro que sí
desde luego
bueno, sí
(sí,+) cómo no
...

Sí es la respuesta afirmativa más neutra de la que dispone el hablante en español:

[3b] ● **¿Has estado alguna vez en Madrid?**
❍ **Sí, tres veces.**

[4b] ● **¿Agustín también trabaja en la Universidad?**
❍ **Sí, en el mismo departamento que yo.**

➲ 2.1.3.3. Con más detalle

Con **claro** y con **desde luego**, el hablante presenta la respuesta afirmativa como una confirmación de algo que ya ha dicho o sugerido su interlocutor, o que él supone que tiene que haber pensado, subrayando a la vez el carácter perfectamente previsible de lo dicho, que se presenta como algo evidente:

[7] ● **¿Y se lo has contado todo?**
❍ **Claro.**

[8] ● **¿O sea que tú crees que es mejor llamarlo?**
● **Desde luego.**

Con **claro que sí**, a diferencia de lo que ocurre con **claro**, lo que el hablante presenta como algo evidente es la respuesta **sí** a la pregunta que ya ha sido formulada por su interlocutor.

Con **bueno, sí**, lo que hace el hablante es presentar una respuesta afirmativa con cierto grado de duda

[9] ● **¿Y tú podrías ir a Cádiz a hablar con él?**
❍ **Bueno, sí.**

[10] ● **¿Has terminado el trabajo?**
● **Bueno, sí. O sea, me falta muy poquito. Es como si lo hubiera terminado.**

CON MÁS DETALLE

Se trata de una respuesta doble, en la que el operador **bueno** señala la aceptación de lo preguntado por parte del hablante, y **sí** es la respuesta afirmativa. A diferencia de **sí, bueno**, más que una afirmación que se refiere a lo preguntado, indica que el hablante ha aceptado lo preguntado. El mero hecho de tener que señalar que ha habido aceptación nos lleva a suponer que puede haberse planteado algún problema para el hablante. La combinación del elemento **bueno** usado para señalar aceptación con el operador **sí** (afirmación plena y simple de lo preguntado) refuerza en el oyente la sensación de no encontrarse ante una respuesta afirmativa sencilla y sin problemas: se produce automáticamente una *implicatura conversacional* sobre la doble respuesta con dos operadores distintos, de los que uno sirve para señalar aceptación —como si el destinatario del mensaje, al descodificarlo, se preguntara: "¿Por qué me lo contestará de esta forma? ¿Por qué sentirá la necesidad de repetir dos veces y de dos maneras distintas su respuesta afirmativa?" y llegara solo a la conclusión: "Esto significa que la cosa debe de plantearle problemas, o que no está totalmente tranquilo con su respuesta afirmativa." Por estas razones las respuestas afirmativas con **bueno, sí** parecen con frecuencia menos convincentes.

A veces, las respuestas con **bueno, sí** pueden adquirir el valor de concesión que se hace al interlocutor sobre algo evidente, como dejando de lado por un momento el nivel en el que se estaba moviendo la conversación para reconocer / conceder / aceptar algo que cae por su propio peso:

[11] ● **O sea que no vais a ir... ¿Y ni siquiera vais a mandarles una nota, un telegrama o algún regalito?**
❍ **Bueno, sí... Una nota, sí.**

Con **(sí,) cómo no**, el enunciador expresa la plena aceptación de lo preguntado y, a la vez, su buena disposición o su buena voluntad al respecto. Generalmente, este operador se usa en las respuestas a las *peticiones* de algo por parte de alguien:

[12] ● **¿Puedo pasar?**
● **Sí, hombre, cómo no, pasa pasa.**

2.1.3.2. Respuestas negativas

Las respuestas negativas más frecuentes son:

no
ni hablar
claro que no
desde luego que no
qué va
...

[13] ● **¿Ya os conocíais?**
❍ **No, qué va, es la primera vez que nos vemos.**

[14] ● **¿Quieres un vaso de agua?**
❍ **No, gracias.**

Estos operadores se pueden combinar entre ellos, como en [13].

No es el operador más neutro del que dispone el español para contestar negativamente.

➲ 2.1.3.3. Con más detalle

Ni hablar se usa sobre todo en las respuestas negativas a *peticiones* o *pretensiones* explícitas o implícitas por parte de otro, para expresar un rechazo a concederle algo:

[15] ● **¿Me dejas tu coche un par de horas? Es que tengo que ir de compras...**
❍ **Ni hablar.**

Qué va es una manera de rechazar enérgicamente —y en registros informales— algo supuesto o dicho explícitamente por otro. Al contrario de **ni hablar** (rechazo de la *concesión* de algo), **qué va** es más bien un rechazo de *ideas o informaciones* dadas o presupuestas por otro, y se sitúa en el plano de la *expresión del desacuerdo*.

Se usan **claro que no** y **desde luego que no** cuando se presupone una negación previa por parte del interlocutor:

[16] ● **No vas a ir, ¿verdad?**
❍ **Claro que no.**

2.1.3.3. CON MÁS DETALLE

Las respuestas, tanto afirmativas como negativas, a preguntas que requieren una respuesta de tipo **sí/no** implican inevitablemente una referencia a los elementos (afirmación o negación) contenidos en la pregunta misma. Estas respuestas tienen, pues, un fuerte componente anafórico (ya que remiten directamente a la pregunta) que hace totalmente innecesaria la repetición de lo preguntado. Por eso normalmente no se repite lo preguntado en la respuesta.

Por otra parte, una regla pragmática fundamental impone al hablante la necesidad de *cooperar siempre con su interlocutor*, siguiéndolo en sus intenciones comunicativas. De ahí la necesidad de añadir, a menudo, algo más a la respuesta afirmativa o negativa: generalmente, se añade más información en la línea de lo preguntado, rebasando con frecuencia el nivel de lo preguntado, en la dirección que al hablante le parece ser la que mejor puede satisfacer las necesidades que atribuye a su interlocutor sobre la base de la interpretación que se ha dado a sí mismo de las intenciones comunicativas (tanto inmediatas como a más largo plazo) subyacentes en la pregunta:

[17] ● **Tú no eres español, ¿verdad?**
○ **No, soy chileno; pero llevo años viviendo aquí.**
● **¿Te viniste en el 73?**
○ **No, antes. Llegué a Europa antes del golpe.**

A veces, el hablante se limita a contestar a la pregunta sin añadir nada más; se trata generalmente de situaciones en las que, por algún motivo, no le parece oportuno adelantar a su interlocutor intentando adivinar su estrategia discursiva (por ejemplo, en un interrogatorio), o entiende que no se trata de preguntas para socializar, sino para obtener datos muy puntuales (por ejemplo, al contestar a una serie de preguntas a alguien que está rellenando un impreso, o cuando hay prisa por algún motivo, o cuando se trata de resolver un problema concreto, etc.):

[18] ● **¿Cuántos hijos tiene?**
○ **Cuatro.**
● **¿Qué edades tienen?**
○ **Dieciséis, catorce, doce y ocho años.**
● **O sea que todos van a la escuela...**
○ **Sí.**

Sin embargo, en estos casos también, como en todos los demás, aunque no se quiera añadir nada a la respuesta, se contesta a la intención comunicativa inmediata de quien ha formulado la pregunta, y no sólo a la pregunta formal:

[19] ● **¿Has visto las llaves del coche?**
○ **Sí, están en la mesa de la entrada.**

En [19], el que formula la pregunta no está tan interesado en saber si su interlocutor ha visto o no las llaves del coche, sino dónde están las llaves. En casos como éste, se trata más bien de preguntas por un elemento de información que falta que de verdaderas preguntas de tipo **sí/no**.

Repetir lo preguntado es generalmente una elección estilística ampliamente significativa, sobre todo cuando se repite tal y como había sido formulado en la pregunta. Generalmente, se hace en las situaciones formales, en las que se quiere dar al interlocutor una sensación de gran respeto (el hablante, en cierto sentido, no se atreve a ir más allá de la pregunta), o en casos en los que se quiere adoptar una actitud polémica hacia el que formula las preguntas, como subrayando el hecho de que está formulando (demasiadas) preguntas:

[20] ● **¿Has visto las llaves?**
○ **No, no he visto las llaves... Ya te lo he dicho.**

2.1.3.4. En español, para contestar afirmativamente a una pregunta formulada en la forma negativa, es decir para contradecir al interlocutor sobre la formulación negativa contenida en la pregunta, y rechazar por lo tanto la negación, no se usan las respuestas negativas sino las afirmativas.

Sin embargo, en estos casos se suele repetir la respuesta afirmativa por lo menos dos veces, ya que una única respuesta afirmativa parece ambigua:

[21a] ● **¿O sea que tú tampoco fuiste?**
○ **Sí, sí, claro.**

A veces incluso se repiten los elementos presentes en la pregunta, o se retoman señalando de alguna manera que ya habían aparecido:

[21b] ● **¿O sea que tú tampoco fuiste?**
○ **Sí, sí, claro que fui. / Sí, sí... Fui, fui.**

Por otra parte, para contestar negativamente a una pregunta formulada en la forma negativa, —es decir para confirmar la negación contenida en la pregunta— y rechazar por lo tanto el predicado, no se usan las respuestas afirmativas sino las negativas:

[22] ● **¿Y no llamó siquiera?**
○ **No.**

2.1.3.5. Igual que las respuestas con **bueno** (**bueno, sí** y **bueno, no**), las respuestas que el enunciador introduce con **digamos que** también indican falta de convicción por parte de quien habla, que dice lo que dice *por decir algo*, y no porque lo crea totalmente:

[23] ● **¿Y estáis casados?**
○ **Bueno, digamos que sí.**

[24] ● **¿E hizo todo lo que se había comprometido a hacer?**
○ **Digamos que sí.**

Este elemento de duda que se plantea cuando se introduce una respuesta (de cualquier tipo) con **digamos que** hace que este operador sea *incompatible* (o muy difícilmente compatible, y siempre como juego con el lenguaje) con los operadores que implican seguridad por parte del hablante:

[25] ● **¿Y tú has hablado con él?**
❍ ***Digamos que claro.**

[26] ● **¿Los vas a invitar a ellos también?**
❍ ***Digamos que ni hablar.**

2.1.3.6. Para repetir una respuesta afirmativa o negativa señalando explícitamente que se trata de una repetición, se usa con frecuencia el operador **que**, seguido de la respuesta afirmativa o negativa:

[27] ● **Perdona, no he entendido tu respuesta...**
❍ **Que sí.**

El uso de **que** pone de manifiesto (y subraya, por lo tanto) el hecho de que *se trata de una repetición*. Por este motivo, en algunos contextos puede adquirir cierta nota polémica hacia el otro.

➲ Sobre los actos de habla y la información: repetir una información

2.1.3.7. A veces, el enunciador evita contestar a ciertas preguntas que requerirían una respuesta del tipo **sí/no** porque no quiere o no puede responder de una manera que le parezca satisfactoria, y repite la pregunta señalando explícitamente que se trata de una pregunta que está repitiendo, mediante la expresión **que si**:

[28] ● **¿Y trabajas mucho?**
❍ **Que si trabajo mucho...**

[29] ● **O sea que ya os conocíais, ¿no?**
❍ **¿Que si nos conocíamos...?**

Las respuestas de este tipo también se pueden dar ante una pregunta implícita que sin embargo no ha sido formulada explícitamente como tal por parte de quien la ha enunciado, como ocurre en [29]. Lo que hace el hablante en estos casos es evitar contestar a la pregunta replanteándola para sí mismo y para su interlocutor como cuestión que considerar o volver a considerar, y preguntándose si se trata de una pregunta legítima a la que es oportuno contestar o, a veces, repitiéndosela simplemente a sí mismo, como para señalar que se trata de algo a lo que él mismo no sabe contestar, de algo que él mismo se pregunta a sí mismo.

Con frecuencia se adopta esta estrategia como recurso irónico, con el sentido de *y todavía preguntas si...*

2.1.3.8. Petición de objetos y actos o de permiso

➧ Preguntas

Las preguntas cuya intención comunicativa es *pedir un objeto* o *pedir permiso* constituyen un grupo bastante peculiar, ya que lo que le interesa al hablante que las formula no es tanto una información afirmativa o negativa, como *obtener* algo concreto: un objeto, permiso de hacer algo, etc.

Generalmente, estas preguntas van seguidas de una justificación o una explicación que las motiva:

[30] ● **¿Me dejas tu chaqueta? Es que tengo frío.**

[31] ● **¿Te importa que abra la puerta? Es que me molesta un poco el humo.**

➧ Respuestas

En las respuestas a la petición de un objeto o un acto, los rechazos suelen ir asimismo seguidos de una justificación:

[32a] ● **¿Puedes abrir la ventana, por favor?**
❍ **No, perdona: es que tengo frío.**

A veces, no hay rechazo explícito en la respuesta sino tan sólo una justificación que se interpreta como rechazo:

[32b] ● **¿Puedes abrir la ventana, por favor?**
❍ **Es que tengo frío.**

Las respuestas afirmativas no suelen ser sólo aceptaciones lingüísticas: generalmente, van seguidas de un acto concreto que tiende a resolver el problema planteado por el otro a través de su petición, o le proporcionan todos los elementos necesarios para que lo pueda resolver solo:

[33] ● **¿Me das un vaso de agua?**
❍ **Sí, claro; ven conmigo.**

[34] ● **¿Tienes un cigarrillo?**
❍ **Sí, mira, me parece que están en el bolsillo de la chaqueta.**

Normalmente, para que la concesión del permiso sea plenamente efectiva e interpretada como tal por parte del destinatario del mensaje, se suele repetir dos veces la respuesta afirmativa, o responder por lo menos de dos maneras distintas: combinación de dos respuestas afirmativas, o de una respuesta afirmativa con un imperativo repetido dos veces, etc.:

[35] ● **¿Puedo entrar?**
❍ **Sí, entra, entra. / Sí, claro.**

Si entre los elementos escogidos en la respuesta está el operador **sí**, para que la concesión de permiso sea percibida como normal el elemento **sí** suele ir repetido y, además, completado por otro elemento (por ejemplo **claro, naturalmente**, un ***imperativo***, etc.):

[36a] ● **¿Puedo pasar?**
❍ **Sí, sí, claro. / Sí, sí, pasa.**

Una respuesta sólo con el elemento **sí** se percibe generalmente como incompleta, como respuesta interrumpida —a no ser que se compense con una entonación especialmente amable:

[36b] ● **¿Puedo pasar?**
❍ **Sí, sí.**

Con frecuencia se repite también el segundo elemento:

[37] ● **¿Puedo abrir la ventana?**
❍ **Sí, sí, ábrela, ábrela.**

Dicha repetición del segundo elemento es obligatoria en los casos en que no se repite el **sí** (como en [35]: **Sí, entra, entra**).

CON MÁS DETALLE

La omisión de estas reduplicaciones de los elementos empleados en la concesión de permiso genera automáticamente una *implicatura conversacional* sobre el motivo de dicha omisión: el destinatario del mensaje se pregunta por qué se halla frente a una respuesta anómala, y saca sus propias conclusiones.

Generalmente, se interpretan dichas omisiones como irritación o falta de interés por el tema planteado con la pregunta, duda por parte de quien concede el permiso, etc.: el que concede el permiso no lo quiere conceder, o no está convencido, o no tiene tiempo que perder en amabilidades, o está irritado, etc. A veces, la entonación permite compensar parcialmente la omisión de una reduplicación.

Cualquiera que sea la formulación escogida en la pregunta, la reduplicación normal de los elementos afirmativos lleva automáticamente a interpretar la respuesta como una concesión de permiso:

[38a] ● **¿Te importa que abra la ventana?**
❍ **Sí, sí, claro, claro.**

Tras un análisis superficial de este intercambio, se podría creer que el que contesta está rechazando el permiso y no quiere que su interlocutor ***abra la ventana***. Sin embargo, la observación atenta de los comportamientos de los hispanohablantes en las situaciones normales de comunicación no deja ninguna duda: en intercambios como [38a] nos hallamos ante una concesión de permiso. No se llega a la misma interpretación si no se reduplican los elementos que normalmente se suele reduplicar al conceder el permiso en español:

[38b] ● **¿Te importa que abra la ventana?**
❍ **Sí, claro.**

[38c] ● **¿Te importa que abra la ventana?**
❍ **Sí.**

La interpretación de la respuesta en [38b] plantea serias dudas: aquí las reacciones no son nada unánimes en las situaciones espontáneas de comunicación, al contrario de lo que sucede en [38a]. Para poder interpretar [38b] como concesión de permiso se necesita una entonación particularmente invitante y amable.

[38c] no se interpreta nunca como concesión de permiso: el que contesta escuetamente con un **sí** está diciendo que ***sí le importa***, es decir que *no quiere que su interlocutor abra la ventana*. Las respuestas sin reduplicación se interpretan como respuestas a la pregunta formal tal y como ha sido planteada —y no a la intención comunicativa que refleja, a diferencia de las respuestas con las reduplicaciones normales que se espera el destinatario.

2.2. Preguntas por un elemento de información que falta.

Cuando no dispone de un elemento de información presupuesto en el contexto, el hablante formula una pregunta en la que no pide simplemente una confirmación o un rechazo de una hipótesis o formulación suya (como en el caso de las preguntas que requieren una respuesta del tipo **sí/no**), sino que se identifique el elemento presupuesto que él no conoce. Los operadores usados son los siguientes:

quién/quiénes
qué
cuál/cuáles
dónde
cuándo
cómo
por qué

La estructura de las preguntas de este tipo es generalmente:

elemento interrogativo + frase en su orden normal

[39] ● **¿Quién es el autor de *Cien años de soledad*?**

[40] ● **¿Qué le vas a regalar por su cumpleaños?**

[41] ● **¿Me dejas un diccionario?**
❍ **Sí, claro, mira, tengo estos dos: ¿cuál prefieres?**

[42] ● **¿Cuánto pan quieres que compre?**

[43] ● **¿Cuándo te casas?**

[44] ● **¿Dónde vives?**
❍ **En Roma, ¿y tú?**

[45] ● **¿Cómo has aprendido español tan bien?**

El elemento interrogativo (**quién/quiénes, qué, cuál, dónde, cuándo, cómo, por qué**) va al principio de la frase. También puede ocurrir, no obstante, que se den casos en los que dicho elemento interrogativo —sustituto provisional del elemento de información presupuesto del que se quiere obtener una identificación— se encuentre en el interior de la oración misma en la posición que ocuparía normalmente el elemento en cuestión una vez identificado.

Cuando el elemento que se le pide al destinatario de la pregunta que identifique es una persona se usa **quién/quiénes** (ejemplo [39]) y **cuál/cuáles**; cuando se trata de un objeto concreto o de algo abstracto se usa **qué** (ejemplo [40]) y **cuál/cuáles** (ejemplo [41]); cuando se trata de una cantidad, se usa **cuánto** (ejemplo [42]); si es un momento, se usa **cuándo** (ejemplo [43]); cuando se trata de un lugar, se usa **dónde** (ejemplo [44]); cuando se trata de un modo se usa **cómo** (ejemplo [45]).

Para preguntar por la causa o el motivo de algo se usa, entre otras formas **por qué**.

➲ Explicar la causa, la consecuencia, la finalidad y el modo

Todos estos operadores —excepto **por qué**— usados en la interrogación pueden ir introducidos por alguna preposición:

[46] ● **¿Con quién fuiste a la fiesta anoche?**

[47] ● **¿Con cuántos libros has venido esta vez?**
❍ **¿Por qué?**
● **Nada, como siempre te traes una biblioteca...**

[48] ● **Y tú ¿de dónde eres?**

[49] ● **¿Hasta cuándo te quedas?**

Sin embargo, por razones evidentes, son raras las preguntas en las que el interrogativo va introducido por preposiciones que denotan ciertas relaciones muy peculiares entre los elementos, como por ejemplo *ausencia* (**sin**).

2.2.1. **Cuánto**

El operador **cuánto** es invariable cuando se refiere a un verbo:

[50] ● **¿Cuánto vale éste?**

Cuando la pregunta por la cantidad se refiere a algo que el hablante puede definir / nombrar con un sustantivo, **cuánto** concuerda en género y en número con él, aun en los casos en los que el sustantivo no se recoja en la pregunta, por estar claro para los interlocutores:

[51] ● **Anoche salí con mi hermano...**
○ **Oye, pero tú ¿cuántos hermanos tienes?**

2.2.2. Contraste **qué/cuál** y **quién/cuál**

Al preguntar por la identidad de personas se usa **quién/quiénes**. En estos casos, lo que hace el hablante al formular la pregunta es pedirle a su interlocutor que le identifique a la(s) persona(s) en cuestión. Se trata de una pregunta abierta sobre la identidad de alguien:

[52] ● **¿Quién es ese señor?**

Análogamente, al preguntar por la identidad de una cosa se usa **qué**. Este operador es invariable y sirve para pedir a otro que identifique un objeto en general, sin estar pensando en ningún grupo:

[53] ● **¿Qué vais a tomar?**

[54] ● **¿Qué te han regalado en Navidad?**

A diferencia de **quién/quiénes**, que sólo se refiere a personas, **qué** se refiere a cosas (objetos, entidades, etc.) de todo tipo. A veces, la pregunta se formula con:

qué + *sustantivo*

[55] ● **¿Qué diccionario tenéis?**

[56] ● **¿Qué películas has visto recientemente?**

En estos casos, se menciona el sustantivo para restringir el campo en el que se mueve la pregunta a una categoría, pero no se está pensando en ningún grupo en particular dentro de la categoría.

También se usa la misma estructura cuando se ha mencionado más de un sustantivo y puede haber confusión.

Al contrario, cuando lo que hace el hablante es pedir a su interlocutor que identifique a una persona o cosa entre los componentes de un grupo claro para ambos interlocutores, en lugar de **quién/quiénes** y de **qué** se usa **cuál/cuáles**. En estos casos, sólo se trata de escoger a un individuo. Por eso no se repite el sustantivo: **cuál/cuáles** en español actual no va nunca seguido de un sustantivo:

[57] ● **¿Me dejas un diccionario?**
❍ **Sí, claro. Mira, tengo estos dos. ¿Cuál prefieres?**

[58] ● **Por favor, abrid el libro por la página 23.**
❍ **¿Cuál? ¿El de gramática o el de ejercicios?**

Cuando otro acaba de mencionar un sustantivo y el hablante no lo ha *reconocido*, ya sea porque no tiene clara la situación de referencia o porque no dispone de la información presupuesta suficiente, para señalar que no ha reconocido el sustantivo y que la presuposición le plantea algún problema, formula una pregunta con:

qué + *sustantivo*

[59] ● **¿Me pasas ese libro?**
❍ **¿Qué libro? No veo ningún libro...**

[60] ● **Te ha llamado tu hermano.**
❍ **¿Qué hermano? Yo no tengo ningún hermano...**

2.3. Cuando no se sabe qué contestar o se tienen dudas sobre la respuesta, además de los recursos presentados en 2.1., el hablante dispone de los siguientes:

➧ Para expresar ignorancia total de la respuesta se usan las expresiones:

no sé
ni idea

➧ **Ni idea** es más enérgico que **no sé** y pertenece sobre todo a los registros informales:

[61] ● **¿A qué hora llegamos a Madrid?**
❍ **No sé.**

[62] ● **¿Cuánto costará el vuelo de aquí a Berlín?**
❍ **Ni idea.**

➧ Para presentar una respuesta señalando cierta inseguridad o duda se usan con frecuencia:

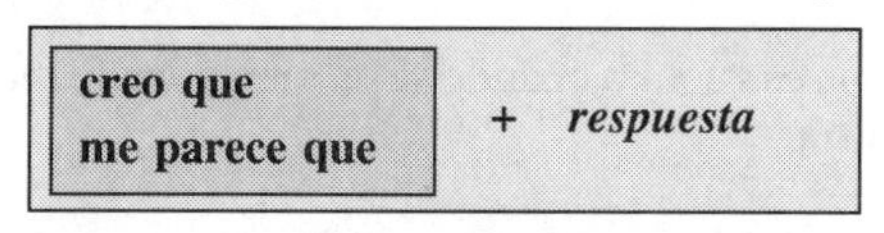

[63] ● **¿Tienes hora?**
❍ **Creo que son las tres.**

[64] ● **¿Este tren para en Aranjuez?**
❍ **Me parece que sí.**

Para presentar una respuesta como una suposición suya cuando no está seguro de la información, el hablante usa:

me imagino que **supongo que**

[65] ● **¿Vendrá el señor García?**
❍ **Me imagino que sí... No ha llamado para anular la cita.**

El verbo que sigue a estas expresiones va en un tiempo que informa: indicativo o virtual. Si **creo que**, **me parece que**, **me imagino que** y **supongo que** están en la forma negativa el verbo que las sigue va en subjuntivo.

2.4. CON MÁS DETALLE

Para formular una pregunta sobre la intensidad de un adjetivo o un adverbio se usa generalmente:

¿*verbo* + (muy +) *adjetivo / adverbio*?

[66a] ● **¿Es bonito?**
❍ **Sí, precioso.**

En esta estructura, se introduce **muy** sólo cuando se pide una confirmación de una hipótesis que ya tenemos o cuando se formula una pregunta sobre una característica (adjetivo o adverbio) indeseada por parte de quien habla:

[66b] ● **Y es muy bonito ¿verdad?**[2]

¿cuán + *adjetivo/adverbio* + *verbo* (+ *sujeto*)?

[67] ● **¿Cuán bien habla?**

[68] ● **¿Cuán bonito es?**

El uso de esta estructura ya ha desaparecido prácticamente por completo en las *preguntas directas* y tiene connotaciones fuertemente arcaizantes. Su uso en español actual sigue siendo frecuente sólo y únicamente en las *oraciones interrogativas indirectas*.

➲ 3. Las oraciones interrogativas indirectas

3. ORACIONES INTERROGATIVAS INDIRECTAS

A diferencia de las interrogativas directas, las indirectas van siempre introducidas por un verbo principal: se trata de verdaderas *frases interrogativas incrustadas en otra frase*.

---

2 Cuando no se quiere confirmar ninguna hipótesis, el uso de **muy** en las preguntas de este tipo equivale a conjurar algo indeseado:

● **¿Está muy lejos?**

Las oraciones interrogativas indirectas se construyen de la misma manera que las interrogativas directas, con los mismos operadores:

[69] ● **Estoy seguro de que lo tengo, pero no sé dónde lo dejé la última vez.**

➲ El infinitivo: 2.7. Usos en la interrogativa indirecta

Cuando la interrogación se refiere a un objeto en general (casos en los que también se usa **qué**), en la interrogativa indirecta se emplea con frecuencia el operador **lo que**:

[70] ● **Tengo una enorme curiosidad por saber lo que nos han preparado.**

4. Formular una pregunta directamente a alguien es presuponer que el destinatario de la pregunta pueda contestar. Cuando el hablante no tiene esta seguridad, introduce su pregunta con algún operador que deje claro que no está seguro de que el destinatario de la pregunta va a poder contestar. Las expresiones más frecuentes son:

¿sabe/s...?	+	**si / dónde / ...**
¿podría/s ¿puede/s	+	**decirme...?**

[71] ● **Perdona... ¿Sabes si hay clase mañana?**

5. PREGUNTAS PARA COMPARTIR UNA DUDA O UN PROBLEMA

A veces, el enunciador formula preguntas cuya intención comunicativa no es realmente obtener una respuesta por parte del interlocutor, sino tan sólo expresar una duda, un problema, etc., como para compartirlos. En estos casos, la pregunta va en futuro de indicativo, o, si se refiere al pasado, en condicional:

[72a] (Llaman a la puerta)
● **¿Quién será?**

[72b] ● **Cuando me estaba duchando oí que llamaban a la puerta. No me dio tiempo a abrir.**
❍ **¿Quién sería?**

[73a] ● **¿Dónde estarán mis gafas? ¿Dónde las habré dejado?**

➲ El futuro
➲ El condicional

A veces en estos casos y con la misma intención comunicativa, se formula una pregunta doble introducida por **quién sabe**:

[73b] ● **Quién sabe dónde estarán mis gafas.**

Las interrogaciones dobles introducidas por **quién sabe** suelen ir en futuro de indicativo:

[74] ● **Quién sabe qué estará pensando.**

6. PREGUNTAS PARA CONFIRMAR UNA INFORMACIÓN

Para pedir explícitamente una confirmación de un dato o elemento, suele añadirse **¿no?** o **¿verdad?** a una oración informativa sobre el/los elemento/s que se quiere controlar:

[75] ● **Tú eres inglés, ¿verdad?**

[76] ● **Nos vemos mañana, ¿no?**

7. PREGUNTAS PARA SOLICITAR ACCIONES

Con frecuencia, cuando se pide a alguien que haga algo o se proponen / sugieren actividades para realizarlas conjuntamente, en lugar de utilizar un imperativo, se formulan preguntas en presente de indicativo:

[77a] ● **¿Abres la ventana?**

[78] ● **¿Vamos?**

Cuando el hablante formula preguntas de este tipo, no se espera una simple respuesta afirmativa o negativa, sino una aceptación o un rechazo:

[77b] ● **¿Abres la ventana?**
❍ **Es que tengo frío.**

➲ Influir sobre los demás

8. Al contestar a una pregunta, para quitar importancia a la respuesta como señalando al interlocutor que no se trata de nada especial, con frecuencia se introduce la respuesta con **nada**:

[79] ● **¿Y con quién fuiste?**
❍ **Nada, con mi familia y un amigo.**

El empleo de **nada** indica a menudo cierta timidez o cierto pudor por parte del que contesta a la pregunta, que de alguna manera pretende señalar que no quiere sentirse/ser el centro de atención.

9. PREGUNTAS CON ACASO

Es frecuente que se reaccione ante algo dicho o hecho por alguien formulando una pregunta introducida por **acaso** para manifestar sorpresa:

[80] ● **¿Cómo llegas tan tarde? ¿Acaso no sabías que la reunión era a las diez?**

[81] ● **Yo que tú le haría un buen regalo**
○ **¿Y cómo lo iba a pagar?**
● **¿Acaso no ganas bastante? ¿No te basta con un millón de pesetas al mes?**

En la mayoría de los casos se trata de preguntas retóricas cuya respuesta está implícita y clara para los interlocutores. Son frecuentes estas preguntas cuando se quiere recriminar o polemizar con el interlocutor. En ellas lo que hace el hablante es presentar como una vaga posibilidad que se le ocurre en ese momento algo evidente para todos. Los efectos expresivos pueden ser múltiples.

EXPRESARSE SOBRE LAS COSAS: ANTES DE SABER

Son numerosos los puntos de vista y actitudes que el hablante puede expresar acerca de las cosas o sucesos *antes de tener información segura* sobre lo que son o lo que ocurre en la realidad.

1. EXPRESAR LO QUE SE CONSIDERA POSIBLE

1.1. Para introducir lo que el hablante considera posible, cuando se trata de una hipótesis totalmente nueva (remática) que, por lo tanto, no ha sido evocada de ninguna manera en el contexto anterior, se usa:

a lo mejor + *verbo en un tiempo informativo*

[1] ● **Nada... Imposible: está comunicando sin parar.**
❍ **A lo mejor tienen el teléfono estropeado.**

Al tratarse de informaciones nuevas, cuando están introducidas por **a lo mejor** van en un tiempo y modo informativo: indicativo o virtual (futuro o condicional).

1.2. Para presentar una hipótesis que puede ser tanto temática como remática y que, por lo tanto, puede haber sido evocada o no en el contexto anterior, se usan los operadores:

quizá
tal vez
puede (ser) que
posiblemente

[4] ● **Te digo que no. Sabes perfectamente que no va a poder estar acabado en tan poco tiempo.**
○ **Sí, quizá tengas razón.**

[5] ● **¿Sabes? Quizá cambie de trabajo.**

[6] ● **¿Qué haces esta noche?**
○ **Todavía no sé... Tal vez vaya al teatro con un amigo.**

Los operadores **quizá, tal vez**[1] y **posiblemente** pueden ir seguidos tanto de indicativo o virtual como de subjuntivo. **Puede (ser) que** va seguido siempre de subjuntivo.

En contextos como [4], generalmente en respuestas a algo dicho por otro, también se encuentran, a veces usos de **acaso** + ***presente del subjuntivo***.

Aun en los casos en que se usan estos operadores para introducir hipótesis nuevas para el destinatario del mensaje, se trata de informaciones con una fuerza remática muy neutralizada en comparación con las que introduce **a lo mejor**: de ahí la sensación que da **a lo mejor** de presentar hipótesis que se le ocurren al hablante en el momento mismo de formularlas. **Quizá, tal vez, puede (ser) que** y **posiblemente** presentan informaciones temáticas, o informaciones nuevas sólo para el destinatario del mensaje, que sin embargo no lo son para el hablante; éste ya las ha estado pensando o valorando anteriormente: estaban presentes en su universo.

➲ 7. Expresar esperanza

2. EXPRESAR LO QUE SE CONSIDERA POSIBLE PERO REMOTO

2.1. Para presentar una hipótesis del hablante como algo que considera perfectamente posible, pero señalando, a la vez, que de producirse o ser verdadero comportaría cierto elemento de sorpresa, se usa —en registros informales:

igual + ***tiempo informativo***

---

1 A diferencia de lo que ocurre con expresiones parecidas a otros idiomas, **tal vez** no se usa ni con sentido temporal, ni con sentido concesivo:

[2a] Italiano:
● **Generalmente finisco di lavorare verso le sei, ma talvolta mi capita di lavorare anche fino a tardi.**

[2b] Español:
● **Generalmente termino de trabajar como a las seis, pero a veces / de vez en cuando ocurre que trabaje aun hasta tarde.**

[3a] Francés:
● **Je le rencontrais tous les matins et je le connaissais donc bien. Toutefois, ce jour là il était habillé d'une façon particulièrement bizarre et je ne le reconnus pas.**

[3b] Español:
● **Lo veía todas las mañanas, o sea que lo conocía bien. Sin embargo, aquel día iba vestido de manera especialmente extraña y no lo reconocí.**

En español, para expresar lo que se considera posible, no se usa **ojalá**. El empleo de este operador queda reservado exclusivamente a la expresión de la esperanza.

[7] ● **Sí, es raro que lo hayan contratado. Igual es que tiene algún enchufe...**

Se trata de una estrategia que adopta el hablante para demostrar que está considerando todas las posibilidades. La hipótesis presentada con **igual** constituye, pues, algo que el hablante no se espera realmente.

Como con **a lo mejor**, la hipótesis introducida con **igual** tiene un fuerte carácter remático: se trata de algo que el enunciador presenta como una consideración que se le ocurre en el momento mismo de formularlo lingüísticamente.

Con frecuencia además, se usa **igual** para aceptar una hipótesis formulada por otro como algo más bien remoto, que se considera poco probable:

[8] ● **Se habrá encontrado con algún amigo y se habrán puesto a charlar, como siempre.**
❍ **Sí, igual sí, pero no sé... Es muy tarde.**

2.2. Para presentar como posible algo que al hablante le parece más bien remoto, en Hispanoamérica se usa además:

capaz que + ***subjuntivo***

[9] ● **Con esa gente nunca puedes estar tranquilo. Capaz que ahora, después de todo este tiempo trabajando, lleguen y te despidan...**

2.3. Para presentar una hipótesis como una eventualidad más que el hablante quiere considerar como posible aunque le parezca bastante remota, se usa:

puede incluso que + ***subjuntivo***

[10] ● **Para mí, está claro que no van a poder venir. Estarán ocupados, como siempre. Puede incluso que no les interese venir.**

➲ 1.2.

➲ Coordinar, corregir, introducir elementos nuevos, contrastar informaciones

3. EXPRESAR LO QUE SE CONSIDERA PROBABLE

Para introducir una información que el hablante considera probable se usan:

seguramente **seguro que** **probablemente**	+ *información (verbo en un tiempo informativo: indicativo o virtual)*

Además, son frecuentes los usos de los ***tiempos virtuales.***

➲ 3.3.

3.1. En español, a diferencia de lo que sucede con sus equivalentes en otras lenguas, con **seguramente** o **seguro que** el enunciador introduce informaciones de las que no tiene seguridad absoluta, pero que le parecen muy probables:

[11] ● **¿Por qué no habrán llegado todavía?**
❍ **No te preocupes. Seguramente se han quedado pillados en un atasco.**

[12] ● **¿Y ese paraguas de quién es?**
❍ **Seguro que es de Jorge. Siempre anda dejándose sus cosas en todos lados.**

Seguro que y **seguramente** van seguidos de un verbo en un tiempo informativo (indicativo o virtual).

CON MÁS DETALLE: contraste **seguro que - seguramente / estar seguro de que**

- Con **seguro que** y **seguramente**, el hablante presenta una hipótesis suya como algo que le parece muy probable.
- Con **estar seguro de que**, el hablante reafirma un dato que ha sido mencionado previamente y que alguien ha puesto o puede poner en discusión:

[13] ● **Se lo ha dicho Andrés.**
❍ **¿Andrés? No creo.**
● **Pues yo estoy seguro de que ha sido él.**

Estar seguro de que va seguido de un tiempo informativo.[2]

3.2. Con **probablemente**, el enunciador también introduce una información que le parece probable. Sin embargo, las informaciones que introduce con **probablemente** le parecen menos seguras que las que introduce con **seguramente** o **seguro que**: el enunciador se muestra menos convencido:

[14] ● **Y tú, ¿qué piensas hacer este verano?**
❍ **No sé todavía. Probablemente iré a Rusia un par de semanas.**

Para mostrarse más convencido de la probabilidad de que se produzca lo que dice, el enunciador puede usar, además de **seguro que** y **seguramente**, la expresión **muy probablemente** —cuyo uso pertenece a registros ligeramente más cuidados:

[15] ● **¿Qué tiempo crees que va a hacer mañana?**
❍ **Muy probablemente va a llover todo el día. Mira cómo está el cielo.**

---

2 Aun tratándose de una manera de reafirmar una información que ya se ha dado, no se ha superado todavía el nivel en el que se informa, puesto que hay desacuerdo sobre la información en cuestión: por eso al repetirla, el hablante no puede sino volver a presentarla como información nueva, puesto que está repitiendo algo que su interlocutor aún no ha asumido como información.

3.3. Expresión de lo que se considera probable mediante el uso de los ***tiempos virtuales***

Es muy frecuente que, para expresar lo que se considera probable, el enunciador utilice los tiempos virtuales. La elección entre el ***futuro*** y el ***condicional*** depende del momento del que se está hablando.

3.3.1. Para expresar lo que se considera probable en el presente (y, a veces, en el futuro) de la enunciación se usa el ***futuro*** :

[16] ● **¿Pero dónde está? ¡Es tardísimo!**
❍ **Estará por ahí, con sus amigos.**

➲ El futuro

Si, para presentar un fenómeno como información de la que está seguro, el hablante usa el *presente*, para presentar la misma información como algo que le parece tan sólo probable usará el *futuro*. Así pues, en [16] si en lugar de presentar **estar con sus amigos** como algo tan sólo probable el enunciador quisiera presentarlo como información de la que está seguro (o sobre la que no tiene dudas) usaría el presente de indicativo: **está con sus amigos**.

3.3.2. Para expresar lo que se considera probable en un momento anterior al presente de la enunciación, se usa el ***futuro compuesto*** *(futuro anterior):*

[17] ● **No contestan.**
❍ **Se habrán ido a pasar el fin de semana fuera.**

Si, para presentar un fenómeno como información de la que está seguro, el hablante usa el *pretérito perfecto*, para presentar la misma información como algo que le parece tan sólo probable usará el *futuro compuesto.*

3.3.3. Para expresar lo que se considera probable en el pasado con respecto al momento de la enunciación, se usa el ***condicional simple***:

[18] ● **Fuimos a verlos el domingo, pero no estaban.**
❍ **Estarían en la casa de la playa.**

Si, para presentar un fenómeno como información de la que está seguro, el hablante usa un *tiempo del pasado* que no sea el pretérito perfecto, para presentar la misma información como algo que le parece tan sólo probable usará el *condicional simple.*

El español, a diferencia de otras lenguas, en estos casos no usa nunca el *futuro compuesto* o *futuro anterior.*

3.3.4. Para expresar lo que se considera probable en un momento anterior a otro momento pasado del que se está hablando, se usa el ***condicional compuesto*** (o *condicional pasado*):

[19] ● **Parecía muy cansado. Seguramente habría estado trabajando mucho.**

Si, para presentar un fenómeno como información de la que está seguro, el hablante usa un *tiempo compuesto del pasado* (pluscuamperfecto o pasado anterior), para presentar la misma información como algo que le parece tan sólo probable usará el *condicional compuesto* (o *condicional pasado*).

El español, a diferencia de otras lenguas, en estos casos no usa nunca el futuro compuesto o futuro anterior.

3.3.5. Se pueden resumir las reglas presentadas en los apartados anteriores sobre el uso de los tiempos virtuales en la expresión de lo que el enunciador considera probable como sigue: para presentar una información como algo que el enunciador considera probable mediante el uso de los tiempos virtuales, hay que fijarse en la *parte conjugada del verbo* (verbo mismo o, si se trata de una forma compuesta, auxiliar):

- Si en la información segura la *parte conjugada del verbo va en presente* de indicativo, para presentar la información como algo que el enunciador considera probable se pone dicha parte conjugada del verbo en *futuro*. Lo demás permanece igual.
- Si en la información segura la *parte conjugada del verbo va en pasado*, para presentar la información como algo que el enunciador considera probable se pone dicha parte conjugada del verbo en *condicional*. Lo demás permanece igual.

➲ Los tiempos compuestos: el futuro
➲ Los tiempos compuestos: el condicional

3.4. Además de las formas presentadas hasta aquí, para introducir una hipótesis que el hablante considera probable o muy probable se usan:

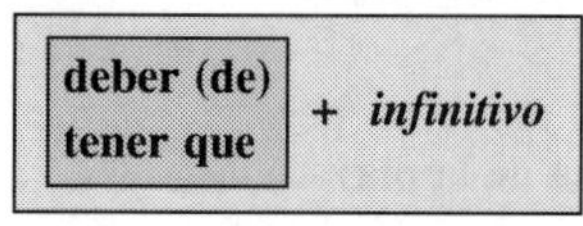

[20] ● **¿Qué tal está?**
○ **Buenísimo. Debe de tener un montón de chile, porque está picantísimo.**

Deber (de) / tener que + *infinitivo* funcionan en estos casos sobre todo con verbos que remiten a un *estado* o a una *situación*. De lo contrario, se prefiere **estar + *gerundio*** en lugar del infinitivo simple, para que quede explícito que se está hablando de un estado o de una situación:

[21] ● **Pero ¿qué será todo ese ruido? Tiene que estar ocurriendo algo...**

Son frecuentes los usos de estos dos verbos seguidos de **haber** + ***participio pasado***: en este caso también se trata de un estado o de una situación:

[22] ● **Ya son las diez. Tiene que haber llegado. Ahora le telefoneo.**

➲ Los tiempos compuestos: el pasado en los distintos tiempos
➲ Las perífrasis verbales: **deber** y **tener que**

Cuando ya se ha dado una primera expresión de probabilidad con **deber**, para contestar con otra expresión de probabilidad no se puede usar de nuevo **deber** (esto equivaldría a no tener en cuenta lo que ya se ha dicho): se hace obligatorio el uso de **tener que**:

[23] ● **¿Qué hora es?**
❍ **Deben de ser las tres.**
● **¿Tan pronto? No... Tienen que ser por lo menos las cuatro.**

Esto se debe a que **tener que** parece más enérgico: si se contesta a una primera expresión de probabilidad con otra, tiene que ser necesariamente más enérgica para ser más convincente.

➲ Las perífrasis verbales: **tener que** y **deber**

3.5. Para rechazar una expresión de probabilidad que se acaba de dar explícitamente o de sugerir indirectamente en el contexto anterior, no se usa la forma negativa del mismo verbo con los mismos operadores (esto sería expresar la probabilidad sobre algo negativo), sino el verbo **poder** en la forma negativa:

[24] ● **¿Tienes hora?**
❍ **Deben de ser las tres.**
● **No, no puede ser tan tarde. Al salir de mi casa miré la hora y eran las dos.**

4. EVOCAR SITUACIONES FICTICIAS

Para evocar una situación ficticia, distinta de la situación real en la que se hallan los interlocutores en el momento en el que se produce la enunciación, ya sea como hipótesis / argumento para convencer a otro, ya sea como etapa de un razonamiento sobre las posibles evoluciones de una determinada situación, se usan con frecuencia:

pon/ponga/pongamos **ponle tú** **supón(te)/suponga/supongamos** **imagína(te)/imagíne(se)/imaginemos/imaginaos**	+ **que** + ***subjuntivo***

[25] ● **¿Cuánta gente crees que va a venir?**
❍ **No sé, pon que seamos unas diez personas... No creo que vengan más.**

El uso de esta forma es frecuente sobre todo en contextos en los que se quiere evocar todas las situaciones / hipótesis posibles para ayudar a que el interlocutor las considere todas.

Además, en estos casos, se usan los operadores **si**, **caso de que** y **como** en preguntas:

[26] ● **¿Y si viene? ¿Qué hacemos en ese caso?**

5. INTRODUCIR SOLUCIONES DE EMERGENCIA

Para introducir / evocar una solución de emergencia que se podría considerar en caso de plantearse un problema inesperado en una determinada situación o de no salir las cosas como se esperaba, se usan:

en último término **en última instancia** **si acaso**

[27] ● **¿Cuántas fotocopias hago?**
❍ **Yo haría unas cien. No creo que se necesiten tantas. Y, si acaso, hacemos más en el último momento.**

[28] ● **No te preocupes, no se enfadará... Y, si se enfada, en último término me echas la culpa a mí.**

Con **si acaso** se plantea como más cercana la posibilidad de que surja la situación inesperada en la que haya que recurrir a la solución evocada.

6. ANUNCIAR/EXPRESAR SENSACIONES

6.1. Para expresar una sensación con respecto a una situación determinada en la que se produce la comunicación o de la que se está hablando, se usa con frecuencia:

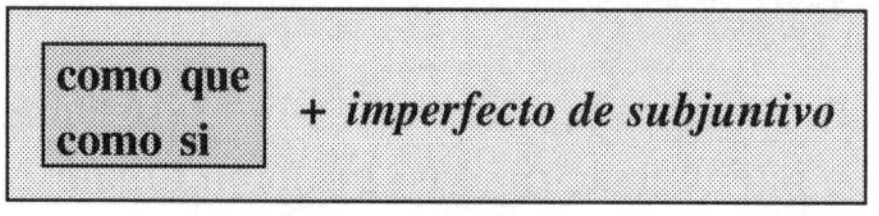
como que
como si
+ *imperfecto de subjuntivo*

[29] ● **Está rarísimo... No entiendo lo que le pasa... Como si estuviera enfadado por algo...**

El uso de **como que** en estos casos es propio del español americano.

Generalmente, lo que está haciendo el hablante es evocar una situación que le recuerda los hechos de los que está hablando o que, para él, pueden constituir una explicación de la situación o de los hechos a los que se refiere. Se trata de algo bastante próximo a una comparación: una comparación con otra situación u otros hechos evocados que en cierto sentido pueden constituir una explicación o algo similar.

6.2. Para presentar una información como una sensación que tiene una persona o como algo de lo que no está segura, se usa generalmente:

me/te/le/nos/os/les + parece/parecen + que + *información*

[30] ● **¡Hace un frío! Me parece que va a nevar.**

Con esta expresión se atribuye la sensación o la información incierta a la persona a la que remite el pronombre indirecto.

Esta misma construcción se usa, además, para expresar valoraciones sobre personas, cosas o procesos, introduciendo con ella un adjetivo o un adverbio:

[31] ● **La verdad, no te entiendo. A veces me pareces tonto.**

6.3. Para presentar una información que el hablante considera incierta como información oída de otros y que circula entre la colectividad, se usa a menudo:

parece (ser) que **al parecer** **por lo visto**

[32] ● **¿Has oído las noticias? Parece que el presidente va a dimitir.**

[33] ● **Ha llamado Eulalia. Por lo visto, se han perdido algunas de las maletas de los congresistas.**

[34] ● **Esta situación es insostenible para todos.**
❍ **Parece ser que están preparando otra ley que dé soluciones.**

7. EXPRESAR ESPERANZA

Los operadores más usados para expresar esperanza son:

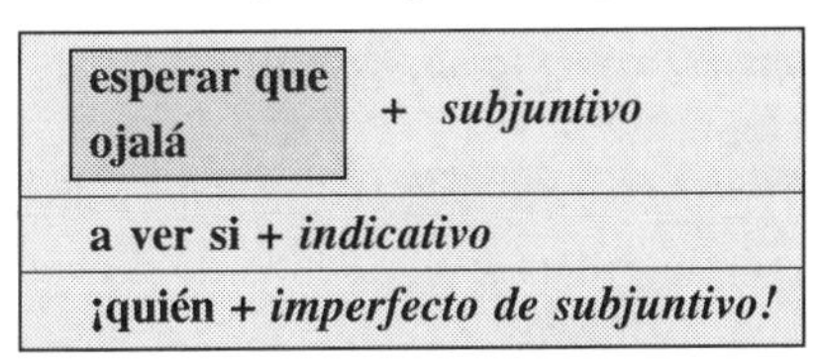

esperar que **ojalá**	+ *subjuntivo*
a ver si + *indicativo*	
¡quién + *imperfecto de subjuntivo!*	

[35] ● **Espero que lleguen pronto. Estoy realmente agotado y no me apetece esperar demasiado.**

[36] ● **¡Ojalá haga buen tiempo mañana! Así podemos ir a dar un paseo por el parque.**

[37] ● **A ver si llegamos pronto y podemos salir a cenar.**

[38] ● **¡Quién pudiera marcharse mañana mismo! Con lo harto que está uno, esto se hace ya insoportable.**

De todos estos operadores, el único que puede usar el hablante para referirse a esperanzas de otros es el verbo **esperar**. Los demás sólo pueden servirle para expresar sus propias esperanzas.

Ojalá puede ir seguido tanto del presente como del imperfecto de subjuntivo. Seguido del presente de subjuntivo, expresa una esperanza para el futuro que el hablante considera realizable. Seguido del imperfecto de subjuntivo, expresa una esperanza que el hablante considera de improbable realización en el futuro o que se refiere a algo que ya no puede ocurrir en el presente o en el pasado con respecto al momento de la enunciación: se trata de esperanza imposible debido a que se refiere a un irreal del pasado o del presente. Además, para referirse a una esperanza irreal del pasado se usa el pluscuamperfecto de subjuntivo.

¡Quién + *imperfecto de subjuntivo*! expresa, como **ojalá** seguido del imperfecto de subjuntivo, una esperanza que el hablante considera de difícil o improbable realización en el futuro, o imposible por estar referida a algo irreal en el presente o en el pasado con respecto al momento y acto de la enunciación: más que de esperanza, en este caso se trata de expresión de *amargura por la no realización / falta de realidad* de algo. Esta expresión se usa generalmente con los verbos **poder** o **saber**.

La expresión **a ver si** se usa para expresar deseos o esperanza sobre cosas que el hablante considera perfectamente posibles. En la mayoría de los casos, se trata esencialmente de un *reto* al / a los interlocutor(es) para que haga(n) algo, o para hacer algo juntos. Esta expresión es una de las más usadas, porque invita a / propone realizar conjuntamente una actividad, *de manera inconcreta*, sin la pretensión de que sea inmediatamente.

8. EXPRESAR ACTITUD DE ESPERA ANTE LO QUE PUEDE SUCEDER

Para ponerse en actitud de espera en lo que respecta al resultado o al desarrollo de algo, se usa con frecuencia la expresión **a ver**:

[39] ● **Estoy seguro de que yo no tendría ningún problema en entenderlo.**
❍ **Pues entonces, a ver, toma, léelo tú...**

A ver se usa además al atacar un problema o al ordenarse rápidamente las ideas en la cabeza antes de atacarlo.

Son frecuentes los usos de **a ver** en combinación con el operador **si** (en la interrogativa indirecta o para plantear algo como problema, duda, etc.): **a ver si**. Como ya se ha señalado en 7., **a ver si** se usa para incitar al otro, provocarlo, etc.

9. EXPRESAR DESEOS

Para expresar deseos, las expresiones más usadas son:

apetecer **tener ganas de** **querer** **hacer ilusión**

[40] ● **¿Quieres un cigarrillo?**
❍ **No, gracias, no me apetece.**

[41] ● **Tengo ganas de ir a dar una vuelta. ¿Por qué no salimos?**

Apetecer y **hacer ilusión** funcionan como el verbo **gustar** : concuerdan en número con el objeto del deseo. El sujeto que vive el deseo se pone bajo la forma de pronombre átono complemento indirecto **(me, te, le, nos, os, les)**.

Querer es una manera decididamente más *categórica* de expresar un deseo en comparación con **apetecer** y **tener ganas de**.

Para expresar un deseo de manera más delicada y respetuosa hacia el otro, como para no parecer demasiado exigente, se usa con frecuencia el *imperfecto de indicativo* o el *condicional simple* de **apetecer** o, menos frecuentemente, de **tener ganas de**. Además, se usa la forma **quisiera/ quisieras...** y el *imperfecto de indicativo* del mismo verbo (**querer**):

[42] ● **Me apetecería mucho ir a cenar a un chino. Hace tanto tiempo que no voy...**

[43] ● **¿Qué quieres hacer?**
❍ **No sé, tenía ganas de ir al cine...**

[44] ● **¿Qué haces mañana?**
❍ **Quisiera trabajar un poco en la tesis.**

El uso del presente de indicativo con **querer, tener ganas de** y, en menor grado, con **apetecer** implica una disponibilidad menor con respecto al otro: el hablante ya tiene sus ideas claras, ya está decidido, y no se muestra dispuesto a negociar con su interlocutor:

[45] ● **¿Qué haces este verano?**
❍ **Quiero ir a seguir un curso de inglés a algún sitio.**

[46] ● **¿Qué haces esta noche? ¿Nos vemos?**
❍ **Tengo ganas de ir a un concierto.**

Con sus respuestas en [45] y en [46], el hablante que usa el presente de **tener ganas de** y de **querer** no se muestra muy dispuesto a cambiar sus planes o a aceptar otras propuestas por parte de su interlocutor: no interpreta o no quiere interpretar la pregunta como una invitación o propuesta para hacer algo juntos —al contrario de lo que sucede cuando usa el imperfecto, con el que el hablante se muestra mejor dispuesto hacia su interlocutor, más abierto a negociar.

Al pedir cosas en tiendas, se usa normalmente como entrada **quería** o **quisiera**. Por lo general, en todas las situaciones como éstas —en las que se está pidiendo algo a otro— el uso de **quiero** tiene connotaciones bastante autoritarias/violentas. Sin embargo, sí se usa **quiero** después de una primera petición, para añadir otra o para dar más detalles sobre la primera:

[47] ● **Quería ver unos pantalones como ésos... A ver... No, son un poco ligeros... Es que los quiero de lana, para el frío... También quiero una camisa.**

La expresión **hacer ilusión** se usa para presentar deseos que se refieren a banalidades o cosas pequeñas:

[48] ● **Me hace ilusión ir al circo con mis amigos.**

También se usa el verbo **gustar** en *condicional* para expresar deseos:

[4] ● **¿Qué haces mañana por la noche?**
❍ **Me gustaría ir a ver a Aute.**

CON MÁS DETALLE

Esta posibilidad de uso del verbo **gustar** en condicional en la expresión de deseos se debe a que el condicional, como tiempo virtual que es, neutraliza el carácter vivido y experimentado que tienen necesariamente las cosas de las que se habla con este verbo.

➲ Los tiempos virtuales: el condicional

Todas estas formas para manifestar deseos son frecuentes en la expresión de ofertas o propuestas: en estos casos, se encuentran en oraciones interrogativas.

Para expresar la ausencia de un deseo, se usa la forma negativa de una de las expresiones presentadas arriba:

[50] ● **¿Quieres un café?**
❍ **No, gracias, ahora no me apetece.**

Los deseos negativos se manifiestan con las mismas expresiones.

CON MÁS DETALLE

En la expresión de deseos o de la ausencia de deseos, es importante no confundir la expresión **tener ganas de** con **no darle a uno la gana (de)**:

[51a] ● **Pero cómo vas a salir con este frío. Con la fiebre que has tenido estos días...**
❍ **Es que tengo ganas.**

[51b] ● **Pero cómo vas a salir con este frío. Con la fiebre que has tenido estos días...**
❍ **Hago lo que me da la gana.**

El uso de **darle a uno la gana** implica una actitud que el hablante considera/presenta como arrogante por parte del sujeto al que remite el pronombre indirecto (**me/te/le...**). El hablante presenta la voluntad de dicho sujeto como un capricho arbitrario.

Los usos de **darle a uno la gana (de)** son frecuentes sobre todo en frases negativas.

[51c] ● **No lo hago porque no me da la gana.**

10. DESEAR COSAS A OTROS

Para desear cosas a otro se usa:

que + ***presente de subjuntivo***

[52] ● **Bueno, adiós... y que tengas buen viaje.**

[53] ● **Llámame después del examen. Y que te salga bien, ¿vale?**

[54] ● **Adiós, chico, que te mejores.**

El empleo de esta estructura siempre va asociado a la despedida o al cierre de una situación / argumento de conversación para pasar a otro.

Además, para expresar malos deseos o maldiciones se usa:

así + ***subjuntivo***

[55] ● **¿Has visto? Ni siquiera me ha saludado. ¡Así le siente mal el café que se está tomando!**

11. CONJURAR COSAS NO DESEADAS

Para conjurar cosas no deseadas se usa la expresión:

no + ***subjuntivo de*** **ir + a +** ***infinitivo***

[56] **Y estoy abrazado a ti**
sin mirar y sin tocarte.

No vaya a ser que descubra
con preguntas, con caricias,
esa soledad inmensa
de quererte sólo yo. (Pedro Salinas)

[57a] ● **Cuidado con eso. No se te vaya a caer.**

[58] ● **¿Has entendido bien cuál es el botón que tienes que apretar? Éste, ¿eh? No te vayas a equivocar.**

Generalmente, en esta expresión el verbo **ir** va en presente de subjuntivo[3].

En los usos de estas expresiones, como con todos los auxiliares, los pronombres pueden ir antes del auxiliar o después del infinitivo que sigue (la norma prefiere esta segunda posibilidad).

En algunos casos, se usa también:

no sea que + ***presente de subjuntivo***

[57b] ● **Ten cuidado con eso, no sea que te caigas.**

A veces se usa además la construcción:

(que) no + ***subjuntivo***

[59] ● **Ay, mira cómo está otra vez el cielo... Por favor, no, que no llueva.**

El uso de esta construcción corresponde más bien a la expresión de un deseo negativo que a una manera de conjurar algo indeseado.

12. EXPRESAR INDIFERENCIA CON RESPECTO A UN DATO QUE TODAVÍA NO SE CONOCE

12.1. Para expresar indiferencia con respecto a la identidad de un dato que todavía no se conoce se usa:

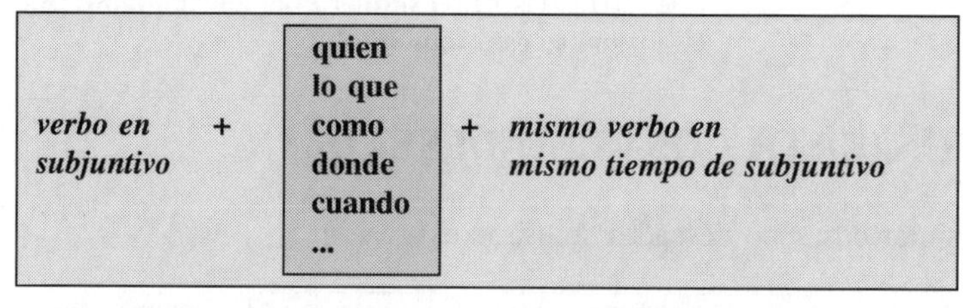

[60] ● **Diga lo que diga, yo no quiero hablar con él.**

3. Se pueden encontrar usos en imperfecto de subjuntivo que se refieren al pasado, o a cosas que el enunciador se empeña en querer considerar como remotas aun al conjurarlas.

Cuando se usa esta construcción, la indiferencia expresada por el hablante sobre la identidad de un elemento de información todavía desconocido está en correlación con otra oración en la que se expresa(n) el (los) posible(s) resultado(s): sea cual sea la identidad del elemento en cuestión, el resultado no cambiará.

A veces, el elemento cuya identidad no le importa al enunciador (**quien, lo que, como, donde, cuando**, etc.) va introducido por una preposición:

[61a] ● **Hables con quien hables, no vamos a cambiar nuestro punto de vista.**

El verbo puede ir en presente o en imperfecto de subjuntivo: cuando va en imperfecto, se está hablando del pasado o el hablante presenta los hechos como más remotos, menos probables en su opinión.

➲ El subjuntivo

En estos mismos contextos, además, se usa a veces —sobre todo, en el español americano— la expresión:

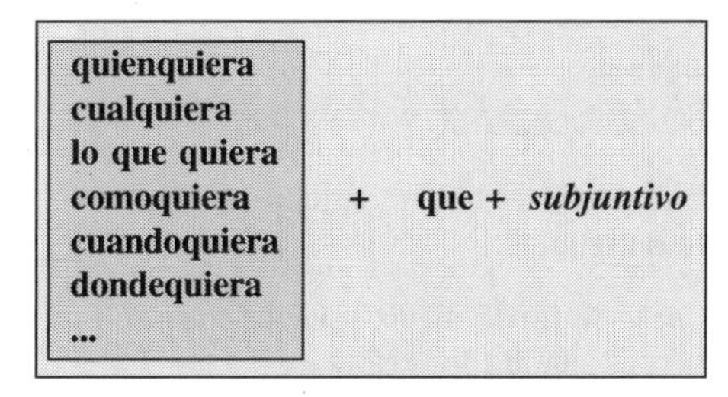

En esta construcción, como en la anterior, el elemento compuesto con **—quiera** puede ir precedido de una preposición:

[61b] ● **Con quienquiera que hables, no vamos a cambiar nuestro punto de vista.**

12.2. Al hablar de un comportamiento presentándolo como indiferente con respecto al contrario y como que el comportamiento elegido no va a afectar el resultado final, se usa:

total + *información que motiva el comportamiento elegido*

[62] ● **¿Y tú piensas ir?**
❍ **No. Total, ¿para qué voy a ir, si ella no va a querer hablar conmigo?**

[63] ● **Aunque a ti te parezca inútil, yo los voy a llamar. Total no cuesta nada.**

Con frecuencia, cuando se usa este operador se implica además indirectamente que el comportamiento contrario al elegido podría suponer un esfuerzo inútil que no va a afectar al resultado:

[64] ● **No llores... Total lo único que puedes hacer ahora es esperar a que lleguen. Con desesperarte no vas a sacar nada.**

Los usos de **total** se acercan mucho a la expresión de la causa y de las justificaciones.

Generalmente, se usa **total** al razonar comportamientos sobre los que se acaba de informar al interlocutor, al dar consejos o al pedir aclaraciones sobre comportamientos que al hablante le parecen inútiles e injustificados:

[65] ● **No entiendo para qué vas a aceptar, si total tu situación no va a cambiar en nada... Lo único que vas a sacar van a ser más gastos.**

Cuando el hablante usa **total** señala siempre que, en su opinión, el hecho de que el comportamiento contrario al mencionado no afectaría en nada al resultado final constituye en cierta medida un elemento de consolación.

12.3. Para expresar una actitud de indiferencia frente a una alternativa, se usan con frecuencia:

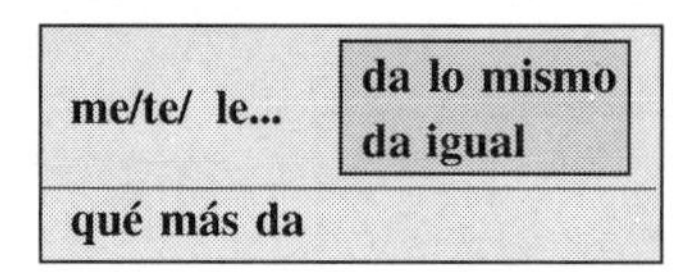

[66] ● **¿Qué prefieres beber: vino, o cerveza?**
❍ **Me da igual.**

[67] ● **¿Cómo se tarda menos: por la costa, o por el interior?**
❍ **Yo creo que da lo mismo.**

Estas tres expresiones se pueden usar referidas más específicamente a la actitud de una persona en concreto combinándolas con un pronombre complemento indirecto: **me, te, le**, etc. En estos casos, la construcción es análoga a la del verbo **gustar**.

Con estas tres expresiones, a diferencia de lo que ocurre con **total**, el hablante sólo presenta las posibilidades consideradas como indiferentes, sin implicar ninguna idea de consolación.

Con frecuencia, cuando se usan estas expresiones nos hallamos en situaciones en las que se trata de elegir entre unas opciones consideradas que aparecen o han aparecido explícitamente en el contexto (como en [66] y [67]). Sin embargo, también puede ocurrir que se usen estas expresiones para señalar indiferencia frente al hecho de que una información o un suceso no corresponda a las expectativas del hablante o del sujeto del que se está hablando:

[68] ● **¿Por qué no se lo pides a tu hermana, que vive en Madrid?**
❍ **Es que no vive en Madrid, vive en Toledo.**
● **Bueno, pues en Toledo, da igual.**

El uso de **qué más da** es frecuente sobre todo en este último caso.

13. EXPRESAR DUDA O VACILACIÓN

Para expresar duda o vacilación, se usa:

no sé (si)

[69] ● **¿Y qué vas a hacer?**
● **No sé si ponerles un pleito para que se sepa todo, o dejarlo así.**

Para expresar ignorancia de un hecho, se usa **no sé** o, si se trata de algo puntual, concreto, **no lo sé**:

[70] ● **¿Va a venir el señor Barrio?**
❍ **No lo sé.**

EXPRESARSE SOBRE LAS COSAS DESPUÉS DE SABER

Generalmente, después de recibir una información se contesta, en cierto modo, para señalar al interlocutor la voluntad de quien habla de cooperar con él, para hacer progresar la comunicación.

Las respuestas pueden ser de distintos tipos:

- otra pregunta,
- una información que el otro no tiene y que puede contribuir a hacer progresar la comunicación,
- una reacción frente a la noticia o información que se acaba de recibir.

En este capítulo presentamos los principales tipos de reacción que suelen darse ante una noticia o información.

Naturalmente, cualquier respuesta puede funcionar para hacer progresar positiva o negativamente la comunicación, ya que, debido una regla pragmática fundamental señalada por Grice[1], todo se percibe siempre como *pertinente* y *cooperativo* en el contexto considerado, aun cuando la respuesta aparentemente no tenga nada que ver con lo que se acaba de decir: a través de un mecanismo conocido como *implicatura conversacional*, el hablante intenta encontrar la intención comunicativa de la respuesta.

En este capítulo nos limitamos, pues, a presentar las reacciones más estandarizadas y explícitas que se dan después de recibir una noticia o información. Todas las reacciones posibles se interpretan en relación con dichas respuestas previsibles o esperadas por parte de quien habla, que sirven de base para el mecanismo de la *implicatura conversacional.*

1 Véase Grice, *Logic and conversation.*

1. EXPRESAR UNA ACTITUD DE INDIFERENCIA

Para mostrarse indiferente frente a algo que acaba de decir otro se usa:

ah

[1] ● **¿Sabes? Me acabo de comprar un piso.**
❍ **Ah.**

[2] ● **¿Sabes lo que me regaló mi mujer por mi cumpleaños? Un ordenador.**
❍ **Ah.**

Otra manera de mostrar indiferencia es no contestar nada. Sin embargo, estos dos recursos también pueden interpretarse como una reacción más negativa que una simple expresión de indiferencia. Su interpretación en cada contexto depende de la relación que existe entre los interlocutores (que ambos conocen), y del tema al que se refiere lo que se acaba de decir. Cuanto más importante sea para el enunciador, más negativamente se interpreta la ausencia de respuesta o el uso de **ah**.

2. MOSTRAR UNA ACTITUD ESCANDALIZADA SIN QUERER AÑADIR NADA EXPLÍCITAMENTE

Después de recibir una información (se trata generalmente de relatos) o al reaccionar ante algo dicho o hecho por otro, para mostrar una actitud escandalizada sin querer añadir nada explícitamente, se usan con frecuencia las expresiones:

¡Desde luego! ¡Hay que ver! ¡Será posible!

[3] ● **Y entonces va y dice que somos nosotros los responsables. ¡Desde luego...!**

[4] ● **¿Sabes lo que acabo de descubrir? Se han marchado sin decirnos nada.**
❍ **¡Será posible!**

Con frecuencia se usan las expresiones **¡Hay que ver!** y **¡Desde luego!** simplemente para demostrar participación emotiva al interlocutor, sin añadir nada nuevo, manteniéndose en la misma línea de actitud escandalizada.

La expresión **¡Será posible!** sirve, a la vez, para expresar una reacción de sorpresa y rechazo.

3. EXPRESAR SORPRESA O EXTRAÑEZA

3.1. Para expresar una reacción espontánea e inmediata de sorpresa o extrañeza ante un suceso o una información que se acaba de tener, se usan corrientemente las expresiones:

¿Sí?
¿De veras/verdad?
¡No me digas!
¡Qué raro/extraño!
¡No puede ser!
¡Es increíble/alucinante!

[5] ● **Me ha tocado la lotería.**
❍ **¡No me digas!**

[6] ● **Está cerrado.**
❍ **¡No puede ser! Pero si ayer me dijeron que estaría abierto.**

[7] ● **No contestan.**
❍ **¡Qué raro! Normalmente a esta hora siempre hay alguien.**

[8] ● **¿Sabes cuánto han tardado en imprimirlo? Dos días. Y el libro estaba en la calle en menos de una semana.**
❍ **¡Es increíble!**

De todas estas expresiones, la más neutra es **¡No me digas!**, que sirve tanto para reaccionar ante una sorpresa agradable como ante una sorpresa desagradable para el hablante y/o su interlocutor.

El uso de **¿Sí?** denota en muchas ocasiones indiferencia y no es más que una manera neutra de reaccionar frente a algo dicho por otro.

La expresión **¡No puede ser!** es una manera un poco más enérgica de expresar rechazo.

Las expresiones **¡Qué raro/extraño!** sirven para expresar sorpresa ante algo que, además de ser inesperado (elemento de sorpresa), no entra según el hablante dentro de la normalidad de las cosas y tiene una nota preocupante.

Con **¡Es increíble!**, el hablante presenta como muy sorprendente tanto un suceso por el que se siente satisfecho como uno que le provoca un fuerte desagrado.

Cuando el hablante siente la necesidad de repetir o recordar el dato al que se refiere la expresión de sorpresa, para evitar cualquier ambigüedad posible usará:

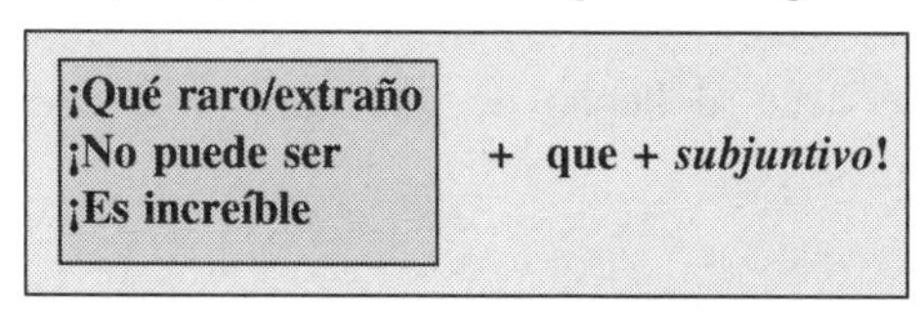

El uso del subjuntivo se debe al hecho de que se trata de información presupuesta: el hablante no está informando sino tan sólo refiriéndose a *relaciones* entre sujetos y predicados:

[9] ● **¡Qué raro que no hayan llegado todavía!**

➲ El subjuntivo

CON MÁS DETALLE

Para expresar una actitud participativa con una ligera nota de sorpresa en respuesta a algo que acaba de decir otro y que no concierne ni implica directamente al hablante, se usa a veces:

¡Fíjate!

[10] ● **Y cuando les explicamos bien nuestra situación prometieron que iban a tratar de recoger unos fondos para ayudarnos a pagar la deuda.**
❍ **¡Fíjate!**

En estos casos, generalmente se tiende a pronunciar esta palabra con dos acentos: uno en la **—i—** (que además va acentuada gráficamente) y otro en la **—e** final.

Con estos usos de **¡Fíjate!**, el hablante no expresa tanto una actitud de sorpresa personal: se trata más bien de una manera de compartir lo dicho por el otro (mostrando una leve sorpresa) sin querer añadir explícitamente nada más.

3.2. Para describir una sensación / reacción de sorpresa o extrañeza ante un suceso o una información, o referirse a ella de manera menos inmediata que con las expresiones presentadas hasta aquí, como si se tratara de algo dicho después de reflexión, se usan las expresiones:

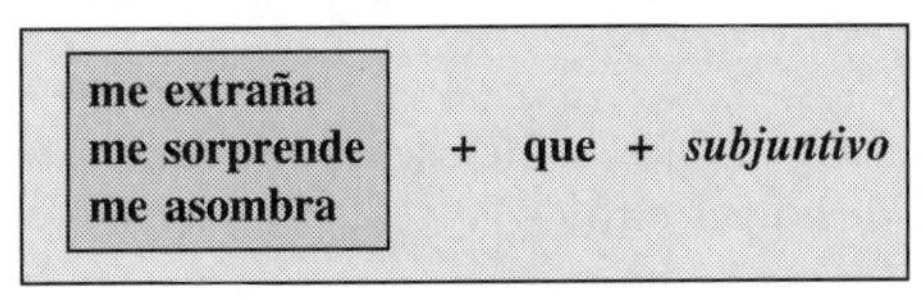
me extraña
me sorprende + **que** + ***subjuntivo***
me asombra

[11] ● **He llamado, pero no había nadie.**
❍ **Me extraña. Siempre hay alguien.**

[12] ● **A mí lo que me sorprende es que todavía no hayan hecho nada.**

El uso de estas expresiones no tiene la fuerza ilocutoria de las presentadas en 3.1., debido a que no se trata de primeras reacciones que surgen espontáneamente del hablante, sino de maneras de describir más conscientemente una sensación o reacción emotiva, o de hablar de una reacción o sensación que no es nueva.

El uso del subjuntivo se debe al hecho de que se trata de informaciones presupuestas.

➲ El subjuntivo

4. EXPRESAR COMPASIÓN

4.1. Para expresar una reacción de insatisfacción, dolor o pena por algo ajeno al hablante se usan las expresiones:

¡Qué pena!
¡Qué lástima!
¡(Cómo) lo siento!

[13] ● **Llegamos tarde y ya no quedaban entradas.**
❍ **¡Qué lástima! Era un concierto que merecía la pena.**

[14] ● **¿Qué te pasa?**
❍ **Se me ha muerto el gato.**
❍ **¡Cómo lo siento!**

Con las expresiones **¡Qué pena!** y **¡Qué lástima!**, el hablante expresa una reacción centrada esencialmente en su propia persona, en su voluntad, sus sentimientos, etc. Se trata a menudo de sentimientos más bien superficiales, o debidos a motivos racionales —caracterizados siempre por el hecho de que no se concentran en el dolor o la insatisfacción del interlocutor, sino en la del propio hablante[2]. Con **¡lo siento!**, por el contrario, el hablante expresa una reacción que se centra mucho más en su interlocutor y en una voluntad de demostrarle una participación emotiva por algo que le puede doler / haber dolido[3]. La sensación que generalmente se tiene es de emoción más profunda (o menos frívola). Así, pues, en [14] el hablante que usa **lo siento** se pone al lado de su interlocutor.

4.2. Para describir o referirse a una sensación / reacción de insatisfacción, dolor o pena

Al reaccionar sobre una información (que por lo tanto ya ha aparecido en el contexto previo), se usan las tres expresiones presentadas en 4.1. Si, por el contrario, el hablante no está expresando una reacción espontánea sobre algo que se acaba de decir, sino que se está refiriendo, de manera menos inmediata, a algo que ha sabido previamente y necesita repetirlo para que quede claro a qué se está refiriendo, en lugar de **¡qué lástima/pena!** o **¡Lo siento!**, usa más bien:

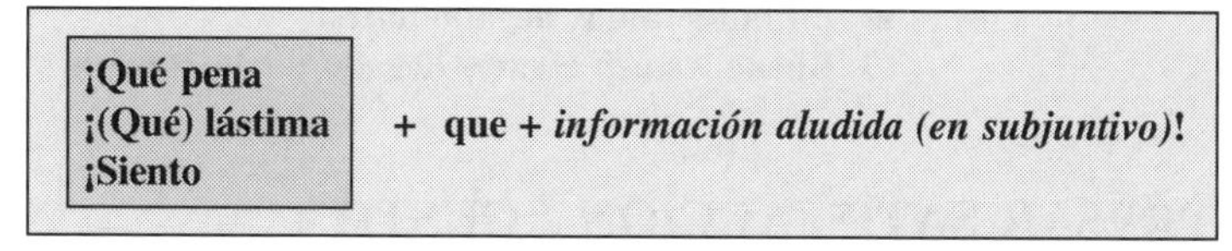

¡Qué pena
¡(Qué) lástima
¡Siento
+ **que** + ***información aludida (en subjuntivo)*!**

La oposición entre las expresiones presentadas en 4.1., y las presentadas en este apartado es paralela a la que existe entre las expresiones presentadas en 3.1. y en 3.2..

Al tratarse de elementos de información que ya sa habían dado previamente y que para el hablante no son nuevos, el verbo va normalmente en subjuntivo:

---

2 Retomando el esquema de las funciones del lenguaje propuesto por Jakobson, se puede afirmar que estas dos expresiones tienen una función esencialmente *emotiva*. Véase R. Jakobson, "Linguistique et poétique", en *Essais de linguistique générale*, tomo I, París, 1963.

3 Según el mismo esquema de Jacobson, **lo siento** tiene una función esencialmente *conativa*.

[15] ● **Lástima que no hayas venido el sábado. Fue muy agradable.**

[16] ● **Oye, siento que te tengas que quedar hasta tan tarde, pero es que, si no, no terminamos esto.**

➲ El subjuntivo

Sin embargo, cuando el hablante no está seguro de que su interlocutor disponga de la información en cuestión, o quiere recordársela y no sólo referirse a ella como a algo que ya está claro y establecido para ambos interlocutores, puede usar un tiempo informativo (en la mayoría de los casos se trata de indicativo). Estos usos son menos frecuentes.

CON MÁS DETALLE

A veces, para recordar el asunto al que se refiere el hablante con **siento que**, en lugar de un verbo se usa la expresión **lo de +** ***elemento clave que permite identificar el tema***: la construcción en estos casos es **siento lo de...** o **lo siento por lo de...**:

[17] ● **Oye, lo siento por lo de la fiesta.**
❍ **No te preocupes.**

➲ El artículo: **lo**- una forma de artículo neutro

5. EXPRESAR RESIGNACIÓN

Para expresar resignación ante una noticia, se usan generalmente las expresiones:

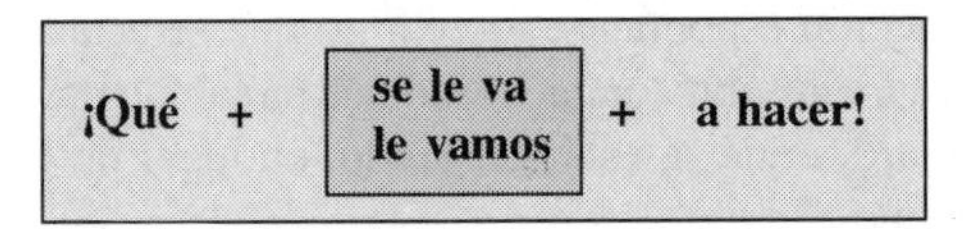

[18] ● **¡Si hubiéramos llegado antes!**
❍ **Bueno, es así. Hemos llegado tarde. ¡Qué le vamos a hacer!**

6. EXPRESAR SATISFACCIÓN / GUSTO

6.1. Para expresar satisfacción por una noticia que se acaba de tener, se usa:

¡Qué bien!

[19] ● **¿Sabes? He aprobado la oposición.**
❍ **¡Qué bien!**

[20] ● **No hace falta que vengas mañana.**
● **¡Qué bien!**

Cuando el hablante siente la necesidad de repetir o recordar la información a la que se refiere la expresión de satisfacción porque no ha aparecido explícitamente en el contexto inmediatamente anterior, en lugar de **¡Qué bien!** usa **¡Qué bien que...!** El verbo que sigue va en subjuntivo, puesto que se trata de información presupuesta:

[21] ● **¡Qué bien que hayas venido!**

➲ El subjuntivo

6.2. Para expresar satisfacción por algo positivo, se usa además:

¡me alegro (+ por + ti /él/...)!

[22] ● **Por fin he encontrado trabajo.**
❍ **Me alegro.**

Por lo general, la cosa por la que el hablante expresa satisfacción con esta estructura no le afecta directamente.

Como se ha visto en 6.1., en estos casos también se puede usar **¡Qué bien!**

Si el hablante decide repetir la información a la que se refiere con **¡Me alegro!**, en lugar de esta expresión, usa **¡Me alegro de que... +** ***subjuntivo*****!**:

[23] ● **¡Me alegro de que hayas venido!**

En ocasiones, se usa también **¡Me alegro de +** ***infinitivo*****!** para expresar satisfacción incluso por algo hecho por el hablante o que ha sucedido al hablante:

[24] ● **Me alegro de no haber ido.**

[25] ● **Me alegro de habérselo dicho a la cara.**

En estos casos, el infinitivo es generalmente compuesto: **haber +** ***participio pasado***.

6.3. Cuando la expresión de satisfacción por algo positivo se refiere a algo que puede depender del azar, se usa:

¡Qué suerte!

[26] ● **¿Sabes? Me ha tocado un viaje a Perú.**
❍ **¡No me digas! ¡Qué suerte!**

El uso de **¡Qué suerte!** implica siempre una atribución al azar, por parte del hablante, del suceso al que se está refiriendo; de ahí que, en algunos casos, el interlocutor rechace el uso de esta expresión:

[27] ● **¿Qué tal el examen?**
❍ **Bien, muy bien. He sacado un sobresaliente.**
● **¡Qué suerte!**
❍ **¡Cómo que qué suerte! Si llevo cuatro meses estudiando...**

6.4. Para expresar satisfacción o alivio por la realización de algo deseado por el hablante y sobre la que el propio hablante tenía dudas, se usa:

¡Menos mal!

[28] ● **¿Qué tal la traducción?**
❍ **Ya está terminada.**
● **¡Menos mal!**

Cuando el hablante usa **¡Menos mal!**, señala que el suceso deseado del que está hablando no estaba entre sus previsiones o temía que no se produjera.

Cuando el hablante decide repetir o recordar el suceso al que se está refiriendo, o cuando la satisfacción se refiere a un elemento de un conjunto (es decir a una parte de un todo), en lugar de **¡Menos mal!**, usa **¡Menos mal que +** ***información*****!**:

[29a] ● **Creí que íbamos a perder el tren. Menos mal que salió con retraso.**

En estos casos, además de **¡Menos mal que +** ***información*****!**, se usa también **¡Suerte que +** ***información*****!**:

[29b] ● **Creí que íbamos a perder el tren. Suerte que salió con retraso.**

A diferencia de los casos estudiados en los apartados anteriores, el verbo que sigue a **menos mal/suerte que** va generalmente en un tiempo informativo (indicativo o virtual). Esto se debe al hecho de que, al contrario de los casos anteriores, se trata de una información nueva para el oyente, que, además, en cierto sentido constituye una novedad para el hablante, algo parecido a una sorpresa agradable del último momento que, según el hablante, viene a salvar una situación que parecía comprometida y, por lo tanto, constituye información remática.

6.5. Para expresar satisfacción o alivio por la realización de algo esperado durante largo tiempo por el hablante, se usa:

¡Por fin!

[30] ● **Acaban de llegar. Ya están aquí.**
❍ **¡Por fin!**

[31] ● **Por fin te encuentro. Llevo todo el día buscándote.**

Al usar **¡Por fin!**, el hablante señala que, para él, el tiempo de la espera ha sido excesivo.

El verbo que sigue va en un tiempo informativo (generalmente, en indicativo): es la primera vez que el hablante puede formular o constatar la información en cuestión, que había sido objeto de la espera.

7. Para hablar de gustos, se usa el verbo **gustar**: **me gusta / no me gusta**

[32] ● **Mira, ésta es la chaqueta.**
❍ **Me gusta.**

A veces se usa además una exclamación.

➲ Exclamar

Si el hablante siente la necesidad de introducir o recordar el elemento del que está hablando y que provoca su satisfacción, añade un sujeto: **(no) me gusta** + ***sustantivo en singular*** o **(no) me gustan** + ***sustantivo en plural***

[33] ● **No me gustan las novelas de ciencia ficción.**

Cuando la satisfacción se refiere a un acto o suceso se usa **(no) me gusta que** + ***subjuntivo***:

[34] ● **Me gusta que me llames todos los días.**

El verbo **gustar** no se usa al ofrecer ni al proponer explícitamente una actividad, puesto que por su semantismo se refiere a experiencias previas ya vividas y conocidas por el hablante. Por eso el verbo que sigue va en subjuntivo.

8. COMPARAR CON / EVOCAR OTRAS SITUACIONES

A veces, como reacción ante algo que se acaba de decir o ante una situación en la que se encuentra el hablante, lo que se hace es evocar, como término de comparación, una situación extrema, ficticia, distinta de los hechos o de la situación real de la que se está hablando. Para ello, se usan los operadores:

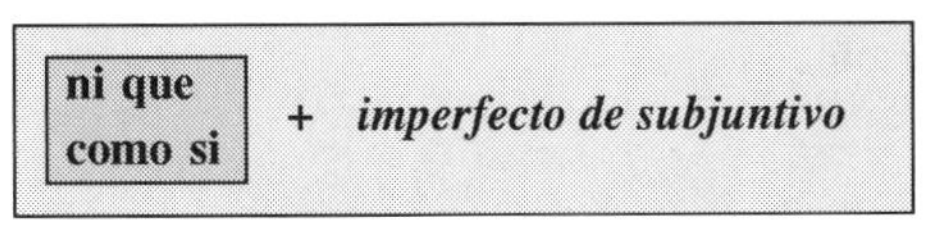

[35] ● **Pero ¿para qué te vas a llevar tanta ropa? Ni que te fueras por un mes...**

9. EXPRESAR CRÍTICA

Cuando al reaccionar ante una información que se acaba de tener se quiere criticar o recriminar al otro por algo que, según el hablante, no ha hecho o ha hecho mal, generalmente se le piden explicaciones por su actuación / comportamiento, o se expresa cómo se habría portado / habría actuado el hablante en la misma situación. Para ello, se usan frases como:

y tú/usted... ¿por qué (no) + *verbo*?
yo/él/... + (que tú/él/... +) habría/hubiera + *participio pasado*

[36] ● **Y tú ¿por qué no dijiste nada?**

[37] ● **Yo no me habría portado así. Yo que tú habría puesto una denuncia.**

En estos casos, nos hallamos ante algo muy próximo a una sugerencia o a un consejo.

➲ Influir sobre los demás: expresar consejos

En estas expresiones, el elemento **yo/él/... que tú/él/...** desempeña un papel de oración condicional (prótasis): *si yo estuviera / hubiera estado en el lugar de...* Es frecuente en estos casos el uso del imperfecto o del pluscuamperfecto de subjuntivo en lugar del condicional compuesto —como en todos los demás casos en los que la prótasis no está expresada explícitamente.

➲ Expresar condiciones

10. EXPRESAR ACUERDO

Para expresar acuerdo, se usan las formas habitualmente usadas en las respuestas afirmativas a una pregunta de tipo **sí/no**.

➲ Preguntar

Además, se usan con frecuencia las siguientes expresiones:

conforme
de acuerdo
vale
sí, quizás sí
sí, tiene(s) razón
estar de acuerdo

[38] ● **Es mejor dejarlo para mañana.**
❍ **Sí, tienes razón: es mejor.**

[39] ● **Es un pesado.**
❍ **Sí, de acuerdo; pero eso no quita que tengamos que invitarlo.**

[40] ● **Para mí, es mejor no hacer nada y esperar a que propongan ellos una solución.**
❍ **Yo estoy de acuerdo.**

Conforme, de acuerdo y **vale** sirven esencialmente para aceptar propuestas formuladas por otro. Aun en sus usos para expresar acuerdo, estas expresiones adquieren un matiz bastante especial de *aceptación de algo dicho por otro,* más que de expresión por parte del hablante de una opinión que coincide con la de su interlocutor. Se trata, en cierto sentido, de una manera de tranquilizar al otro antes de pasar a hablar de otra cosa, o de volver al tema de antes.

Con **sí, quizás sí**, el hablante se muestra *de acuerdo con reservas o dudas* con su interlocutor.

11. EXPRESAR DESACUERDO

Además de las formas usadas en las respuestas negativas a las preguntas de tipo **sí/no**, para expresar desacuerdo se usan las siguientes expresiones:

¿tú crees?
no, no creo
no estar de acuerdo
¡qué va!
¡cómo que + *repetición del elemento rechazado*!

[41] ● **Bueno, pues, hasta mañana.**
○ **¡Cómo que hasta mañana! ¿No nos íbamos a ver el martes?**

[42] ● **Seguro que va a llover.**
○ **¿Tú crees?**

[43] ● **Para mí, es un pesado y punto.**
○ **Yo no estoy en absoluto de acuerdo. A mí me cae bien.**

[44] ● **Mañana no vamos a estar porque nos vamos a Madrid.**
● **¡Qué va! No es mañana, sino pasado.**

Con **¿tú crees?** y **no, no creo**, el hablante presenta el desacuerdo de manera bastante blanda y poco decidida. Al contrario, con **¡qué va!** lo presenta de manera más decidida y enérgica.

Con **¡cómo que...!**, el hablante presenta el desacuerdo de la manera más enérgica. Generalmente, se trata de desacuerdo enérgico sobre un elemento de información que ya se ha dado y que no coincide con los datos que tenía el hablante que reacciona (como en [41]).

A veces, en la expresión del desacuerdo se encuentran usos del futuro de indicativo seguido de **pero** + ***objeción***:

[45] ● **Créeme, te conviene hablar con él. Tiene muchos contactos.**
○ **Tendrá muchos contactos, pero yo no lo soporto.**

En algunas ocasiones, el desacuerdo se expresa de manera bastante débil, con una simple pregunta:

[46] ● **Es un genio.**
○ **¿Un genio?**

Se trata de una manera de pedir al otro que repita, aclare o confirme algo que podríamos no haber entendido.

SOBRE LOS ACTOS DE HABLA Y LA INFORMACIÓN

1. Para sentar las bases de la comunicación llamando la atención del destinatario del mensaje y atribuyéndole por lo tanto el papel de oyente, se usan las expresiones:

oye/oiga
perdona/perdone
disculpa/disculpe

[1] ● **Perdone, ¿tiene hora?**

Con frecuencia, estas expresiones van seguidas de un apelativo (vocativo) que se refiere al destinatario del mensaje, como en [2]:

[2] ● **Oye, Pedro, ¿me haces un favor? ¿Le das esto a tu hermana?**

Es frecuente que luego venga una petición de algo concreto (acto u objeto) o de información.

De las mencionadas más arriba, **oye/oiga** es la forma menos marcada. **Perdona/ perdone** y **disculpa/disculpe** se usan esencialmente cuando creemos o tenemos algún elemento para pensar que podemos molestar al otro.

Estas expresiones funcionan en la práctica como fórmulas fijas codificadas. Las formas **disculpad/perdonad** tienen usos mucho menos frecuentes que **perdona/perdone** y **disculpa/disculpe**.

A veces, con la misma intención comunicativa de llamar la atención y, a la vez, atribuir al destinatario del mensaje el papel de oyente, se usan los *nombres propios* y la expresión **por favor**:

[3] ● **Por favor, ¿puede decirme dónde están los servicios?**

[4] ● **Pepe, ¿me cobras?**

CON MÁS DETALLE: Contraste **perdona - perdóname, disculpa - discúlpame**, etc.

Como hemos visto, **perdona/perdone** se utiliza para llamar la atención y atribuir el papel de oyente, mientras que **perdóname/perdóneme** y **discúlpame/discúlpeme** se emplean para pedir disculpas por algo que sabemos o creemos que puede molestar o herir al interlocutor, o haberlo molestado o herido en algún momento anterior al acto de enunciación:

[5] ● **Llego tardísimo. Perdóname.**

A veces, se observa cierta superposición entre estos dos grupos de operadores, aunque siempre hay un matiz entre ellos: pedir disculpas con **perdona/perdone** o con **disculpa/disculpe** es mostrarse menos participativo, más frío, que con los operadores más propios para este acto. Por otra parte, cuando se interpela a alguien con **perdóname/perdóneme** o con **discúlpame/discúlpeme** se tiene la sensación de que el hablante se siente *más culpable* por la interrupción que causa a su interlocutor que cuando usa formas habituales para ello.

El uso de los operadores **perdona/perdone, disculpa/disculpe** y **oye/oiga** (a veces, dos de ellos juntos) en contextos en los que ya está establecido el canal comunicativo entre los interlocutores puede adquirir una serie de matices según los contextos: sorpresa, desacuerdo, irritación, etcétera:

[6] ● **Bueno, entonces esta noche me quedo a dormir en tu casa.**
❍ **Perdona, pero en mi casa no hay sitio.**

[7a] ● **¿Entonces me llamas tú esta noche?**
❍ **Oye, siempre te llamo yo.**

Los efectos expresivos que se dan en estos contextos varían considerablemente y no siempre son claramente interpretables por parte del interlocutor: en estos casos, se produce una negociación sobre el sentido comunicativo de lo dicho:

[7b] ● **¿Entonces me llamas tú esta noche?**
❍ **Oye, es que siempre te llamo yo.**
● **¿Qué quieres decir?**

Sin embargo, la base de interpretación siempre es la misma: el hablante que usa estos operadores cuando ya está establecido el contacto con su interlocutor lo hace bien porque los está utilizando como manera de pedir disculpas, bien porque decide deliberadamente portarse como si el contacto no existiera: en estos casos, se trata de una manera de volver a empezar, rompiendo o bloqueando el contacto que ya se había establecido. Los motivos de este comportamiento pueden ser variados: el hablante siente que lo que va a decir no se sitúa en el mismo nivel que lo anterior o que la comunicación, por algún motivo, ya no está funcionando como antes o como debería (ejemplos [6] y [7a]), etc.

2. Para justificar el hecho de dirigirse a un determinado interlocutor, se usa:

tú/usted/vosotros... que	+	***verbo conjugado que representa el motivo por el que se ha escogido al interlocutor.***

[8] ● **Tú que hablas ruso, ¿me puedes traducir esto?**

A veces, en lugar de ir introducida por un pronombre personal sujeto, esta forma va introducida por un pronombre complemento introducido por una preposición:

[9] ● **A ti que te gustan los pájaros, deberías ir a su casa a ver el verdadero zoológico que tiene.**

El uso de esta forma para justificar el hecho de haber escogido a un determinado interlocutor es característico (pero no exclusivo) de los contextos en los que se piden favores, se dan consejos, se expresan argumentos o se dan informaciones que pueden tener interés para el destinatario del mensaje.

3. Para aceptar el papel de oyente que nos acaba de atribuir otra persona y señalarle así que estamos dispuestos para escucharlo, se usa generalmente:

¿sí?
dime / dígame

[10] ● **Oye, Pepe...**
❍ **Sí, dime...**
● **Quería ...**

4. En las peticiones, para ser amables y/o subrayar el hecho de que se está pidiendo algo al otro, se usa:

por favor

[11] ● **Neus, por favor, ¿me puedes mirar esto?**

Además, a veces se usa **por favor** para rechazar algo dicho por otro o expresarle desacuerdo. En estos usos, se sobreentiende **por favor, no digas eso / piensa un poco más en lo que dices / no molestes**, etc.:

[12] ● **Tengo un sueño horrible.**
❍ **Pero, Pablo, por favòr, si has dormido diez horas...**

5. Para interrumpir a alguien que está hablando e intervenir en la conversación, se usa con frecuencia:

perdona / perdone + un momento

[13] ● **... Y no hay otra solución.**
❍ **Perdona un momento, pero yo creo que sí.**

6. En los razonamientos, para dejar como asentado lo que ya se ha dicho, como una etapa intermedia que se ha alcanzado antes de pasar a otra nueva, se usa:

ahora bien

[14] ● **Tiene usted concedida una línea de crédito de 250.000 pesetas mensuales; ahora bien, como el mes pasado...**

Generalmente, **ahora bien** va inmediatamente después de lo que se ha presentado como primera etapa del razonamiento y justo antes de lo que sigue.

En la mayoría de los casos, cuando se usa **ahora bien** el primer argumento y el segundo contrastan el uno con el otro.

7. Para presentar una información que se refiere a un elemento del que los dos interlocutores ya están al tanto y que todavía no se había abordado, se usan:

en/por lo que se refiere a **en/por lo que atañe a** **en/por lo que concierne a** **en/por lo que respecta a** **respecto de** **con respecto a** **en cuanto a** **en lo tocante a** **a propósito de** **en relación con**

[15] ● **Bueno, en lo que respecta al siguiente párrafo del esquema que les estoy presentando...**

[16] ● **Sí pero eso lo vamos a resolver. Ya verás que en poco tiempo empezarán a pagar de manera más regular. Y por lo que se refiere a la cantidad, desgraciadamente este año todavía es así. Igual las cosas cambian el año que viene.**

Todas estas expresiones van seguidas inmediatamente del elemento al que introducen, del que ambos interlocutores están al tanto y que todavía no había sido abordado.

Con las expresiones **en lo que respecta a** y **en lo que se refiere a**, a veces se invierte el verbo con el elemento en cuestión. En estos casos la estructura es:

en lo que a + *elemento* + respecta / se refiere

Con frecuencia, además, se usan estos operadores para atacar uno por uno una serie de temas que van a afrontarse.

Cuando se acaba de mencionar el elemento en cuestión se usa **al respecto** o **a este respecto.**

8. Para presentar algo dicho como estrechamente relacionado con lo que se acaba de decir, se usa:

pues

[17] ● **¿Qué va a tomar?**
❍ **Pollo con patatas.**
● **Lo siento, se ha terminado.**
❍ **Bueno, pues un filete.**

[18] ● **¿Estudias o trabajas?**
❍ **Trabajo. Soy enfermera.**
● **Pues yo, trabajo en un banco.**

[19] ● **Me encanta el gazpacho.**
❍ **¿Ah, sí? Pues a mí no me gusta nada.**

[20] ● **¿Te gusta?**
❍ **Pues sí.**

Pues es un operador puramente metalingüístico con el que el hablante se refiere a la evolución de la comunicación y no habla sino del hecho de *decir* lo que dice.

Al usar **pues**, el hablante subraya que lo que dice está motivado por lo anterior. Los efectos expresivos pueden ser múltiples: poner de relieve la continuidad o el contraste, presentar lo dicho como una reacción, etc.

9. Para presentar algo dicho como algo que confirma, retoma o de alguna manera se refiere a la información que se acaba de dar o al elemento que se acaba de mencionar, se usa:

precisamente

[21] ● **Me encanta la comida china.**
❍ **Precisamente pensaba proponerte que fuéramos a cenar a un restaurante chino.**

[22] ● **Oye me acabo de topar con Juanvi.**
❍ **Precisamente de él quería hablarte yo ahora.**

10. A veces, al presentar una información o una opinión personal que pensamos que puede desagradar a nuestro interlocutor, para justificar el hecho de expresarla, señalando que se trata de algo dicho únicamente porque se está haciendo un esfuerzo por ser sincero, se usa:

la verdad

[23] ● **¿Qué te ha parecido?**
❍ **Pues, la verdad, un poco aburrido.**

Al usar de este operador el hablante se muestra respetuoso hacia su interlocutor. Por el contrario, cuando quiere señalar que dice lo que dice para ser sincero reafirmando a la vez su propia identidad de hablante e ignorando parcialmente a su interlocutor, usa el operador **francamente**:

[24] ● **¿Qué te ha parecido?**
❍ **Francamente, no me ha gustado nada.**

Con frecuencia el uso de **francamente** adquiere un matiz ligeramente arrogante.

11. Para confirmar algo que acabamos de decir, insistiendo en que estamos siendo sinceros, se usa:

de verdad

[25] ● **Ten, sírvete un poco más.**
❍ **No, gracias, de verdad.**

Al usar **de verdad**, el hablante señala que ya ha superado el nivel de las respuestas convencionales ritualizadas.

Con **de verdad**, a diferencia de lo que hace con **la verdad**, el hablante no se justifica por lo que dice. (Véase la nota en la página 350.)

12. Para introducir algo que para el hablante se acerca mucho a lo que le parecería una información o una formulación lingüística satisfactoria, se usa:

casi

[26] ● **Cuando me lo dijo, me dio tal susto que casi me caigo rodando escaleras abajo.**

[27] ● **¿Te apetece un café?**
❍ **Casi sí: que tengo mucho sueño.**

[28] ● **¿Qué hacemos?**
❍ **No sé... Yo casi me iría a la cama, que estoy agotado.**

Los efectos expresivos relacionados con los usos de **casi** pueden ser de distintos tipos:

- Al hablar del pasado, se trata generalmente de sucesos que no llegaron a producirse, pero que, según el hablante, estuvieron a punto de ocurrir.

En estos usos, **casi** tiene un sentido muy próximo al de **por poco (no)**. Sin embargo, con **por poco (no)**, el hablante hace más hincapié en los aspectos negativos de lo que estuvo a punto de realizarse, mientras que con **casi** se limita a subrayar la no realización.

➲ Hablar del pasado

- Al hablar del presente y del futuro, se trata bien de cosas que no llegan a producirse, bien de cosas que el hablante quiere presentar como algo que le plantea cierto elemento de duda o que le parecen difíciles de decidir o anunciar: con frecuencia en estos contextos, el uso de **casi** representa una manera tímida de presentar una respuesta o de anunciar un proyecto motivada esencialmente por respeto al interlocutor.

- El operador **casi** también tiene usos relacionados con la expresión de cantidades.

➲ Individuos y cantidades

13. Para justificar el hecho de decir algo con la voluntad de informar al otro, que podría no estar informado, se usan expresiones como:

por si no lo supieras/sabes **por si no te hubieras/has enterado**

[29] ● **Ya se lo comentaremos a Ángel, a ver él qué dice...**
❍ **Oye, que ya se ha marchado, por si no lo supieras.**

➲ Contraste subjuntivo / indicativo

14. Para presentar / justificar algo dicho como el resultado de una observación o de un análisis atento que nos lleva a modificar lo dicho anteriormente u otras primeras impresiones, se usan:

bien mirado **mirándolo bien** **si bien se mira**

[30] ● **Me lo he estado pensando. Mirándolo bien, creo que tienes razón.**

[31] ● **Parece sin solución, pero bien mirado, no es así.**

15. Para relanzar una palabra inmediatamente después de usarla, como para señalar al destinatario del mensaje que no se trata de un uso cualquiera de la misma, sino de un uso *con todos sus matices y todo lo que implica*, se usa generalmente:

palabra **+ pero +** ***misma palabra*** **(+ (y +)** ***misma palabra*****)**

[32] ● **Tiene apenas dos años y ya charla, pero charla.**

[33a] ● **Es precioso, pero precioso.**

[34a] ● **Conduce rápido, pero rápido, rápido.**

Cuando usa esta construcción con **pero**, el enunciador intenta dar más intensidad al uso que está haciendo de la palabra en cuestión. Por eso el que usa el operador **pero** quiere romper con la interpretación banal que podría dar su interlocutor del término que está usando, para señalar que se trata de un uso *verdadero —con todos sus matices y todo lo que implica—* y no de un uso cualquiera.

A veces en esta construcción, entre **pero** y la palabra en cuestión se intercala la expresión **lo que se dice**:

[33b] ● **Es precioso, pero lo que se dice precioso.**

[34b] ● **Conduce rápido, pero lo que se dice rápido...**

En ocasiones también, para relanzar el uso de una palabra, el enunciador la repite dos veces seguidas:

[35] ● **¿Quieres un café café, o prefieres un descafeinado?**

[36] ● **La verdad es que cenar cenar no me apetece mucho.**

[37a] ● **¿Puedo pasar?**
❍ **Pasa, pasa.**

Al reduplicar un elemento, el enunciador señala de manera inequívoca su voluntad de atribuir a la palabra en cuestión su sentido más pleno.

La reduplicación de un elemento es característica, entre otros contextos, de la concesión de permiso. En estos casos, se trata más de reduplicación del sentido que de repetición del mismo elemento lingüístico:

[37b] ● **¿Puedo pasar?**
❍ **Sí, claro, pasa.**

Al reduplicar ciertos elementos lingüísticos (como por ejemplo el imperativo), se neutralizan parcialmente algunos de sus rasgos semánticos.

➲ El imperativo

16. RELACIONAR LO DICHO CON ALGO DICHO ANTERIORMENTE

➲ Coordinar, introducir elementos nuevos
➲ Corregir y contrastar informaciones

17. Para limitar el alcance de algo dicho a un elemento o información que para el hablante es importante considerar porque relativiza o explica la información dada, se usan las expresiones:

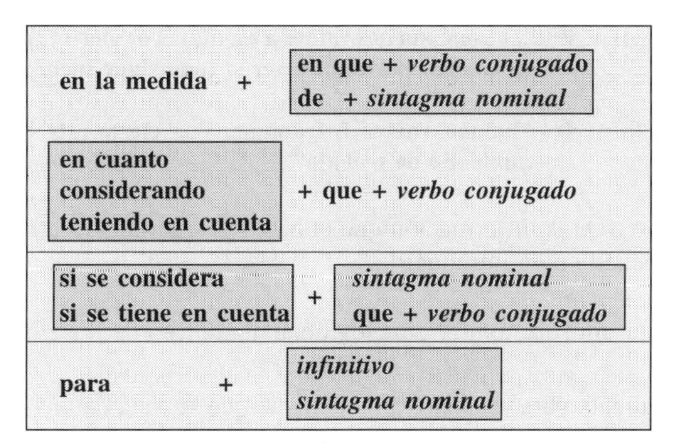

[38] ● **Para ser tan joven, me parece que lo ha hecho muy bien.**

[39] ● **Es un instrumento utilísimo y, si se tiene en cuenta que no existe nada por el estilo, creo que es absolutamente revolucionario.**

[40] ● **A mí ese periódico me gusta en la medida en que con frecuencia presentan opiniones personales y ya está.**

18. Cuando ya se ha mencionado un verbo en el contexto, para informar sobre un sujeto en lo que atañe a dicho verbo, se usa la construcción:

infinitivo + mismo verbo conjugado en un tiempo informativo

[41] ● **Si estudiara, eso no le pasaría.**
❍ **No, no creas, si estudiar estudia.**

[42] ● **O sea que no sale nunca...**
❍ **No, no, salir sale; lo que pasa es que no tiene amigos.**

A veces, el verbo no ha aparecido explícitamente en el contexto considerado pero está presente en la mente del hablante y/o de su interlocutor:

[43] ● **Tiene un comportamiento ejemplar: beber, no bebe. Fumar, no fuma...**

En español, a diferencia de lo que ocurre en otras lenguas, en estos casos el infinitivo no va introducido por ninguna preposición.

19. Al dar una información que el hablante se había olvidado o se iba a olvidar de dar, con frecuencia la introduce con:

hablando de
por cierto
a propósito

[44] ● **... Y mañana nos vamos a esquiar. Por cierto, ¿puedes pasar de vez en cuando por aquí a ver si todo sigue bien?**

[45] ● **Mañana vuelvo a trabajar. Por cierto, ¿te he contado que he cambiado de trabajo?**

En ocasiones, se trata de información que el hablante quería dar pero estaba esperando un pretexto adecuado para introducirla.

Generalmente, la información introducida tiene algún tipo de relación con lo dicho.

20. Al repetir algo dicho, para señalar explícitamente que se trata de una repetición, se usa:

que + *repetición de lo dicho*

[46] ● **Va a subir el precio de la gasolina.**
❍ **¿Cómo dices?**
● **Que va a subir el precio de la gasolina.**

Cuando lo que se repite es algo expresado en imperativo o se refiere a una petición, para indicar que se trata de una repetición se usa:

que + *subjuntivo*

[47a] ● **¿Abres la ventana?**
❍ **¿Cómo dices?**
● **Que abras la ventana.**

Si lo que se repite es una pregunta que requiere una respuesta de tipo **sí/no**, al repetirla señalando explícitamente que se trata de una repetición, se usa:

que si

[48] ● **¿Has comprado el periódico?**
❍ **¿Cómo?**
● **Que si has comprado el periódico.**

Cuando la pregunta sirve para expresar una petición, se puede repetir con **que** + ***subjuntivo*** como cualquier petición, o con **que si**. En el primer caso queda más explícito que se trata de una petición, como en [47a] —a diferencia de lo que sucede en [47b]:

[47b] ● **¿Abres la ventana?**
❍ **¿Cómo?**
● **Que si abres la ventana.**

Si lo que se repite es una pregunta por un elemento de información que falta, se usa sencillamente **que** seguido de la pregunta:

[48] ● **¿Dónde vives?**
❍ **¿Cómo?**
● **Que dónde vives.**

Al repetir una pregunta con **qué**, se da dos veces seguidas la palabra **que** en la misma frase; el primero no lleva acento, puesto que se trata del **que** de repetición; el segundo, sí, puesto que se trata del interrogativo:

[49] ● **¿Qué has dicho?**
❍ **¿Cómo?**
● **Que qué has dicho.**

El uso de estos recursos para subrayar que se está repitiendo algo puede adquirir distintos tipos de efectos expresivos (irritación, polémica, impaciencia, simple repetición, etc.) claramente descifrables por el contexto. Esto se debe al hecho mismo de subrayar que se trata de una repetición, frente una repetición *ex novo* de lo dicho.

Es importante notar que, por lo general, la repetición se refiere al sentido y, por lo tanto, puede no parecer totalmente coherente:

[50] ● **Voy a la farmacia. ¿Necesitas algo?**
❍ **¿Cómo?**
● **Que si quieres que te compre algo.**

Para solicitar la repetición de una porción de información, se formula una pregunta normal, dicha con la entonación característica que marca la repetición:

[51] ● **Vivo en Ibiza.**
❍ **¿Dónde?**
● **En Ibiza.**

21. Para subrayar la repetición de algo que otro ha puesto en discusión, contestado o ignorado, se usa:

te/le/os/ digo que + ***información repetida***
¿no te/le/os digo que + ***información repetida?***

[52] ● **¿Y no nos podemos ver mañana?**
❍ **Te digo que mañana no estoy.**

[53] ● **¿Me puedes prestar tu coche por un par de horas?**
❍ **¿No te digo que no funciona?**

22. Para recordar un elemento de información ya dado, que otro parece haber olvidado o que contradice algo dicho por el otro, o para presentar un dato nuevo llamando la atención sobre él, se usan con frecuencia oraciones con valor de exclamaciones introducidas por:

si pero si

[54] ● **¿Tú crees que nos va a poder ayudar?**
○ **Claro, si es profesor de inglés.**

[55] ● **¿Y tú qué hiciste?**
○ **Me quedé en casa.**
● **Pero si te llamé y no me contestó nadie.**

Con **pero si** se introduce más bien una información contraria a la que se está manejando explícita o implícitamente en el contexto.

23. Cuando en el contexto ya se ha negado un primer predicado, al introducir otro afirmativo subrayando explícitamente que se trata de un predicado afirmativo —contrariamente al anterior, que era negativo— se usa:

sí + *predicado verbal*

[56] ● **Eso que acabas de decir no es cierto. No leo el periódico, pero sí miro todos los telediarios y programas informativos que encuentro.**

[57] ● **¿Y también hablas ruso?**
○ **No lo hablo, pero sí lo entiendo.**

Estos usos de **sí** tienen la función fundamental de señalar que se está teniendo en cuenta lo que ya se ha dicho anteriormente. Como todos los demás operadores presentados en este capítulo se sitúan en el plano metalingüístico.

24. Cuando otro acaba de negar un predicado, para retomarlo afirmativamente y, a la vez, rechazar la negación que ha expresado el otro, se usa:

sí que + *predicado*

[58] ● **O sea que lo han suspendido de nuevo... Es normal, si no estudia nada.**
○ **Sí que estudia, lo que pasa es que es un programa bastante difícil.**

A veces, no se ha dado explícitamente la negación por parte del otro. En tales casos, el uso de **sí que** viene a anticipar al otro y puede constituir, en algunos contextos, una nota polémica por parte del hablante:

[59a] ● **Yo creo que ésta ha sido la semana de más trabajo de mi vida.**
○ **Sí que has trabajado mucho.**

La interpretación definitiva de los efectos expresivos que adquiere el uso de **sí que** en estos casos depende esencialmente del contexto en el que se da y del conocimiento previo que tienen los interlocutores de la situación en cuestión.

CON MÁS DETALLE

Es importante no confundir estos usos de **sí que** con **sí, que** (con una pausa entre **sí** y **que**, representada gráficamente por una coma): esta segunda expresión, se usa para confirmar algo dicho por otro (**sí**), añadiendo un comentario, un argumento o una explicación inmediatamente después:

[59b] ● **Mañana me voy a esquiar una semanita, que estoy agotado.**
❍ **Sí, que has trabajado mucho.**

Esta segunda posibilidad también puede tener usos irónicos. La primera, en [59a], es más bien polémica (y expresa por tanto una crítica/ironía más explícita y menos indulgente para con el interlocutor); la segunda, en [59b], expresa una aceptación tranquila de lo dicho implícita o explícitamente por el otro: en sus usos irónicos, la fina sutileza podría no ser captada por el otro.

25. Para informar sobre un suceso presentándolo como involuntario o del todo accidental para el sujeto, se usa:

se + me/te/le/nos/os/les + ***verbo conjugado***

[60] ● **Ayer me quedé sin reloj: se me cayó y se me rompió.**

Con esta construcción, el hablante presenta el suceso como algo que se produce solo y espontáneamente (de ahí el uso del reflexivo **se**) y lo sitúa (con el pronombre indirecto que sigue —dativo ético) con respecto a un sujeto que se convierte en mero espectador / víctima impotente frente a los hechos.

26. Para introducir un elemento de información que viene a justificar y a aumentar en cierto sentido el peso de algo que se acaba de decir, se usa la construcción:

(*verbo* +) tanto más + (*adjetivo* / *adverbio*) + cuanto que + ***información justificación***

[61] ● **Para mí, es tanto más bonito cuanto que lo hizo mi hijo y tiene un valor simbólico.**

Esta expresión tiene usos poco frecuentes y pertenece al lenguaje culto.

27. Para reafirmar el uso que se está haciendo de una palabra, como para confirmar al destinatario del mensaje la plena conciencia por parte del hablante de lo que dice, se usa con frecuencia:

lo que se dice

[62] ● **Para mí, Carmen es lo que se dice una persona inteligente.**

➲ 15.

28. Para confirmar la elección de una palabra, ya sea porque se quiere confirmar la identidad de su referente extralingüístico ("*Sí, se trata de eso*"), ya sea porque se quiere confirmar la elección del término en cuestión ("*Sí, he dicho eso*") se usa con frecuencia el operador:

justo

[63] ● **Me encontré con él justo ayer.**

[64] ● **Y en ese momento estaba justo delante de mi casa, esperándome.**

[65] ● **A mí lo que más me molesta es que me lo vengas a decir justo tú.**

En [63] y [64], el hablante confirma la elección del término usado (**delante de mi casa** y **ayer**), como para subrayar la innecesariedad de ir a buscar más lejos. En [65], subraya la identidad, en el plano del referente extralingüístico, del elemento en cuestión: lo que le molesta es precisamente dicha identidad frente a todas las que hubieran podido aparecer según el hablante en el mismo contexto.

29. A veces —especialmente al expresar sorpresa, irritación, etc., o en las peticiones—, el hablante siente la necesidad de demostrar una fuerte participación en lo que dice, reafirmando su propia identidad y su propia individualidad mediante el uso de un pronombre sujeto que podría parecer superfluo en el contexto en cuestión:

[66] ● **¡Quisiera yo saber dónde te has metido esta tarde!**

30. Cuando no se ha entendido claramente cuál es la intención comunicativa del otro ni adónde quiere llegar con las palabras que acaba de decir, para pedirle que aclare mejor lo dicho o incitarle a que siga adelante en su discurso para que quede más explícitamente comprensible, se usa con frecuencia la expresión:

¿y qué?
¿y...? (*entonación característica*)

[67] ● **¿Ya has hablado con Íñigo?**
❍ **Sí.**
● **¿Y qué?**
❍ **Me dijo que se lo iba a pensar y que nos iba a dar una respuesta mañana.**

En los contextos en los que alguien está relatando algo, son frecuentes los usos de **¿y**

qué? para incitarlo a seguir. En estos casos, se usa a menudo también la expresión:

¿y entonces?

[68] ● **En ese momento entró Juan y me di cuenta de que lo había oído todo.**
○ **¿Y entonces? ¿Qué pasó?**

A veces, el uso de esta expresión puede resultar polémico e interpretarse como una manera de decir al otro que está diciendo banalidades sin nigún interés:

[69] ● **Mañana voy a la boda de Pepe.**
○ **¿Y qué?**

También hay casos en que, al usar esta expresión, el enunciador expresa rechazo a entender las consecuencias de lo dicho. Este matiz puede llegar a significar indiferencia o falta de interés frente a algo dicho por otro. En estos casos con frecuencia se usa la expresión **¿y a mí qué?**[1]

[70] ● **Estoy agotado. Llevo no sé cuántos días sin comer.**
○ **¿Y a mí qué?**

¿Y a mí qué? sólo tiene sentido polémico. Al emplear esta expresión, el enunciador rechaza el estatuto de oyente que le ha atribuido el otro.

31. Para aclarar algo que se acaba de decir o que acaba de decir otro, expresándolo de nuevo con otras palabras, se usa:

es decir

Cuando, además, se formulan explícitamente las consecuencias, se usa frecuentemente:

es decir que

[71] ● **Mañana estoy todo el día en Barcelona.**
○ **¿Es decir que no vas a estar en la reunión?**

➲ Expresar la causa, la consecuencia, la finalidad y el modo

---

1 En realidad, se puede considerar estas dos expresiones como dos expresiones elípticas en las que faltan verbos distintos:

- **¿Y qué?** significaría, en este caso, algo próximo a *¿Y qué pasó (luego)? / ¿Y qué implicaciones tiene esto?*
- **¿Y a mí qué?** significa más bien *¿Y a mí qué me importa?*

En esta obra preferimos acercar estas dos expresiones debido a su proximidad funcional: son numerosos los contextos en los que la intención comunicativa con la que se usan es casi idéntica. Sin embargo, para evitar equívocos, es importante tomar conciencia de que, a diferencia de **¿y qué?** (expresión usada a menudo con la intención sincera de pedir más aclaraciones), **¿y a mí qué?** nunca tiene este sentido: se trata en todos sus usos de una manera polémica de mostrar falta de interés por un tema.

32. Para aclarar el referente de algo que se acaba de mencionar, nombrándolo explícitamente o enumerando los distintos elementos de los que se compone, además de **es decir**, también se usa:

a saber

[72] ● **Todavía tenemos que discutir una serie de temas; a saber, el nuevo horario, los pagos, la preparación de un nuevo reglamento, etc.**

33. Para rechazar enérgicamente una relación *sujeto - predicado* implícita en algo dicho por otro, o planteada explícitamente, se usa:

¡qué/cómo + *presente o imperfecto de* ir a + *infinitivo*!

[73] ● **Es precioso.**
❍ **¡Qué va a ser precioso! ¡Es horrible!**

[74] ● **Es tardísimo... Deben de ser las tres...**
❍ **¡Cómo van a ser las tres! Si acabamos de levantarnos...**

Cuando el enunciador rechaza dicha relación *sujeto - predicado* porque, según él, falta un *lugar*, un *momento*, un *modo*, un *sujeto*, una *razón*, etc., para que sea posible, la estructura usada es:

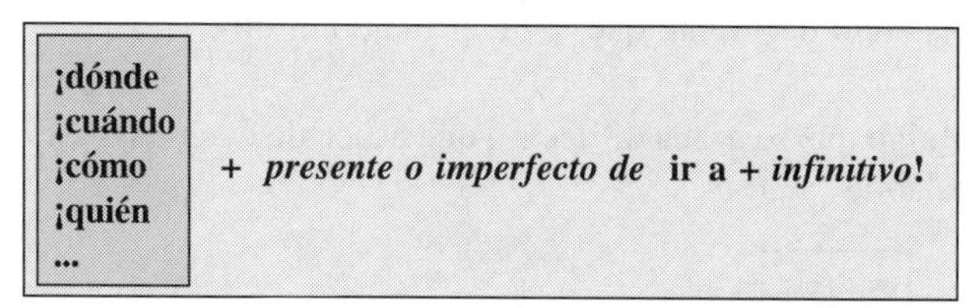

[75] ● **¿Ya habéis acabado la traducción?**
❍ **¡Y cuándo la íbamos a haber hecho si nos la trajiste anoche!**

[76] ● **Quita eso de ahí.**
❍ **¡Y dónde lo voy a poner!**

[77] ● **Por favor, un poco de música.**
❍ **¡Pero cómo voy a poner música si no hay luz!**

Con frecuencia, estas estructuras van introducidas por **y** o **pero** para poner más claramente de relieve que se trata de una reacción ante algo dicho por otro: con **y**, se señala simplemente que se trata de una reacción; con **pero**, se especifica, además, que dicha reacción contrasta con lo dicho por el otro. Por eso es tan frecuente el uso de **pero** para introducir estas estructuras.

Estas estructuras tienen un doble valor: de interrogaciones retóricas (el hablante que las formula no siempre se espera una respuesta) y de exclamaciones.

En estas estructuras, los interrogativos / exclamativos **quién, dónde, cómo, cuándo, qué,** etc., pueden ir introducidos por una preposición, igual que en cualquier otra oración interrogativa o exclamativa:

[78] ● **¿Puedes cortar esto, por favor?**
❍ **¡Pero con qué lo voy a cortar! No tengo tijeras.**

El uso de estas estructuras para rechazar la relación *sujeto — predicado* planteada por otro es frecuente sobre todo en casos en los que se presupone una aceptación o un rechazo por parte del enunciador (peticiones, órdenes, consejos, etc., o informaciones que le conciernen directamente):

[79] ● **Ésta es tu habitación.**
❍ **¡Pero cómo voy a dormir aquí, si ni siquiera hay ventana!**

➲ Las perífrasis verbales

Por lo general, cuando el enunciador rechaza una relación *sujeto - predicado*, inmediatamente después introduce alguna explicación de su rechazo. Es frecuente que para ello use el operador **si (es que)**, como en [78].

➲ 22.

34. Para rechazar enérgicamente algo planteado por otro como petición o petición de permiso, o anunciado como plan de acción, se usan con frecuencia las expresiones:

(de eso) ni hablar

[80] ● **¿Me dejas el coche?**
❍ **Ni hablar.**

➲ Preguntar

35. Para interrumpir a alguien que está hablando, porque se ha entendido o aceptado lo que está diciendo y no hace falta que llegue hasta el final de su argumentación / exposición, se usa generalmente:

bueno, bueno **vale, vale**

[81] ● **A mí me parece que es mucho mejor que lo hagamos como digo yo: va a costar mucho menos, vamos a tardar menos, y además...**
❍ **Bueno, bueno.**

El uso de esta expresión denota cierta falta / pérdida de interés por parte del hablante, que prefiere pasar a otro tema.

A diferencia de lo que sucede con los presentados en 5., los operadores presentados en este apartado no sirven para interrumpir a alguien que está hablando y poder así intervenir en su lugar, sino tan sólo cuando el hablante no quiere seguir oyendo lo que le están diciendo, ya sea por pérdida de interés, porque ya ha entendido de qué se trata o por prisa.

36. Para interrumpir a alguien que está explicando o repitiendo algo que no habíamos entendido, y señalarle que ya hemos entendido o aceptado o nos hemos acordado de lo que está diciendo y no hace falta que llegue hasta el final de su argumentación / exposición, se usa a menudo:

sí, sí, sí, sí

[82] ● **Sí, hombre, ¿no te acuerdas? Ese chico que conocimos el año pasado en Salamanca...**
○ **Ah, sí, sí, sí, sí.**

Es importante notar que, en estos casos, se dice cuatro veces la palabra **sí**, con una entonación característica.

37. Para expresar más implícita que explícitamente desaprobación por algo dicho o hecho por otro, se usa a veces:

bueno, bueno, bueno... **pero bueno, bueno...**

[83] ● **Yo vuelvo dentro de un rato.**
○ **Bueno, bueno, bueno... ¿No estaremos perdiendo demasiado tiempo?**

38. Para controlar una información que acaba de dar otro y pedirle que la confirme, se usa:

¿de veras? **¿de verdad?**

[84] ● **Pero si yo ya tengo cincuenta y dos años.**
○ **¿De verdad?**

39. Para pedir a otro que confirme una información, una suposición o una sensación nuestra, se usan:

¿verdad? **¿verdad que...?**

[84] ● **Hace frío, ¿verdad?**

Al pedir a otro que reaccione ante algo que ya se ha dicho, se usa **¿verdad?** Cuando todavía no se ha dicho, se usa:

¿verdad que +	***información del elemento sobre el que se quiere una confirmación*?**

40. Para repetir / confirmar una información dada anteriormente y sobre la que sabemos, creemos o presuponemos que puede ser discutida por otro, se usa:

estar seguro de que

[86] ● **¿De quién será ese paraguas?**
❍ **De Andrés.**
● **Estoy seguro de que es de Marcos.**
❍ **¡Qué va!**

La información que se presenta con **estar seguro de que,** (en la forma afirmativa) va en indicativo. (Véase la nota en la página 350.)

41. Para recordar / mencionar un dato o un hecho presupuesto, ya sea porque se hace necesario en el contexto, o porque al enunciador le parece necesario para demostrar otra cosa, se usan:

con la de + ***sustantivo*** + **que** + ***información presupuesta***
con lo + ***adjetivo / adverbio*** + **que** + ***verbo***
y mira que + ***información***

[87] ● **Parece mentira. Todavía no te sabes mi número de teléfono, con la de veces que me has llamado.**

[88] ● **Con lo bueno que es, mira cómo lo tratan todos.**

[89] ● **El temporal los cogió a todos por sorpresa en la playa, y mira que se lo habíamos avisado...**

➲ El artículo - una forma de artículo neutro: **lo**
➲ Expresar la concesión
➲ Las exclamaciones y la intensidad

- Con **con la de** + ***sustantivo*** + **que**, el hablante se refiere a un número alto presupuesto de elementos a los que remite el sustantivo.
- Con **con lo** + ***adjetivo / adverbio*** + **que** + ***verbo***, se refiere a un uso presupuesto del adjetivo o del adverbio en cuestión.
- Con **y mira que** + ***información***, recuerda o presenta una información que, para él, es un presupuesto pero que podría ser nueva para su interlocutor.

42. Cuando sólo queremos señalar la identidad de un elemento de información del que ya sabemos que existe, pero que no ha sido identificado o no aceptamos la identificación que se ha dado, se usa la construcción:

		Identificación		*Elemento presupuesto que se está identificando*	
		así de esta manera trabajando mucho ...		como	
		aquí en Madrid en tu casa ...		donde	
ser *en el tiempo que requiera el contexto*	Ø *preposición*	ese día el 5 de abril ...	Ø *preposición*	cuando	*información que ya se ha dado*
		esto un libro ...		lo que	
		Andrés mi hermana ...		el/la que quien	

[90] ● **Y esa noche salimos con Lourdes.**
○ **¿Con Lourdes? No, fue con María José con la que salimos. Con Lourdes sólo hablamos por teléfono.**

[91] ● **Mira, de aquí es de donde te llamo cada noche.**

[92] ● **¿Lo estoy haciendo bien?**
○ **No, no es así como se hace.**

Se usa esta construcción cuando ya está claro en el contexto que existe un *cuándo*, un *dónde*, un *cómo*, un *qué*, etc., pero no se ha establecido aún su identidad. El único elemento nuevo es precisamente la identidad de ese *cuándo*, *dónde*, etc. Por eso dicho elemento se halla en una posición de especial relieve.

Cuando el elemento identificado se refiere a una *coordenada temporal*, se recoge con **cuando** en la segunda mitad de la frase. Cuando se trata de un *elemento espacial*, se recoge con **donde**. Cuando se trata de un *modo*, con **como**. Cuando se trata de una *persona*, con **el/la que** o con **quien**. Cuando se trata de un *objeto*, *concepto*, etc., con **lo que**.

Cuando el elemento identificado va introducido por una preposición, generalmente se repite la misma preposición en la segunda mitad de la frase.

Con frecuencia, la segunda mitad de la frase no se repite porque se refiere al elemento que ya conocemos:

[93] ● **Y en Navidad vimos a los Gómez.**
❍ **No, no fue en Navidad, fue en Semana Santa.**

Hay casos en los que se invierten los dos términos y se pone la segunda mitad de la estructura presentada arriba antes de la primera.

[94] ● **El que lo hizo fue mi hermano.**

[95] ● **Con la que salimos no fue con Lourdes sino con María José.**

Esta estructura se usa en todos los contextos en los que se trata de completar la información con el último elemento que faltaba. Es especialmente frecuente en contextos en los que se expresa el desacuerdo sobre un elemento de información: lo que hace el hablante es presentar su identificación del elemento en cuestión como único elemento nuevo que falta, puesto que todo lo demás ya ha aparecido. Lo único que para el hablante es nuevo es la identidad de dicho elemento: la identificación que ya se ha dado no le satisface.

43. A veces, al dar informaciones, el hablante no quiere asumirse la responsabilidad de lo que dice porque no se trata de cosas que provienen directamente de él, sino de cosas oídas, dichas por otros. Para descargarse de responsabilidad por lo dicho, en lugar de presentar la información directamente, el hablante la introduce habitualmente con uno de los siguientes recursos:

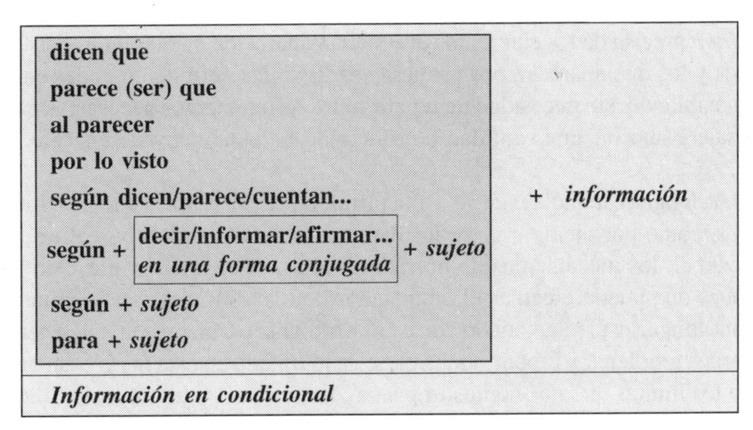

[96] ● **¿Te has enterado de lo del Primer Ministro?**
❍ **No, ¿qué?**
● **Parece que va a dimitir.**

[97] ● **Actualmente, las cosas van mejor, según informa nuestro corresponsal en Moscú...**

[98] ● **Para mi jefe no hay nunca ningún problema. Claro, como no es él el que hace las cosas...**

[99] ● **Según fuentes oficiosas el Presidente tendría la intención de dimitir.**

[100] ● **La situación actual es de aparente tranquilidad. Sin embargo, el Presidente tendría todo listo para huir de un momento a otro.**

44. Al informar sobre algo hecho por otro, para señalar el hablante que lo aprueba, se usa con frecuencia la expresión:

con razón

[101] ● **¿Y cómo reaccionó?**
❍ **Se enfadó. Y con toda razón.**

Cuando la expresión **con razón** introduce una información, suele cambiar ligeramente de sentido, convirtiéndose así en una manera de presentar la información que sigue como perfectamente comprensible (en el sentido de que cualquiera tendría el mismo comportamiento):

[102] ● **Pero ¿qué había pasado?**
❍ **Pues que llegó al aeropuerto y resulta que no había sitio en el avión, cuando él tenía el billete reservado.**
● **Con razón se enfadó, entonces.**

45. LAS TEMATIZACIONES Y LA REFERENCIA

En español, como en todos los idiomas, los interlocutores mantienen constantemente una *contabilidad* precisa de los elementos que ya han aparecido en el mundo que es la comunicación entre ellos y los que aparecen por primera vez. Esto les permite entender en cada momento de qué están hablando, sin necesidad de repetir todos los elementos necesarios para la comprensión del mensaje y ahorrar una cantidad considerable de palabras y de energía.

Para ello, la lengua española recurre a una infinidad de operadores o microsistemas más o menos complejos, como por ejemplo el de los determinantes del sustantivo, el de los pronombres, el sistema verbal, los mecanismos de borrado de algunos elementos, etc. Son numerosísimas las operaciones que puede efectuar el enunciador con las informaciones: gran parte de lo que se dice en una lengua está relacionado con estos problemas. Una presentación satisfactoria del tema nos llevaría a reordenar y repetir buena parte de lo tratado en esta obra, cosa que inevitablemente rebasaría los límites que nos hemos impuesto. Remitimos, pues, al lector a los demás capítulos y apartados.

46. EL ORDEN DE LAS PALABRAS

Es éste un problema estrechamente relacionado con los distintos mecanismos de tematización y rematización de la información, por lo que no será tratado aquí de manera exhaustiva. Exponemos a continuación, no obstante, algunos principios generales.

Para no quedar incompleto, el estudio detallado del funcionamiento del sistema de orden de las palabras es indisociable del estudio de la entonación y de las reglas de *desacentuación*, y —nuevamente— rebasaría los límites de esta obra. Nos limitaremos por lo tanto a dar una idea general sobre los principios que rigen este microsistema.

El estudio del orden de las palabras se refiere tanto al orden con que se asocian ciertas palabras o categorías de palabras entre ellas (como, por ejemplo, la relación *adjetivo — sustantivo*, o la relación *sujeto — verbo*), como a fenómenos más amplios (por ejemplo, el problema de la frase activa o pasiva).

El principio fundamental que rige el funcionamiento del orden de las palabras en español se basa en el grado de contextualización que ha alcanzado el elemento o la información de la que se trata, o el grado de contextualización que le quiere atribuir el hablante; consiste esencialmente en que los elementos más contextualizados van antes que los elementos nuevos: se parte siempre de lo más conocido, lo más asumido en el contexto dado, los elementos de los que ya se está hablando, para introducir posteriormente la información nueva o los elementos de los que todavía no se había hablado.

46.1. RELACIÓN *SUJETO — VERBO*

[103] ● **Hola, ¿qué hay? Te ha llamado tu hermano. Dice que lo llames.**

[104] ● **¿Ya están todos?**
❍ **No, todavía no. Tu hermano sí ha llegado; pero los demás, todavía no.**

[105] ● **¿Sabes? Acabo de ver a John Wayne aquí abajo.**
❍ **Pero ¡cómo iba a ser John Wayne, si John Wayne murió hace años!**

[106] ● **Hola.**
❍ **Hola. ¿Te has acordado de comprar el periódico?**
● **Sí. Ha muerto John Wayne.**
❍ **¡No me digas!**

En [103] y [106], el sujeto (**tu hermano** y **John Wayne**) sigue al verbo porque se trata de informaciones inesperadas para el interlocutor, que se refieren a sujetos en los que el destinatario del mensaje puede no haber estado pensando hasta ese momento. Al contrario, en [104] y [105], los sujetos ya estaban contextualizados, por lo que preceden al verbo.

Además de la simple posposición del sujeto, para anteponer o posponer un elemento dado con respecto a un verbo, se usa a menudo el sistema de la pronominalización (se pronominaliza un elemento que ya ha aparecido) y el de la pasivización (para anteponer un complemento directo, se pasiviza la oración).

➲ La pasiva
➲ Los pronombres

46.1.1. En algunas ocasiones, cuando ya se ha dado explícitamente o se presupone el verbo, al introducir el sujeto o uno de sus complementos en contextos en los que normalmente deberían seguir al verbo, se invierte el orden y se antepone el elemento nuevo, que va seguido del elemento verbal que ya se había dado. Se trata de un recurso para poner dicho elemento nuevo en una posición de especial relieve:

[107] ● **Mira cómo está esto... ¡Qué horror! ¿Y quién habrá sido?**
❍ **Pedro lo rompió, estoy seguro. Lo vi.**

[108] ● **¿No te parece que deberíamos mandarle un regalo?**
❍ **Sí, claro, una piedra le voy a regalar. Con lo que nos ha hecho...**

Al contrario de lo que pudiera parecer, este recurso no ignora el principio fundamental presentado arriba, sino que se basa en él: al tratarse de elementos que el oyente no se espera en la posición en la que se dan, sino después, anteponerlos es una manera de romper con las expectativas del destinatario del mensaje. Los efectos expresivos pueden ser múltiples: posición de mayor relieve, actitud polémica hacia el otro, etc.

46.2. RELACIÓN *SUSTANTIVO — ADJETIVO*

En este caso también, la base del funcionamiento del sistema es el principio fundamental enunciado arriba. Sin embargo, al tratarse de dos elementos que tienen una autonomía menor el uno con respecto al otro, no se puede hablar de *uno conocido* y *uno nuevo*, sino más bien de *uno más o menos integrado en un bloque único e indisociable con el otro*.

Así, pues, cuando el adjetivo va antes del sustantivo, en cierto sentido está formando bloque con él, y ya no es nuevo. Cuando va después, constituye un elemento nuevo con respecto al sustantivo, al que se viene a añadir:

➲ El adjetivo calificativo

[109] ● **Alrededor de la casa, un campo infinito de blanca nieve...**

[110] ● **¿Me acercas la camisa verde, por favor?**

Cuando el adjetivo viene a distinguir el elemento al que remite el sustantivo de otros elementos de su grupo, constituye un dato nuevo con respecto al sustantivo y, por lo tanto, va después del sustantivo. En estos casos, se está hablando, por lo general, de la categoría a la que remite el sustantivo, y al añadir el adjetivo se está introduciendo un representante concreto de dicha categoría.

Hay un número considerable de adjetivos que no pueden preceder al sustantivo debido a que, por su misma naturaleza, no llegan nunca a formar un bloque con un sustantivo.

Otros adjetivos, a veces, cambian de sentido según la posición que ocupen con respecto al sustantivo.

El comportamiento de los demostrativos y de los posesivos con respecto al sustantivo es paralelo al del adjetivo calificativo: cuando el demostrativo o el posesivo antecede al sustantivo, constituye con él un bloque saturado en el que ya no puede entrar ningún elemento más. Cuando lo siguen, constituyen un elemento nuevo que se viene a añadir al sustantivo.

➲ El demostrativo
➲ El posesivo

47. ETAPAS DE LA RELACIÓN PREDICATIVA

Cuando nos referimos a la relación que hay o puede haber entre un sujeto y un predicado, usamos un verbo conjugado en un tiempo de indicativo o en condicional (*virtual*) si queremos informar sobre ella (generalmente en estos casos, se está introduciendo un predicado nuevo). Cuando la queremos evocar sin que constituya información (ya sea porque la información se ha dado previamente y se ha superado la etapa en la que se informa, o porque no disponemos de elementos que nos permitan informar), usamos el subjuntivo. Si sólo queremos evocar la noción a la que remite el verbo, usamos el infinitivo.

A veces, en ciertas expresiones verbales, nos referimos a la relación entre un sujeto y un predicado antes de que sea efectiva (para evocarla como algo que viene o empieza); cuando ya es efectiva, para evocarla / describirla como algo que ya existe, o para tomarla como punto de referencia con respecto al cual rompe algo: los operadores usados en cada uno de estos casos son:

a / de + ***infinitivo***
verbo en gerundio

47.1. Se usa **a +** ***infinitivo*** con los verbos o en las expresiones en las que lo que expresa el infinitivo todavía no es efectivo y empieza a serlo a partir del momento al que se refiere la expresión en cuestión. Siempre se trata de verbos o expresiones que hablan de la relación misma —y no de otra cosa con respecto a la cual se quiere evocar la relación:

empezar a / ponerse a + ***infinitivo***	
ir a + ***infinitivo***	(*verbo de movimiento o modal para expresar una tendencia hacia el infinitivo*)
...	

➲ Las preposiciones: **a**
➲ El infinitivo
➲ Las perífrasis verbales: **ir a +** ***infinitivo***

47.2. Se usa un ***verbo en gerundio*** para evocar una relación que ya es efectiva entre el sujeto y el predicado. Siempre se trata de una manera de evocar la relación para hablar de la relación misma, y no para informar sobre otra cosa, o como parte integrada en una información que se refiere a un sujeto externo / ajeno a la relación misma (casos en los que se usa un tiempo informativo para informar y el subjuntivo si sólo se quiere evocar la relación sin informar)[2].

➲ El gerundio

47.3. Se usa **de +** ***infinitivo*** con verbos o en expresiones que sirven para hablar de la relación misma y no de otro referente ajeno a ella, cuando la relación es algo que se supera o interrumpe a partir del momento al que remite el verbo o la expresión en cuestión:

dejar de / parar de + ***infinitivo***
...

48. LAS MODALIDADES

Las modalidades son la expresión subjetiva por parte del hablante sobre los hechos o las relaciones predicativas de las que habla. Se sitúan, pues, en el nivel metalingüístico, en el que el hablante expresa su punto de vista sobre lo que dice. Son numerosísimos los recursos de que se dispone para expresar uno su punto de vista; se puede afirmar que la mayoría de los fenómenos lingüísticos descritos por la gramática de una lengua están relacionados más o menos directamente con operaciones de modalización por parte del hablante: por eso no podemos sino remitir al lector interesado a todos los demás capítulos de esta obra[3].

49. SEÑALAR AL INTERLOCUTOR QUE SE HA RECUPERADO EL CONTROL DE LA SITUACIÓN

Para señalar a nuestro interlocutor que habíamos perdido el control de la situación y que ya lo hemos recuperado y la comunicación sigue normalmente, usamos con frecuencia **ah**:

[III] ● **Bueno, nos vemos el jueves**
○ **Pero ¿no era el viernes?**
● **Ah, sí, el viernes**

---

2 Presentaremos en otra sede un trabajo más detallado sobre las relaciones que hay entre esta serie de operadores y los distintos tiempos verbales de subjuntivo, de indicativo y de virtual. Se trata de un trabajo abstracto o teórico que rebasa los límites de esta obra.

3 En numerosos manuales y estudios de gramática se limita el uso de los términos ***modalidad*** y ***modal*** a los verbos como **querer**, **poder**, etc. Nos parece una visión limitada del fenómeno, que no da cuenta de muchos otros aspectos fundamentales para el funcionamiento de un idioma.

INFLUIR SOBRE LOS DEMÁS[1]

1. **OBTENER DE LOS DEMÁS:** PEDIR Y PREGUNTAR

En español, al contrario de lo que sucede en la mayoría de las lenguas, existen dos verbos para describir el acto por el que otro intenta obtener algo de nosotros: **pedir** y **preguntar**.

1.1. Se usa **preguntar** para referirse al acto mediante el cual alguien intenta *obtener una respuesta* (información, aceptación o rechazo de una propuesta, etc.) Todas las veces que estamos más interesados en la respuesta verbal que en un acto concreto se usa **preguntar**:

[1] ● **¿Es Amparo? Pregúntale cuánto le falta para terminar la traducción.**

1.2. Para referirse al acto mediante el cual alguien intenta obtener no ya una respuesta verbal, sino *algún elemento concreto o algún acto* se usa **pedir**:

[2] ● **¿Te puedo pedir un favor?**

El uso de **pedir** no excluye la posibildad de que lo que quiere obtener el hablante sea una información, un dato, etc. expresado verbalmente. En estos casos, la única diferencia con respecto a **preguntar** está en que con **preguntar** se hace hincapié en el intento de conseguir una respuesta verbal, mientras que con **pedir** se subraya el hecho de que lo que se quiere obtener es algo concreto (que puede ser un objeto, una información, un dato, un acto, etc.).

---

1 El mundo de proponer, ofrecer, aceptar y rechazar los ofrecimientos y las propuestas debe estudiarse desde la perspectiva de actos muy complejos (por ejemplo, la expectativa comunicativa de que, en determinadas situaciones, se rechace el primer ofrecimiento, de que se insista, los usos de los diminutivos como medida de persuasión, etc.), que exceden los límites de esta publicación.

2. PEDIR ACTOS Y DAR ÓRDENES

2.1. Para pedir a alguien que haga algo, o para dar órdenes, se usan las construcciones y expresiones:

preguntas en presente de indicativo
preguntas en condicional
enunciados afirmativos
puede(n)/puedes/podéis + ***infinitivo***
podría(n)/podrías/podríais + ***infinitivo***
te/le(s)/os importa + ***infinitivo***
te/le(s)/os importaría + ***infinitivo***
verbo en imperativo

[3] ● **¿Me pasas la sal, por favor?**

[4] ● **Perdone, ¿le importaría cerrar la puerta? Es que no se oye nada.**

Al contrario de lo que pudiera pensarse, el imperativo no es la foma más usada para pedir actos a otro. Esta forma tiene usos bastante limitados con la intención comunicativa de pedir a otro que haga algo o de dar órdenes, relacionados con contextos específicos. Por otra parte, son frecuentes los usos del imperativo con otras intenciones comunicativas: ofrecer, recomendar, poner a alguien a sus anchas, etc.

Para pedir a otro que haga algo, se usa el imperativo sólo en las relaciones de mucha confianza o en las relaciones jerarquizadas de jefe a empleado, de empleado de oficina a persona del público, de médico a paciente, etc.

➲ El imperativo

De todos los recursos disponibles para pedir a otro que haga algo, los más universales son las preguntas en presente de indicativo y las preguntas con **poder**. Se prefieren las preguntas con **poder** para las peticiones que el hablante siente como molestias o potenciales molestias para su interlocutor.

Se usan las preguntas en condicional y las preguntas con **poder** en condicional para mostrarse más amable con el destinatario del mensaje, especialmente cuando el enunciador se siente incómodo por tener que pedir algo, o cuando cree que lo que pide podría resultar desagradable para su interlocutor. El uso del condicional constituye, pues, algo próximo a una manera de pedir disculpas al destinatario del mensaje por la molestia que se le puede estar ocasionando.

Los enunciados afirmativos en presente de indicativo sirven generalmente para dar órdenes o instrucciones a alguien que está dispuesto a recibirlas, ya sea porque es un subordinado, ya sea porque ha pedido un consejo o una instrucción. Por lo general, cuando se trata de órdenes que se dan a un subordinado al que el hablante organiza el tiempo, el enunciado afirmativo en presente de indicativo va introducido por un operador como **ahora**, cuya función es ir marcando las etapas del desarrollo de un plan de acción. Cuando se trata de instrucciones, no se necesita ningún operador que lo introduzca:

[5] ● **¿Para ir al Museo del Prado?**
❍ **Coges esta calle. La sigues hasta el final y allí giras. El museo está al final de la calle, a mano derecha.**

Las preguntas con **te/le(s)/os importaría** también sirven para expresar peticiones que el hablante siente como molestias potenciales para su interlocutor. A veces, se usan estas formas con una nota polémica, para pedir cosas que deberían resultar prácticamente automáticas: el elemento polémico deriva precisamente del hecho de que se use una forma demasiado cortés que presenta como un problema algo que no lo es en absoluto.

Para pedir cosas en los servicios públicos, es frecuente el uso de la tercera persona de plural **pueden/podrían**.

2.2. En registros informales o familiares, es frecuente el uso de la construcción:

a + *infinitivo / sustantivo*

para lanzar órdenes de manera impersonal, dirigiéndose a todo un grupo de personas:

[6] ● **¡A la mesa! ¡A comer!**

El empleo de esta construcción es característico de las relaciones *adulto — niño*.

2.3. En carteles públicos y en impresos de cualquier tipo, es frecuente que se expresen instrucciones, órdenes o prohibiciones en infinitivo:

[7] ● **No aparcar.**

[8] ● **Firmar y remitir a la dirección que figura en el dorso.**

2.4. Para repetir una orden o una petición de un acto señalando explícitamente que se trata de una repetición, se usa:

que + *subjuntivo*

[9] ● **¿Abres la ventana?**
❍ **¿Cómo?**
● **Que abras la ventana.**

Si no se quiere hacer hincapié en el hecho de que se trata de una repetición, se repite igual que se había formulado la primera vez. Si, al contrario, se quiere repetir más enérgicamente, dejando claro que se trata de una repetición, se usa:

imperativo + **te digo**

[10] ● **Ahora te vamos a poner una inyección. Bájate los pantalones.**
○ **No, por favor, no...**
● **Bájate los pantalones, te digo.**

En algunos casos, se formulan las órdenes como si se tratara de repeticiones desde la primera vez que se expresan: se trata de un recurso que adopta el hablante para expresar órdenes de manera más enérgica.

2.5. Como ya se ha visto en los ejemplos anteriores, para mostrarse amable al pedir a otro que haga algo se usa la expresión:

por favor

Por favor puede sustituirse o completarse con el nombre del interlocutor, lo que tiene un fuerte efecto persuasivo.

2.6. Para dar una orden negativa, conjurando así la posibilidad de que otro haga algo, se usa:

no + *presente de subjuntivo de* **ir a** + *infinitivo*

[11] ● **No vayas a sentarte en esa silla, que está rota.**

➲ Conjurar algo indeseado

3. PEDIR OBJETOS

3.1. En general, para pedir algo a otros, se usan las expresiones:

¿Tienes/tiene/tenéis **¿Me das/da/dais** **¿Me dejas/deja/dejáis** **¿Me prestas/presta/prestáis**	+ *objeto pedido*?

[12] ● **¿Me das un vaso de agua, por favor?**

[13] ● **Me duele la garganta. ¿Tienes un caramelo?**

Estas expresiones no se usan exactamente en los mismos contextos. La elección entre ellas depende esencialmente de la intención con la que se pide.

De todas estas expresiones, **tener** + ***objeto pedido*** es la única que usa tanto al pedir objetos como al pedir algunos tipos de informaciones. Las demás siempre se emplean para pedir objetos.

Para pedir algo, se usa el verbo **tener** en preguntas en presente de indicativo únicamente cuando el enunciador no sabe si su interlocutor tiene el objeto pedido. Cuando sabe con seguridad que lo tiene, usará otra de las expresiones presentadas.

El uso del verbo **dar** en preguntas en presente de indicativo con la intención comunicativa de pedir algún objeto indica que el hablante sabe o supone que su interlocutor tiene la cosa pedida. Este verbo se usa cuando se pide algo sin la intención de devolverlo: caramelos, cigarrillos, etc.

Al pedir dinero, se suelen emplear los verbos **dejar** y **prestar**, dando a entender en cualquier caso que se tiene la intención de devolverlo.

Con la misma intención comunicativa de pedir objetos se usan los verbos **prestar** y **dejar** en preguntas en presente de indicativo cuando se trata de préstamos momentáneos de cosas que se tiene la intención de devolver.

3.2. Para pedir objetos en tiendas, se usan generalmente las expresiones:

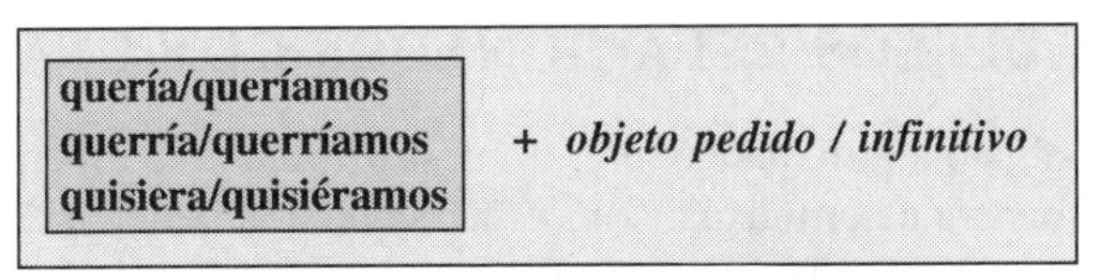

querría/queríamos
querría/querríamos + ***objeto pedido / infinitivo***
quisiera/quisiéramos

[14] ● **Quería una billetera de piel, marrón.**

➲ 3.1.

Las formas del condicional **querría / querríamos** tienen usos decididamente menos frecuentes que las demás.

En bares y restaurantes, para pedir cosas para consumir se usa además:

¿me/nos... pone/trae + *objeto pedido*?

[15] ● **¿Me pone un café con leche, por favor?**

3.3. El verbo **querer** en presente de indicativo con la intención comunicativa de pedir objetos tiene usos más limitados de lo que pudiera parecer a primera vista. Su uso implica siempre una relación informal entre los interlocutores o, por el contrario, una actitud más bien autoritaria por parte del que pide, que se presenta como alguien que quiere hacer valer sus derechos. Sin embargo, su uso en este tiempo es mucho más frecuente cuando previamente ya ha habido otra petición —es decir: cuando se emplea para pedir algo que se viene a añadir a la petición anterior:

[16] ● **¿Podría enseñarme paraguas plegables?**
❍ **...**
● **También quería/quiero unos guantes.**

En contextos como [16] es perfectamente posible el uso de **quiero** en lugar de **quería.**

Es asimismo frecuente y normal el uso del verbo **querer** para pedir algo en un contexto en el que el otro haya pedido al hablante que exprese sus deseos: se trata de peticiones que, en cierto sentido, han sido autorizadas, o legitimadas.

3.4. Salvo en las tiendas, cuando se piden objetos, suele venir inmediatamente una explicación o justificación de la petición. Esto se aplica en particular cuando se pide prestada alguna cosa.

A veces, cuando se piden objetos prestados, en lugar de dar una explicación o una justificación de la petición, se indica que se trata de un préstamo breve, haciendo intervenir en la petición la expresión:

un momento

[17] ● **¿Me dejas el bolígrafo un momento / un momento el bolígrafo?**

4. EXPRESAR DESEOS RELACIONADOS CON UNA PETICIÓN

Al pedir un acto o un objeto a otro, para expresar nuestra voluntad o esperanza de que la cosa sea o se haga de una manera determinada, como añadiendo a la petición del acto o del objeto en sí una petición ulterior relacionada con las características que nos gustaría que tuviera el objeto o el modo en que queremos que se realice el acto, usamos las expresiones:

si es posible **si puede ser** **a poder ser**

[18] ● **¿Fumador o no fumador?**
❍ **Fumador. Ventanilla, si puede ser.**

Al usar estas expresiones, el hablante señala a su interlocutor lo que son sus deseos, pero subraya, a la vez, su disponibilidad para aceptar también otras posibilidades.

5. ACONSEJAR, SUGERIR, RECOMENDAR

Para aconsejar, sugerir o recomendar a otro que haga algo se usan generalmente las expresiones:

yo que tú/usted **yo, en su/tu lugar,** + ***condicional***
¿por qué no + ***presente de indicativo?***
aconsejar/recomendar/sugerir que + ***subjuntivo***
verbo en imperativo

[19] ● **No sé qué hacer...**
❍ **Yo que tú lo llamaría y se lo explicaría.**

[20] ● **Ésta es un poco más barata, pero la calidad es más o menos la misma. Yo, en su lugar, me llevaría ésta.**

[21] ● **No sé qué voy a hacer. Pasado mañana me cambio de casa y todavía no he tenido ni un segundo para empezar a empaquetar las cosas.**
❍ **¿Por qué no llamas a una empresa de ésas que lo hacen todo?**
● **Es que son carísimas.**
❍ **Sí, pero te ahorran tal cantidad de trabajo y de tensión que merece la pena. Hazme caso, llama a una empresa.**

[22] ● **Llevo un mes aquí y mira el desastre que sigue habiendo. Lo que pasa es que no tengo dónde meter todas estas cosas.**
❍ **Yo te aconsejo que te vayas a dar una vuelta a esa tienda. Tienen unos muebles estupendos y algunos son realmente baratos.**

La expresión **¿por qué no +** ***presente de indicativo*****?** sirve también para proponer actividades que realizar conjuntamente con el destinatario del mensaje. Se interpreta como consejo cuando va en una persona que excluye al enunciador; y como propuesta, cuando lo incluye.

Los verbos **aconsejar, sugerir** y **recomendar** también pueden tener un complemento directo y suelen emplearse, por lo tanto, en contextos en los que se aconsejan objetos:

[23] ● **No sé si escoger la sección de traducción o la de interpretación.**
❍ **Yo te aconsejo la traducción. Es mucho más interesante.**

Para aconsejar de manera insistente a alguien que haga algo, se usa además:

no dejes/deje(n)/dejéis de + ***infinitivo***

[24] ● **Si vas a Madrid, no dejes de visitar el museo del Prado.**

6. CONVENCER Y ATRAER LA ATENCIÓN SOBRE UN HECHO IGNORADO O QUE CONTRADICE AL OTRO

Cuando se quiere convencer a alguien para que haga algo, se usa:

hazme/nos/le/les caso
te/os/le/les digo que + ***repetición de lo aconsejado***
propuesta/consejo **+ hombre/mujer... +** ***repetición de la propuesta/consejo***

[25] ● **No dudes tanto, que se van a acabar. Cómpratelo, hombre, cómpratelo.**

Con frecuencia, al tratar de convencer a alguien de algo, se atrae su atención sobre un dato o hecho que no parece estar teniendo en cuenta o que contradice parcial o totalmente su posición. Para ello, se usan las expresiones:

pero si + ***información***
mira que + ***información***[2]

[26] ● **Mañana me voy a la montaña.**
○ **¡Pero si tienes una cita con el médico!**

Cuando sólo se quiere atraer la atención del otro sobre un detalle, sin contradecirlo, se usa además:

fíjate/fíjese + (en +) que

[27] ● **Y fíjate que está esperando que la llames... Si no ¿por qué me dijo eso?**

7. INCITAR / ESTIMULAR A LA ACCIÓN

Para incitar a alguien a que haga algo o para darle ánimos, se usa la expresión:

venga

[28] ● **Vamos a hacer ahora el ejercicio siguiente. Venga, ¿quién lo lee?**

Para meter prisa, se usa la repetición **venga, venga**.

2 **Mira que** se emplea sólo en registros muy familiares

EL DISCURSO REFERIDO

Cuando nos referimos a las palabras dichas en otro momento por nosotros mismos o por otro, no las repetimos exactamente, sino que transmitimos el sentido de esas palabras, las interpretamos, contamos lo que hemos entendido. Muchas veces, además, resumimos y nos concentramos en lo que a nosotros nos interesa o nos parece más importante en el momento de referirlas, adaptándolas a la nueva situación de comunicación (el contexto que compartimos con el actual interlocutor, las nuevas coordenadas de espacio y tiempo, etc.).

Al contrario de lo que suele ocurrir en los manuales de gramática —que en la gran mayoría de los casos tienden a reducir el problema del discurso referido a una serie de transformaciones formales, de automatismos—, para entender seriamente su funcionamiento es fundamental preguntarse por qué y para qué se están contando las palabras de otro: será la clave que determinará la manera de referirlas.

Otro elemento que es muy importante tener en cuenta a la hora de plantearse el funcionamiento del discurso referido en cualquier idioma es el de las emociones del hablante con respecto a las palabras que refiere. Dichas emociones desempeñan un papel fundamental, ya que son las que determinan en gran medida las elecciones y decisiones por parte del hablante en lo que se refiere a contar o filtrar el discurso directo inicial y al modo de contarlo.

1. Como atendemos al sentido de lo dicho, reinterpretamos automáticamente toda una serie de palabras y expresiones propias de la interacción. Algunas de estas expresiones son:

Es que...

Se usa para introducir explicaciones o pretextos. Al contar una conversación en la que aparece **Es que...**, usamos expresiones como **y por eso** o verbos como **explicar, justificarse**, etc.

Mira/mire

Se usa para introducir algo que nos parece difícil o complejo por algún motivo (o, a veces, simplemente para no parecer demasiado brusco al decir ciertas cosas, que preferimos presentar como algo complejo). Según la conversación, el contexto y las intenciones del que habla, hay varias maneras de interpretarlo y de referirlo. Una forma frecuente es **explicar,** pero en algunos casos, si el uso de **mira/ mire** no nos parece muy importante usamos simplemente **decir**.

Toma/tome

Es una forma que usamos al dar algo a otra persona. Al contarlo, nos referimos más bien al acto mismo y empleamos, por ejemplo, el verbo **dar** (**me dio...**).

Vale y **de acuerdo**

Son dos expresiones que usamos para aceptar. Al contar una conversación en la que aparecen, usamos generalmente verbos como **aceptar** o **decir que sí**.

2. Hay una serie de expresiones que, por regla general, no repetimos al referir las palabras dichas en otro momento, como por ejemplo:

Oye/oiga

Es una forma que utilizamos, en muchos casos, para atraer la atención de una persona. En estos casos, según el contexto, podemos decidir no referirnos a ella al contar la conversación, o emplear verbos como **llamar**. Pero hay casos en los que el empleo de esta expresión puede indicar una nota polémica: se puede referir con algún adverbio o algún adjetivo.

Hay muchas otras expresiones que es importante interpretar bien al contar una conversación, como por ejemplo: **pero, pues, claro, a ver, bueno, de verdad, ...y..., ¿por qué no...?**

3. Al transmitir el sentido, siempre se interpreta toda la intención comunicativa de quien habla: así, por ejemplo, las preguntas no siempre son una manera de pedir información o una respuesta, sino que también pueden ser un consejo, una sugerencia, una manera de solicitar a alguien que haga algo, etc. Los imperativos son, según el contexto, una manera de ser amable con alguien, una forma para invitar, etc., y no sólo una manera de dar órdenes. Hay preguntas formuladas en el discurso directo que no se retoman al pasar al discurso referido, o de las que el enunciador extrae el sentido principal para referirlo de un modo totalmente distinto o para usar el elemento de información que aporta en la construcción de su discurso propio; así, por ejemplo, la pregunta **¿tienes hora?** puede transformarse en **no tenía hora** o en **me di cuenta de que no sabía la hora**.

4. Al transmitir el contenido, es importante tener en cuenta la nueva situación de comunicación, para adecuar una serie de expresiones y estructuras al nuevo contexto sin que por ello cambie el sentido de lo que decimos. Esto sucede con todo lo que depende del momento y de la situación de comunicación y de la persona que emite el discurso. Esto afecta fundamentalmente a:

- los posesivos (**mi, tu, su,** etc.)
- los demostrativos (**este, ese, aquel,** etc.)
- los sujetos de los verbos
- todas las palabras que indican referencias temporales
- todas las palabras relacionadas con el tiempo y el espacio (**ir, venir, llevar, traer**...)

5. Además de los cambios que ya hemos comentado, cuando nos referimos a algo que hemos leído o que nos ha dicho otro, también adaptamos los tiempos de los verbos.

Los cambios en este caso también dependen en gran medida de la intención comunicativa de quien habla, así como de las nuevas coordenadas de la situación: se hacen obligatorios cuando han cambiado las coordenadas temporales. Además, aun en los casos en que las coordenadas temporales que determinaban el uso de un tiempo verbal en el discurso directo no se han modificado substancialmente y, por lo tanto, cabría mantener el mismo tiempo, el enunciador puede pasar de un tiempo verbal a otro para poner en evidencia el hecho de estar transmitiendo palabras dichas por otro o en otra situación. Cuando, por el contrario, hace suyas las palabras que está transmitiendo, el hablante no cambia el tiempo verbal si no es indispensable.

5.1. Así, pues, las cosas dichas por otro en *presente*, las podemos referir en presente o en imperfecto. La única diferencia es que, si empleamos el imperfecto, subrayamos más el hecho de que se trata de palabras de otro que estamos repitiendo; con el presente, por el contrario, repetimos más los conceptos que ya hemos hecho nuestros, borrando, en cierta medida, el hecho de que ha habido transmisión de información.

[1] ● **Te ha llamado Pablo. Está en casa. Llámalo.**
❍ **... No contestan.**
● **No sé. A mí me dijo que estaba en casa.**

Por este motivo, cuando no creemos o tenemos dudas sobre lo que ha dicho el otro —como en la última réplica del ejemplo anterior— usamos preferentemente el imperfecto.

Por el mismo motivo, además, cuando ya ha pasado demasiado tiempo y la cosa ya se refiere a un momento del pasado, emplearemos el imperfecto, para señalar que sólo estamos refiriendo las palabras de otro, dichas en otro momento:

[2] ● **La última vez que lo vi me dijo que ya no trabajaba allí.**

5.2. Cuando otro dice *algo que se refiere al futuro*, también tenemos dos posibilidades al referirlo:

- Si lo que nos han dicho todavía se refiere al futuro, podemos contarlo empleando el futuro, el presente o el condicional.

  Con el futuro o el presente, lo contamos como algo nuestro —es decir: repetimos el concepto. Con el condicional, insistimos más en que estamos repitiendo las palabras de otra persona (porque no nos queremos comprometer, por ejemplo, o porque no lo creemos totalmente):

[3] ● **Acabo de hablar con Luis. Me ha dicho que mañana no podrá venir a la reunión.**

[4] ● **¿Estás seguro de que va a venir?**
❍ **No sé. Ayer me dijo que vendría.**

➧ Si lo que nos han dicho ya no se refiere al futuro, porque en el momento de contarlo ya ha pasado el momento al que se refería, usaremos el condicional, subrayando así que sólo estamos contando lo que nos dijo otra persona:

[5] ● **La semana pasada usted me dijo que me llamaría al día siguiente. ¿Por qué no me llamó?**

5.3. Cuando alguien dice *algo que se refiere al pasado*, para referirlo podemos emplear el pretérito indefinido, el pretérito perfecto, el imperfecto o el pluscuamperfecto.

5.3.1. Empleamos el imperfecto, como todas las veces que se emplea este tiempo, para hablar de cosas que de alguna manera describen la situación pasada en la que se produjo la comunicación:

[6] ● **Ayer te llamó Andrés. Quería invitarte a cenar.**

5.3.2. Empleamos el pretérito perfecto, el indefinido o el pluscuamperfecto para contar cosas más puntuales en sí.

5.3.2.1. Con el pretérito perfecto, señalamos que de alguna manera lo que contamos nos parece relacionado con el presente:

[7] ● **¿Y qué te ha dicho?**
❍ **Nada, que ya ha hablado con tu madre y que no te preocupes.**

5.3.2.2. Con el pretérito indefinido, contamos cosas pasadas sin relación con el presente:

[8] ● **Le pedí prestado el coche, pero él me explicó que se lo robaron el año pasado.**

5.3.2.3. Si queremos subrayar el hecho de que un suceso es anterior a otro o que está en relación con el momento pasado en el que se produce la comunicación, usaremos preferentemente el pluscuamperfecto:

[9] ● **Pero ¿por qué no vino?**
❍ **Es que dijo que estaba muy cansado porque se había pasado todo el día trabajando.**

5.3.3. Pero además —igual que cuando empleamos el presente en lugar del imperfecto para contar cosas que otro ha dicho en presente, o el futuro en lugar del condicional para referir cosas dichas por otro que remiten al futuro— cuando empleamos el indefinido en lugar del pluscuamperfecto, transmitimos el concepto como algo nuestro y por eso simplemente decimos que es algo pasado, sin ninguna referencia al momento pasado en el que recibimos el mensaje.

5.3.4. Por otra parte, cuando utilizamos el pluscuamperfecto —igual que cuando usamos el imperfecto en lugar del presente, o el condicional en lugar del futuro— subrayamos más el hecho de estar contando cosas dichas por otro, ya que tenemos en cuenta el momento en el que recibimos el mensaje, que se convierte en algo parecido a una etapa intermedia entre el suceso en sí y el momento en el que referimos las palabras que hemos oído.

En cierta medida, con el imperfecto, el condicional y el pluscuamperfecto, la persona que cuenta las palabras de otro se descarga en parte de responsabilidad por lo que dice, al subrayar que se trata de palabras dichas por otro.

6. Para referir una orden o una petición de un acto se usa la estructura:

que + *subjuntivo*

[10] ● **¿Y qué te dijo?**
❍ **Nada, que lo llamara de nuevo la semana que viene.**

En español, a diferencia de la mayoría de las lenguas europeas, en estos casos no se usa nunca **de + *infinitivo***.

Cuando la petición o la orden se refiere al pasado con respecto al momento en que la contamos, o cuando queremos subrayar que estamos refiriendo las palabras de otro, se usa el imperfecto de subjuntivo. Si, al contrario, la orden o petición se refiere al presente cronológico o al futuro cronológico con respecto al momento en el que la contamos, y el enunciador se hace cargo de ella y decide contarla como algo suyo, se usa el presente de subjuntivo.

7. VERBOS QUE INTRODUCEN EL DISCURSO REFERIDO

Pero además, cuando contamos las palabras dichas por otro, añadimos nuestra interpretación sobre la intención con la que han sido dichas y las integramos en nuestro discurso mediante una serie de verbos: algunos de ellos insisten más en nuestra interpretación de lo que ha dicho el otro (**aconsejar, mandar, pedir, sugerir**...); otros, en la coherencia de nuestro discurso al referir el mensaje (**añadir, agregar**...).

Decir:
Se usa cuando sólo queremos señalar que estamos refiriendo las palabras de otro.

Comentar:

Se emplea cuando contamos algo dicho por otro presentándolo, a la vez, como algo dicho casi a medias, quitándole así importancia a lo dicho.

Explicar:

Se usa para presentar lo que nos han dicho como algo que, según nuestro parecer, tiene el objeto de aclarar algo. Sin embargo, es importante notar que el empleo de este verbo no presupone que haya necesariamente aceptación o acuerdo con lo dicho por el otro.

Agregar y **añadir**:

Se utilizan para introducir un elemento dicho por otro, como algo que se viene a añadir a otras cosas que ya hemos dicho. La función de estos verbos es señalar que estamos teniendo en cuenta lo que viene antes.

Sugerir:

Sirve para presentar lo dicho por otro como algo que nos parece una propuesta hecha con cierta delicadeza hacia el/los interlocutor/es. El uso de este verbo indica que nos parece que la actitud del otro en el momento de decir la cosa implicaba respeto y delicadeza hacia los demás.

Pedir:

Se emplea para interpretar y contar lo dicho por el otro como algo destinado a la obtención de algo. A diferencia de **mandar**, que tiende a negar al sujeto su capacidad de aceptación o de rechazo, y de **aconsejar**, que pone de relieve el hecho de que el sujeto tiene plena libertad de decisión, aceptación o rechazo, **pedir** se limita a señalar que las palabras que estamos contando son una manera respetuosa de intentar obtener algo.

Aconsejar:

Se utiliza cuando interpretamos y presentamos lo dicho por el otro como consejo (es decir: como algo que nos parece que el sujeto debería hacer, pero dejándole su plena libertad de decisión).

Mandar:

Señala que, para el hablante, las palabras referidas son una manera de imponer algo a otro, negándole su capacidad de aceptar o rechazar. Indica que para él, la actitud del que pronunció las palabras que refiere es autoritaria.

Proponer:

Indica, igual que **sugerir**, que la persona que habla interpreta las palabras que está contando como propuesta, pero lo presenta como propuesta menos tímida que la presentada con **sugerir**.

Además, se usan frecuentemente verbos como:

Pretender que...

Cuando se usa en una persona que no sea la primera, este verbo sirve para referir algo que otro ha dicho o pedido y que nos parece totalmente injustificado. Cuando se usa en primera persona, sirve para hacer valer los derechos propios, proclamándolos enérgicamente.

Esperar que...

Se usa para señalar que estamos contando palabras de alguien que tiene un deseo con un poco de esperanza de cara al futuro.

Decir que sí / decir que no:

Se emplea para referir una respuesta afirmativa o negativa a algo (pregunta, propuesta, oferta, etc.). No significa necesariamente que haya habido aceptación o rechazo plenos por parte del sujeto.

Aceptar / rechazar:

Tienen una significación parecida a la de los dos anteriores, pero implican además una buena / mala disposición del sujeto frente a la cosa aceptada o rechazada y señalan que ha habido aceptación o rechazo total. Sólo se pueden referir a propuestas, invitaciones, ofertas, peticiones, etc. No pueden emplearse para las respuestas a las preguntas para pedir información.

Informar:

Se emplea para referirse a la transmisión de elementos de información a otro para que disponga de todos los datos necesarios y pueda, eventualmente, actuar, tomar decisiones, etc. con conocimiento de la situación en la que se está moviendo.

Avisar:

Sirve para referirse al acto de informar a alguien, generalmente de algo esperado o anunciado. A diferencia de **informar** (usado para referirse a la transmisión de información en sí, con el único objetivo de que el otro disponga de todos los elementos para poder actuar), se usa generalmente más en relación con unas consecuencias o conclusiones que el otro debería sacar con respecto a algo concreto.

Advertir:

Se usa para referirse al acto de avisar / informar a otro de un peligro o una amenza que le puede afectar directamente. Se usa casi siempre al referirse a la transmisión de información con el objetivo de amenazar a otro o de permitirle prevenir un peligro.

Temer:

Se usa para referir palabras con las que otro expresa preocupación o miedo con respecto a algo.

Los verbos que indican una promesa por parte del sujeto tienden a emplearse seguidos del futuro o del condicional (futuro con respecto a un momento del pasado), porque su significado está proyectado hacia el futuro e implica algún tipo de incertidumbre sobre el acto objeto de la promesa:

[11a] ● Te prometo que irá.

Es, precisamente, este elemento de duda o incertidumbre lo que hace necesario asegurar o prometer. De lo contrario, cuando no hay dudas sobre algo futuro y ya está establecido y aceptado, se emplea el presente o el imperfecto:

[11b] ● Te aseguro que voy.

BIBLIOGRAFÍA

La presente bibliografía no tiene ninguna pretensión de exhaustividad: nos limitamos a mencionar aquellas obras de carácter general consultadas más frecuentemente durante la preparación de esta gramática, y las obras (especialmente los escritos de H. Adamczewski, de J. C. Chevalier, de B. Pottier, y las gramáticas de la lengua inglesa de Leech y Svartvick y de Quirk y Greenbaum) que tuvieron una fuerte influencia en los planteamientos presentados aquí.

No mencionamos, en cambio, los numerosos trabajos teóricos de lingüística general y aplicada que pueden haber contribuido más o menos indirectamente a la elaboración de esta gramática, ni los trabajos más puntuales sobre aspectos o fenómenos específicos que nos han ido enseñando a pensar de manera crítica sobre el funcionamiento del español.

Adamczewski, H., *Grammaire linguistique de l'anglais, París,* A. Colin, 1982

Adamczewski, H., *Be + ing dans la grammaire de l'anglais contemporain,* París, Champion, 1978

Adamczewski, H., "Beting revisited", en P. Corder y E. Roulet, *New Insights in Applied Linguistics,* Bruselas, AIMAV, y París, Didier, 1974

Adamczewski, H., "Esquisse d'une théorie de DO", en S. Pit Corder y E. Roulet, *Some Implications of Linguistic Theory for Applied Linguistics,* Bruselas, AIMAV, y París, Didier, 1975

Adamczewski, H., "Le montage d'une grammaire seconde", en *Langages,* n.º 39, septiembre de 1975

Adamczewski, H., "Le faire et le dire dans la grammaire de l'anglais" en *Theoretical Approaches in Applied Linguistics,* París, 1976

Adamczewski, H. y otros, *Tréma n.º 8 "Linguistique: analyse métaopérationnelle de l'anglais"*, París, UER des Pays Anglophones de l'Université de París III, 1983

Alcina Franch, J., J. M. Blecua, *Gramática española,* Barcelona, Ariel, 1983 (1975)

Alonso, M., *Gramática del español contemporáneo,* Madrid, Guadarrama, 1974

Balesdent, R., N. Marotte, *Gramáire méthodique de l'espagnol,* París, Ophrys, 1976

Beaumont, D., C. Granger, *English Grammar,* Oxford, Heinemann, 1989

Beitscher, G., J. Domínguez, M. Valle, *Einführung in die Spanische Grammatik für Anfänger,* München, Dolmetscher Institut, 1987

Bello, A., *Gramática de la lengua castellana,* edición EDAF, Madrid, 1982

Berger, D., A. Oliver, M. Hédiard, *Le temps des cerises: grammaire de la langue française,* Florencia, La Nuova Italia, 1989

Borrego, J., J. J. Gómez, E. Prieto, *Temas de gramática española,* Salamanca, Cursos de lengua y cultura españolas, Universidad de Salamanca, 1984

Bouzet, J., *Grammaire espagnole,* París, Belin, sin fecha

Bouzet, J., M. Lacoste, *Précis de grammaire espagnole,* París, Belin, 1958

Busquets, J., L. Bonzi, *Ejercicios gramaticales,* Madrid, SGEL, 1983

Bruegel, M. F., M. Grelier, *Grammaire espagnole contemporaine,* Paris, Editions Desvignes, sin fecha

Camprubí, M. *Etudes fonctionnelles de grammaire espagnole,* Toulouse, France Ibérie Recherche, Institut d'études hispaniques et hispanoaméricaine, Université Toulouse Le Mirail, 1982

Carrera Díaz, M., *Manual de gramática italiana,* Barcelona, Ariel, 1985

Chassard, J., G. Weil, *Grammaire de l'allemand moderne,* París, A. Colin, 1966

Chavronina, S., *Parliamo il russo,* Moscú, 1976

Chevalier, J. C., *Verbe et phrase, les problèmes de la voix en espagnol et en français,* París, Editions Hispaniques, 1978

Chevalier, J. C. "Sur l'idée d'aller et de venir et sa traduction linguistique en espagnol et en français" en *Bulletin Hispanique de l'Université de Bourdeaux III,* tomo LXXVIII, n.º 3-4, juillet-décembre, 1976

Chérel, A., *Le russe sans peine,* París, Assimil, 1974

De Vitis, G., L. Mariani, M. M. O'Malley, *Grammatica inglese della comunicazione,* Bolonia, Zanichelli, 1984

Equipo Pragma, *Para empezar,* Madrid, Edelsa, 1984

Equipo Pragma, *Esto funciona,* Madrid, Edelsa, 1985 y 1986

Fernández, J., J. Siles, R. Fente, *Curso intensivo de español: gramática,* Madrid, Edelsa, 1986

García Santos, J. F., Español: *Curso de perfeccionamiento,* Salamanca, Cursos de lengua y cultura española, Universidad de Salamanca, 1988

Gelabert, M. J., E. Martinell, M. Herrera, F. Martinell, *Niveles umbral, intermedio y avanzado: repertorio de funciones comunicativas del español,* Madrid, SGEL, 1988

Gili Gaya, S., *Curso superior de sintaxis española,* Barcelona, Bibliograf, 1979 (1961)

González Ollé, F., *Textos para el estudio del español coloquial,* Pamplona, Ediciones de la Universidad de Navarra, 1982 (1986)

Green, J., M. Hilton, *Penguin Speaking Skills,* Harmondsworth, Penguin, 1985

Groussier, M. L. y G., P. Chantefort, *Grammaire anglaise et themes construits,* París, Hachette, 1975

Halm, W., *Spanisch für Sie,* München, Max Hueber, 1977

Hamon, A., *Grammaire française,* París, Hachette, 1966

I. C. C., *Certificado de español,* Bonn-Frankfurt, Deutscher Volkshochschul-Verband, 1986

Kundert, H., M. A. Martín Zorraquino, *Ejercicios de español,* Madrid, Alhambra, 1983 (1976)

Leech, G., J. Svartvick, *Communicative Grammar of English,* Londres, Longman, 1975

Levinson, S. C., *Pragmatics,* Cambridge, CUP, 1983

Martínez Calvo, *Gramática rusa,* Barcelona, Ramón Sopena, 1968

Matreyek, W., *Communicating in English: I. Functions,* Cambridge, Prentice Hall, 1987

Miquel, L., N. Sans, *¿A que no sabes?,* Madrid, Edelsa, 1983

Miquel, L., N. Sans, *Intercambio,* Madrid, Difusión, 1989 y 1990

Moliner, M., *Diccionario de uso del español,* Madrid, Gredos, edición consultada 1981

Pedragos, S., L. Guierre, *Le mot juste - ¿Cómo decirlo?: Petit guide pour la traduction et la rédaction en espagnol,* París, 1975

Potapova, N., *Grammatica russa,* a cura di I. Ambrogio, Roma, Editori Riuniti, 1975 (1957)

Pottier, B., *Gramática del español,* Madrid, Alcalá, 1975

Pottier, B., *Introduction à l'étude linguistique de l'espagnol,* París, Ediciones Hispanoamericanas, 1972

Pottier, B., *Lingüística general,* Madrid, Gredos, 1976

Pottier, B., *Lingüística moderna y filología hispánica,* Madrid, Gredos, 1970

Pulkina, I. M., *Compendio de gramática de la lengua rusa,* Moscú, Ediciones Lenguas extranjeras, sin fecha

Quilis, A., *Métrica española,* Madrid, Alcalá, 1983

Quirk, R., S. Greenbaum, *A University Grammar of English,* Londres, Longman, 1973

Real Academia Española de la lengua, Comisión de gramática, *Esbozo de una nueva gramática de la lengua española,* Madrid, Espasa Calpe, 1986 (1973)

Sánchez, A., E. Martín, J. A. Matilla, *Gramática práctica de español para extranjeros,* Madrid, SGEL, 1980

Seco, R., *Manual de gramática española,* Madrid, Aguilar, 1982

Slagter, J. P., *Un nivel umbral,* Estrasburgo, Consejo de Europa, 1979

Swan, M. *Basic English Usage,* Oxford, OUP, 1984

Rècanati, F., *La transparence et l'énonciation,* París, Seuil, 1979

Ulysse O. y G., *Précis de grammaire italienne,* París, Hachette, 1988

Vigara Tauste, A. M., *Aspectos del español hablado,* Madrid, SGEL, 1980

ÍNDICE ALFABÉTICO

Los números se refieren a las páginas en las que se habla del elemento en cuestión. Todos los que van después de II: se refieren al segundo tomo. Los que van antes se refieren al primer tomo.

B

C

D

I

J

L

M

N

O

P

Q

R

S

Nota pág. 44

2 Hay autores que en estos casos sostienen que **este libro** en [16b] es sujeto de **se vende**. Uno de los argumentos que aducen para ello es que en plural hay concordancia: **Estos libros se venden mucho.** Sin embargo, es interesante notar que cuando se trata de personas no hay concordancia: el plural de [16c] será: **A los directores no se les ve nunca.** En un ejemplo como [16d] referido a más de una persona tampoco la habría: **A Pepe y Juan se les nota cansados.** Con el mismo tipo de argumento, parece más plausible, pues, que en estos casos las expresiones **al director** y **a Pepe** sean complemento directo del verbo en forma impersonal. Así, pues, es probable que **este libro** en [16b] sea complemento directo del verbo **vender**. Sintácticamente, puede que no lo sea y se puede aceptar que se trate de dos fenómenos distintos. Semánticamente se trata del mismo fenómeno que en [16c] y [16d]: el enunciador usa el operador **se** para señalar que no es necesario buscar más allá otro elemento (sujeto o complemento, según los casos) porque ese otro elemento no interesa. Somos conscientes del hecho de que para resolver estas cuestiones las gramáticas suelen distinguir entre diferentes tipos de oraciones impersonales con **se**: pasiva refleja, oración impersonal con **se**, etc.
Voluntariamente hemos ignorado estas distinciones y, para evitar entrar en las funciones gramaticales de los diferentes elementos presentes (que no ayudan a los estudiantes, sino que les confunden) usamos expresiones genéricas como por ejemplo *la expresión con **se** introduce un sustantivo.*

Nota pág. 51

1 Las gramáticas suelen presentar la oposición **ser/estar**, especialmente en los casos considerados en el presente apartado, como reflejo de la dicotomía *transitorio/permanente,* olvidando que, como en muchas otras oposiciones de este tipo en gramática, la clave para la comprensión del fenómeno reside en la actitud del enunciador. Así pues, son frecuentes los usos de **estar** en contextos como **¡Qué buena está la fruta en España!** (dicho, por ejemplo, en Viena, por un hablante que lleva un año y medio fuera de España). En estos casos, con frecuencia no hay ninguna referencia a un momento transitorio, sino que se intenta presentar algo que para el hablante representa una verdad permanente como experiencia vivida, valoración subjetiva explícitamente reconocida como tal, por la que el hablante puede dar elementos de garantía.

Nota pág. 292

Al contrario de lo que ocurre con **la verdad** (que siempre introduce información remática -no se ha superado aún el nivel de la primera información), con **de verdad** se presupone un planteamiento previo de la información. Al usar este operador el hablante reafirma algo dicho previamente implícita o explícitamente. Debido a la necesidad de reafirmarla en tanto que información, dicha información va en indicativo, presentada aún como información nueva, porque al no haber sido aceptada, no se dan las condiciones para su tematización con subjuntivo.

Nota pág. 305

1 La información que se presenta con **estar seguro de que** (en la forma afirmativa) va en indicativo porque todavía no se ha superado el nivel de la información y al enunciador le interesa presentar como información nueva su punto de vista (que, por no haber sido aceptado aún, sigue siendo remático). En la forma negativa esta expresión suele ir seguida de subjuntivo porque hay presuposición de información.

➲ Subjuntivo
➲ Definiciones: informar, presuponer

SUMARIO